EL EX...
B...

# LA BIBLIA, LIBRO POR LIBRO

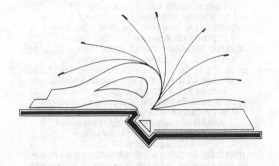

# 1

*GENESIS*
*Y*
*MATEO*

*Estudios intensivos de la Biblia*
*para adultos*

# CASA BAUTISTA DE PUBLICACIONES

# CASA BAUTISTA DE PUBLICACIONES

## Apartado Postal 4255, El Paso, TX 79914 EE. UU. de A.

### Agencias de Distribución

**ARGENTINA:** C. S. Lamas 2757, 1856 Glew
**BOLIVIA:** Casilla 2516, Santa Cruz
**COLOMBIA:** Apartado Aéreo 55294, Bogotá 2 D. E.
**COSTA RICA:** Apartado 285, San Pedro Montes de Oca, San José
**CHILE:** Casilla 1253, Santiago
**ECUADOR:** Casilla 3236, Guayaquil
**EL SALVADOR:** Apartado 2506, San Salvador
**ESPAÑA:** Padre Méndez #142-B, 46900 - Torrente, Valencia
**ESTADOS UNIDOS:** 7000 Alabama; El Paso, TX 79904
Teléfono (915) 566-9656
PEDIDOS; 1 (800) 755-5958
Fax: (915) 562-6502
960 Chelsea Street, El Paso, TX 79903
312 N. Azusa Ave., Azusa, CA 91702
1360 N.W. 88th Ave., Miami, FL 33172
**GUATEMALA:** Apartado 1135, 01901 Guatemala
**HONDURAS:** Apartado 279, Tegucigalpa
**MEXICO:** Apartado 113-182, 03300 México, D. F.
Madero 62, Col. Centro, 06000 México, D. F.
Independencia 36-B, Col. Centro, Deleg. Cuauhtemoc, 06050 México, D. F.
Matamoros 344 Pte. Torreón, Coahuila, México
Hidalgo 713, 44290 Guadalajara, Jalisco
16 de Septiembre 703 Ote., Cd. Juárez, Chihuahua
**NICARAGUA:** Apartado 2340, Managua
**PANAMA:** Apartado 87-1024, Panamá 5
**PARAGUAY:** Casilla 1415, Asunción
**PERU:** Apartado 3177, Lima
**PUERTO RICO:** Calle 13 S.O. #824, Capparra Terrace
Calle San Alejandro 1825, Urb. San Ignacio, Río Piedras
**REPUBLICA DOMINICANA:** Apartado 880, Santo Domingo
**URUGUAY:** Casilla 14052, Montevideo
**VENEZUELA:** Apartado 3653, El Trigal 2002 A, Valencia, Edo. Carabobo

Ediciones: 1992, 1993, 1994
Cuarta edición: 1995

Clasificación Decimal Dewey: 220.6 B471a

Temas: 1. Biblia – Estudio
2. Escuelas dominicales – Currículos

ISBN: 0-311-11261-7
C.B.P. Art. No. 11261

4 M 1 95

Printed in U.S.A.

EL EXPOSITOR BIBLICO

PROGRAMA:
"LA BIBLIA, LIBRO POR LIBRO"
ADULTOS

# CONTENIDO

**DIRECTOR GENERAL**
José T. Poe

**DIRECTOR DE LA DIVISION
DE DISEÑO Y DESARROLLO
DE PRODUCTOS**
Ananías P. González

**DIRECTORA DEL DEPARTAMENTO
DE EDUCACION CRISTIANA**
Nelly de González

**ESCRITORES**
Génesis: Prof. Moisés Poveda Castillo
Mateo: Lic. M. Victoria Flores Hernández

**EDITORES**
Mario Martínez L.
Jorge E. Díaz F.

**REIMPRESIONES**
Violeta de Martínez

**CBP**

**Casa Bautista de Publicaciones**
**Apartado 4255**
**El Paso, Texas, 79914**
**EE. UU de A.**

# La Biblia, Libro por Libro

## Descripción General

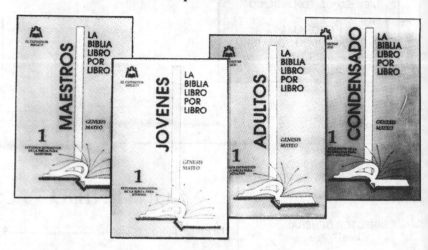

**El objetivo general del programa** La Biblia, Libro por Libro es facilitar el estudio de todos los libros de la Biblia durante nueve años en 52 estudios por año.

El objetivo educacional del programa La Biblia, Libro por Libro es que, como resultado de este estudio los adultos puedan: (1) conocer los hechos básicos, la historia, la geografía, las costumbres, el mensaje central y las enseñanzas que presentan cada uno de los libros de la Biblia. (2) Desarrollar actitudes que demuestren la valorización del mensaje de la Biblia en su vida diaria de tal manera que puedan ser mejores discípulos de Jesucristo.

El programa La Biblia, Libro por Libro está diseñado para que los adultos al estudiar un pasaje de la Biblia, tengan los materiales, enfoques, procedimientos de enseñanza y aplicaciones que toman en cuenta sus intereses en esta etapa de la vida.

Un detalle a tomar en cuenta es que las referencias directas o citas de palabras del texto bíblico son tomadas de la Biblia Reina-Valera Actualizada, pero cuando la palabra o palabras son diferentes en la Biblia RV-60 se citan ambas versiones. La primera palabra viene de RVA y la segunda de RV-60 divididas por una línea diagonal. Por ejemplo: *que Dios le dio para mostrar/manifestar/. . .* Este detalle enriquece la comprensión del texto bíblico y usted puede sentirse cómodo con la Biblia que ya posee.

Cada uno de los estudios está organizado teniendo a la vista el objetivo educacional del programa La Biblia, Libro por Libro. Hay seis secciones bien definidas.

**1. Información General.** Aquí encuentran el tema-título del estudio, el pasaje que sirve de contexto, el texto básico, el versículo clave, la verdad central y las metas de enseñanza y aprendizaje. **2. Estudio panorámico del contexto.** El propósito de esta sección es ubicar al alumno en el marco histórico en el cual se llevó a cabo el evento o las enseñanzas que se tratan en el texto básico. Aquí encontrará datos históricos, fechas de eventos, costumbres de la época, información geográfica y otros elementos de interés que enriquecen el estudio de la Biblia. **3. Estudio del texto básico.** Está dividido en dos partes. La primera le instruye: *Lee tu Biblia y responde.* Se espera que con la Biblia abierta responda a una serie de preguntas que le guían a familiarizarse y comprender el pasaje. La segunda parte le instruye: *Lee tu Biblia y piensa.* Aquí se provee la interpretación del mensaje básico del pasaje en relación con todo el libro bajo estudio. Se emplea el método de interpretación conocido como gramático-histórico con la técnica exe-gético-expositiva del texto. Aunque la base de la exégesis son las versiones Reina-Valera Actualizada y Reina-Valera 1960, también se usan otras versiones de la Biblia o se citan palabras de los idiomas originales cuando ayudan a dar claridad a la interpretación del texto. Sinceramente creemos que el estilo narrativo, didáctico y lógico de esta sección hará disfrutar el estudio de la Palabra de Dios. **4. Aplicaciones del estudio.** El propósito de esta sección es guiarle a aplicar el estudio de la Biblia a su vida diaria con la intención de que se decida a actuar de acuerdo con las enseñanzas bíblicas. Le aseguramos que no son pequeños "sermoncitos" o "moralejas", sino verdaderos desafíos para actuar en obediencia al Señor Jesucristo. **5. Prueba.** En esta sección se da la oportunidad de demostrar de qué manera ha alcanzado las metas de enseñanza y aprendizaje para el estudio correspondiente. Hay dos actividades, una que "prueba" sus conocimientos de los hechos presentados y la otra que "prueba" sus sentimientos o afectos hacia las verdades encontradas en la Palabra de Dios durante el estudio. La actividad que "prueba" sus conocimientos puede hacerla en el aula durante la hora de clase; la actividad que "prueba" sus sentimientos generalmente tiene que hacerla en el labora-torio de la vida cotidiana. Al fin y al cabo, es en la realidad de todos los días que uno demuestra la calidad de discípulo de Cristo que verdadera-mente es. ¿De acuerdo? **6. Lecturas bíblicas diarias.** Estas lecturas forman el contexto para el siguiente estudio. Si uno las lee con disciplina sin duda alguna leerá toda su Biblia, por lo menos una vez, en nueve años. Le animamos a leerlas, estudiarlas y meditarlas en su cita diaria con la Palabra de Dios y con el Dios de la Palabra.

Con este libro iniciamos el programa de nueve años de *La Biblia, Libro por Libro* que nos conducirá a leer, aprender, meditar y poner en práctica todos los días la Palabra de Dios.

# Plan General de Estudios

| Año | Enero a Marzo | Abril a Junio | Julio a Septiembre | Octubre a Diciembre |
|---|---|---|---|---|
| 1992 | Génesis | Génesis | Mateo | Mateo |
| 1993 | Exodo | Levítico Números | Hechos | Hechos |
| 1994 | 1, 2 Tesalonicenses Gálatas | Josué Jueces | Hebreos Santiago | Rut 1 Samuel |
| 1995 | Lucas | Lucas | 2 Samuel (1 Crónicas) | 1 Reyes (2 Crónicas 1-20) |
| 1996 | 1 Corintios | Amós Oseas Jonás | 2 Corintios Filemón | 2 Reyes (2 Crónicas 21-36) Miqueas |
| 1997 | Romanos | Salmos | Isaías | 1, 2 Pedro 1, 2, 3 Juan Judas |
| 1998 | Deuteronomio | Juan | Juan | Job, Proverbios Eclesiastés Cantares |
| 1999 | Efesios Filipenses | Habacuc Jeremías Lamentaciones | Marcos | Ezequiel Daniel |
| 2000 | Esdras Nehemías Ester | Colosenses 1, 2 Timoteo Tito | Joel, Abdías Nahúm, Sofonías Hageo, Zacarías Malaquías | Apocalipsis |

# EL LIBRO DE GENESIS
## Una Introducción

**El propósito del libro de Génesis.** Para los hebreos este libro era conocido con el nombre de "en el principio" que son sus primeras tres palabras. Fueron los ancianos que produjeron la Septuaginta (la traducción del hebreo al griego) quienes en un esfuerzo por interpretar el tema del libro lo titularon "Génesis". El nombre "Génesis" significa "comienzo". Génesis es un libro de comienzos, o "de la primera vez". Nos ofrece un relato de cómo fue hecha toda la creación por medio de la poderosa palabra y actos de Dios. Nos habla del nuevo comienzo con Noé, y después nos describe el comienzo de la nación de Israel como el pueblo escogido por Dios. El principio que gobierna todo el libro de Génesis es que el Dios eterno fue el originador y actor principal en todos los eventos relatados.

**El autor del libro de Génesis.** El largo título que encontramos en nuestras Biblias: "El Primer Libro de Moisés, Génesis," expresa el hecho que a través de la historia de la humanidad, generalmente, se ha dado por sentado que el libro fue escrito por Moisés. Unos intérpretes de la Biblia han cuestionado la paternidad literaria de Moisés para ciertas partes o todo el libro y han propuesto varias teorías que en los siglos diecinueve y veinte han circulado más ampliamente. Sin embargo, esas teorías no gozan de la aceptación, el prestigio y la solidez que tiene Moisés como el autor de Génesis y de los otros cuatro libros del Pentateuco. La palabra "Pentateuco" viene de una voz griega que significa "los cinco libros". Entonces, "Génesis" inicia el Pentateuco y, de hecho, toda la Biblia.

**Los temas principales de Génesis.** Algunos temas corren a lo largo del libro como elementos constantes y deben recibir debida consideración.

Primero, **Dios el creador.** Génesis 1:1 a 2:4 nos provee una maravillosa y exacta introducción para todo el libro. Las cosas no emergieron solas, llegaron a ser como resultado de la acción creadora de Dios. Todo llegó a ser como resultado de su plan y el poder de su palabra. Dios formó al hombre a su imagen y semejanza y le concedió el gobierno de toda su creación. El comentario que el autor hace de todo lo que Dios hizo fue "Dios vio todo lo que había hecho, y he aquí que era muy bueno" (1:31).

Segundo, **Dios está presente y activo en su creación;** su participación es como Juez y también como Salvador. El pecado de Adán y Eva sirven de fondo negro para hacer resaltar la justicia de Dios, su reacción firme y determinada hacia el pecado, como también su misericordia y perdón.

Tercero, **la realidad y consecuencias funestas del pecado.** El pecado es desobediencia contra Dios y afecta negativamente las relaciones con Dios, las relaciones con la persona misma, con el resto de la humanidad y con toda la creación. Dios tiene un plan para el hombre y espera una respuesta de obediencia. Cuando el hombre desobedece a Dios inmediatamente desencadena el sufrimiento, el dolor y la muerte en todas direcciones.

Cuarto, **el Pacto y su significado** en las relaciones entre Dios y el hombre. Cada vez Dios lo confirma y fortalece su compromiso de cumplirlo, pero también exige la obediencia personal e incondicional. Dios inicia su pacto con Abraham, luego lo confirma a Isaac, Jacob y José. Alrededor de estos cuatro patriarcas gira el relato del libro de Génesis a partir del capítulo doce hasta el final. Este relato nos cuenta como estos personajes y sus familias vivieron y se relacionaron con Dios. Lo más importante, para nosotros, es que aprendemos cómo el Señor desea que vivamos. Aquí descubrimos lo que "debemos" y lo que "no debemos" hacer. Este es precisamente el significado de la palabra hebrea "Torah": guía, enseñanza e instrucción para la vida diaria. Así nos encontramos con. . .

*Abraham, Génesis 11:27 a 25:18.* Dios llama a Abraham y por medio de un pacto le ofrece hacerlo padre de una nación numerosa con un territorio propio; a cambio, Dios le exige obediencia y lealtad incondicional. Con toda honestidad se nos presentan algunas faltas en la vida de Abraham y cómo la gracia de Dios lo restaura, lo bendice y lo guía para hacer de él un instrumento útil para su propósito y plan de salvación.

*Isaac, Génesis 25:19 a 27:45.* Isaac es probablemente la figura menos brillante de los cuatro patriarcas, pues siempre aparece a la sombra de su ilustrísimo padre o en relación con su hijo Jacob. Sin embargo, Isaac fue también un hombre de fe. Con justa razón siempre se menciona entre los patriarcas en esa frase clásica: "Abraham, Isaac y Jacob" (vea Gén. 50:24 y Exo. 3:6). Desafortunadamente, una parte de su historia son los problemas que tuvo con su esposa por causa del favoritismo que cada uno mostró hacia sus hijos. Esta actitud condujo a un espíritu de competencia insana entre esos "gemelos" y los mantuvo en constante violencia, decepciones y amargura.

*Jacob, Génesis 27:46 a 36:43.* La historia de Jacob comienza con su famosa experiencia en Betel (28:12, 19). Cuando Dios se aparece a Jacob, éste aprovecha para pedir protección y dirección, a su vez hace un solemne voto al Señor para garantizar su compromiso. Ya sabemos que Jacob no siempre vivió de acuerdo con sus buenas intenciones, pero esa experiencia en Betel fue su punto de apoyo al cual siempre pudo volver para "comenzar otra vez".

*José, Génesis 37:1 a 50:26.* José fue el más prominente hijo de Jacob. Dios guió las circunstancias para que José llegara a ser, después del faraón, el hombre de mayor poder y autoridad en Egipto. Esa posición Dios la usó para consolidar al pueblo de Israel como nación y capacitarlo para ocupar la tierra prometida.

Quinto, **las genealogías.** Este es un tema de menos trascendencia para nosotros, pero de mucha importancia para el autor del Génesis. Hay cuando menos diez genealogías en todo el libro. La palabra clave para identificarlas es "generaciones". Casi se puede hacer un bosquejo natural del libro haciendo las divisiones cada vez que aparece la expresión: "estas son las generaciones de. . . " (por ejemplo, 2:4; 5:1; 6:9; 10:1; 11:10; 11:27; 25:12; 25:19; 36:1 y 37:2). Con excepción de 2:4, encontramos el relato de un hombre y sus descendientes. Estas generaciones nos ayudan a ver cómo Dios se relacionó con ese personaje y sus descendientes.

# EL LIBRO DE GENESIS

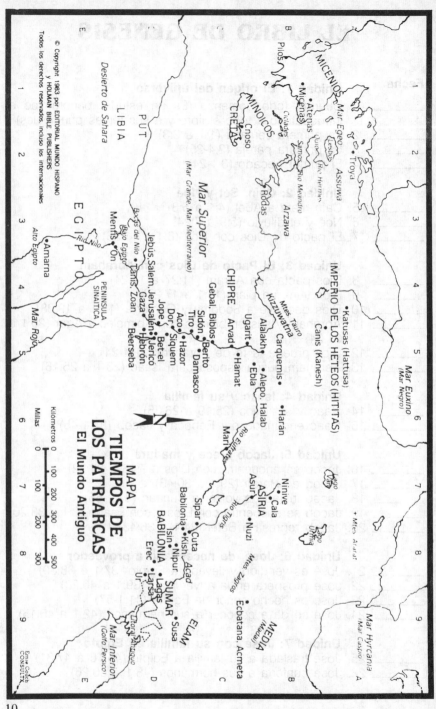

MAPA I
TIEMPOS DE
LOS PATRIARCAS
El Mundo Antiguo

# Cuando todo comenzó

**Contexto:** Génesis
**Texto básico:** Génesis 2:1-3; 3:15-17; 12:1-3; 26:1-3; 32:24-30; 50:24-26
**Versículo clave:** Génesis 1:27
**Verdad central:** El libro de Génesis nos presenta los comienzos de todo lo que Dios creó incluyendo al hombre con autoridad sobre todas las cosas.
**Metas de enseñanza-aprendizaje:** Que el alumno demuestre su conocimiento de los temas principales que presenta el libro de Génesis y su actitud hacia el libro de Génesis como base para conocer el origen de todas las cosas.

―――――― **Estudio panorámico del contexto** ――――――

Génesis es uno de los más interesantes e importantes libros de la Biblia. Su nombre es una transliteración del griego y significa "de los orígenes" y precisamente el libro trata sobre el origen del mundo y del hombre. Nos dice como se inició el pecado y también como Dios diseñó un plan de salvación dando origen a su pueblo.

El autor del libro es Moisés, el gran legislador hebreo que, inspirado divinamente, recogió el material que existía sobre los orígenes del universo y el pueblo de Dios, y lo integró en lo que hoy conocemos como el Pentateuco o Ley de Moisés.

El libro se divide en dos partes: a) Capítulos 1 al 11 que se caracteriza por lo resumido y fraccionado de los hechos. b) Ca ítulos 12 al 50 que nos ofrecen un relato muy detallado.

En la primera división encontramos el grandioso relato de la creación que presenta a Dios como autor. Se habla del origen del hombre, de la familia, de la dignidad del hombre, de su responsabilidad ante el Creador y los demás hombres, del pecado y también de la promesa de liberación por medio de un salvador. Se relata el diluvio a causa del aumento de la maldad humana, la relación de Dios con Noé, y el motivo de la dispersión de los hombres sobre la tierra.

En la segunda división se narra la formación del pueblo de Dios como división del plan divino de redención. Se nos relata el desarrollo de la voluntad y propósitos divinos para Abraham, Isaac, Jacob y José, y a través de ellos, para todos sus descendientes.

El tema central del libro es, pues, la fidelidad de Dios que se muestra como Creador, Sustentador y Salvador. Este tema tiene una gran importancia para todos; le demuestra al hombre como Dios vela por él o lo guía y le hace ver sus defectos y como rectificarlos; todo ello a pesar de lo terco y egoísta que es el ser humano.

11

# Estudio del texto básico

**Lea su Biblia y responda**

1. Génesis 2:1-3. Enliste las acciones de Dios durante la Creación:
   a. _____
   b. _____
   c. _____
   d. _____
   e. _____

2. Génesis 3:14-19. Resuma las consecuencias que trajo la desobediencia de Adán y Eva para cada uno de los personajes:
   a. Para la serpiente: _____
   b. Para la mujer: _____
   c. Para el hombre: _____

3. Génesis 12:1-3; 26:1-3; 32:24-30; 50:24-26, Relacione los nombres con las declaraciones dadas.
   a. Abraham b. Isaac c. Jacob d. José
   ___ 1. "Has contendido con Dios... y has vencido."
   ___ 2. "Dios ciertamente os visitará."
   ___ 3. "Engrandeceré tu nombre y serás bendición."
   ___ 4. "En ti serán benditas todas las familias de la tierra."
   ___ 5. "No te dejaré si no me bendices."
   ___ 6. "Yo estaré contigo y te bendeciré."

4. Marque las oraciones correctas con **V** y las incorrectas con **F**.
   a. ___ La tierra fue castigada por la desobediencia del hombre.
   b. ___ Eva fue condenada a tener hijos.
   c. ___ Abram dejó su tierra, parentela y riquezas.
   d. ___ El hombre que peleó con Jacob le dio un nuevo nombre.

**Lea su Biblia y piense**

## 1 El origen del mundo, Génesis 2:1-3.

**V. 1.** El escenario ya está terminado para crear al ser humano. Da inicio la historia del género humano.

**V. 2.** Dios es el único responsable de la creación, obra terminada donde no falta nada. Dios descansa de su trabajo, no por cansancio, sino por satisfacción de una obra bien hecha.

**V. 3.** Dios bendice y santifica el día séptimo. Cuando el ser humano lo guarda, recuerda a Dios el creador y lo adora.

## 2 El origen del plan de salvación, Génesis 3:15-17.

El ser humano cae y Dios toma la iniciativa de buscarlo.

**V. 15.** Anuncio del plan de salvación. Comienza una enemistad entre la serpiente y la mujer, y los descendientes de ambos. La simiente de la mujer dará el golpe mortal. Esta promesa mesiánica se cumplió en el Calvario (Heb. 2:14, 15).

**V. 16.** La mujer ve afectada su tarea de continuar la especie humana, por causa del pecado. Pero Dios misericordioso permite que por medio de ella venga el Redentor.

**V. 17.** Cultivar la tierra ya no será tan sencillo para el hombre, pues será maldecida a causa del pecado, y suplirá el sustento diario con dificultad.

## 3 El origen del pueblo de Dios, Génesis 12:1-3; 26:1-3; 32:24-30; 50:24-26.

**Abraham,** Génesis 12:1-3.

Abraham es llamado a fundar la nación por la cual llegaría la salvación a la humanidad. La orden de Dios demandó el abandono de los parientes y la patria. Esto no era fácil, pues Ur de los caldeos era un lugar muy próspero. La fe de Abram es puesta a prueba: dejar seguridad y prosperidad y confiar sólo en Dios. Pero esto sería recompensado con una triple promesa: una tierra; una descendencia que se convertiría en una nación; ser bendición para el mundo. Todo apunta hacia un plan salvador en el que su descendencia será responsable de llevar el mensaje de salvación al mundo.

**Isaac,** Génesis 26:1-3.

**V. 1.** Isaac, heredero de la promesa hecha a su padre Abraham, enfrenta la tentación de abandonar la tierra prometida en busca de alimento.

**Vv. 2, 3.** Dios le prohíbe a Isaac ir a Egipto, pues ese país no es la tierra prometida. Debe quedarse en su tierra a pesar del hambre. Dios le promete protección y bendición, y le renueva el pacto hecho a su padre Abraham. Esto indica la continuación del plan elaborado por Dios.

**Jacob,** Génesis 32:24-30.

Jacob, hijo de Isaac, ha tenido una vida conflictiva. Se gana el odio de su hermano Esaú y huye a tierra de sus antepasados, donde se casa y prospera. Luego Dios le ordena volver a Canaán. A su regreso se encontraría con Esaú; temeroso por ello, toma precauciones para el encuentro.

**Vv. 24-26.** Jacob tiene una lucha en la que se encuentra con Dios, y logra una bendición de su oponente.

**Vv. 27-30.** Dos cosas importantes le suceden a Jacob: su nombre, que significa engañador, es cambiado por "Israel", el que lucha con Dios. Reconoce que su vida depende de Dios, quien le protegerá en cualquier situación futura.

**José,** Génesis 50:24-26.

José, hijo de Jacob, se convirtió en uno de los hombres más poderosos de Egipto.

**V. 24.** José, a punto de morir, da prueba de su fe en Dios. La prosperidad de su pueblo no está en Egipto, a pesar de que allí le va bien. El sólo confía en las promesas de Dios.

**V. 25.** José hace que sus hermanos juren llevar sus restos a su tierra natal.

**V. 26** José muere, pero deja un ejemplo: una vida guiada por Dios hacia la meta que él ha establecido de antemano.

# Aplicaciones del estudio

1. **Dios provee la solución para el pecado, Génesis 3:15.** Dios dotó al hombre de libertad para pensar y para escoger, aun cuando el hombre la usaría para desobedecerle. Dios sabía las consecuencias que sufriría el hombre si caía, pero también conocía el resultado final de su plan. En nuestros días, el pecado sigue siendo el mayor problema para el hombre. Pero la solución anunciada por Dios está en Cristo.

2. **Dios busca personas obedientes, Génesis 12:1-3.** Cuando Dios llamó a Abram le pidió separarse y negar lo más querido. No obstante, Abram obedeció incondicionalmente al Señor.

   Hoy más que nunca debemos ser obedientes al que nos dice: "Si alguno quiere venir en pos de mí, niéguese a sí mismo, tome su cruz cada día y sígame."

3. **Poniendo toda nuestra esperanza en Dios, Génesis 50:24-26.** Es difícil recurrir a Dios cuando la prosperidad y el éxito nos sonríen. José nos enseña que a pesar del poder que poseía, él confiaba en Dios. Muchas veces nuestra tendencia está dirigida a personas que se destacan por su posición o poder. Nuestro deber es poner la mira en las cosas de arriba donde está Cristo sentado a la diestra de Dios.

# Prueba

1. Con base en los pasajes estudiados, haga una lista de los versículos clave que tratan los temas principales que presenta el libro de Génesis:

_____

_____

_____

2. Explique brevemente, ¿por qué es más seguro confiar en el relato bíblico sobre el origen de todas las cosas que en ciertas hipótesis "científicas"?

_____

_____

### Lecturas bíblicas para el siguiente estudio

**Lunes:** Génesis 1:1-5          **Jueves:** Génesis 1:20-24
**Martes:** Génesis 1:6-13        **Viernes:** Génesis 1:24-31
**Miércoles:** Génesis 1:14-19    **Sábado:** Génesis 2:1-3

**Unidad 1**

# La primera semana

**Contexto:** Génesis 1:1 a 2:3
**Texto básico:** Génesis 1:1-3, 7-11, 16, 20, 25-27; 2:2, 3
**Versículo clave:** Génesis 2:3
**Verdad central:** Dios es el creador de todas las cosas y su creación es buena.
**Metas de enseñanza-aprendizaje:** Que el alumno demuestre su conocimiento del hecho de que Dios es el creador del mundo, y su actitud hacia él por someterse a Dios como su Creador.

## —————— Estudio panorámico del contexto ——————

La verdad fundamental del capítulo 1 del Génesis es: "En el principio creó Dios." Esta verdad declara la existencia de Dios como un hecho que no se discute ni se define. Se le presenta como el iniciador y modelador de todas las cosas, lo que significa que el mundo no se formó por sí mismo.

Esta declaración, tan simple pero concluyente, combate algunos de los errores característicos del pensamiento antiguo y moderno. Declara la existencia de Dios, echando por tierra el ateísmo. Proclama la separación de Dios y el mundo, combatiendo el panteísmo.

Se resalta el poder de Dios, pues todo lo hizo de la nada, es decir, no tuvo materiales preexistentes para hacerlo. Fue por su palabra que fueron creados (Heb. 11:3).

En los siguientes versículos el relato describe la creación, en "siete días", de elementos maravillosos que culminan con la creación del ser humano.

Primer día: creó la luz. Génesis 1:3-5
Segundo día: creó el firmamento. Génesis 1:6-8
Tercer día: creó la tierra, mares y plantas. Génesis 1:9-11
Cuarto día: creó el sol, la luna, las estrellas. Génesis 1:16
Quinto día: creó animales acuáticos y aves. Génesis 1:20-22
Sexto día: creó animales terrestres y al hombre. Génesis 1:25-27
Séptimo día: Dios descansó. Génesis 2:2, 3

No sabemos con exactitud la duración de cada día. Pudieron ser de 24 horas, como los nuestros, o largos períodos. Pero sea cual haya sido su duración es bueno destacar que la obra de cada día se desarrolló como resultado del mandato de Dios.

Los acontecimientos que se presentan en cada día siguen un orden preciso y concuerdan con las conclusiones obtenidas por la ciencia.

---

## Estudio del texto básico

### Lea su Biblia y responda

1. Relacione las órdenes dadas por Dios que aparecen en la columna de la derecha, con la columna de la izquierda que tiene el día en que fueron ejecutadas:

a. Primer día     1. ____ Produzca la tierra seres vivientes.

b. Segundo día     2. ____ Reúnanse las aguas que están debajo del cielo.

c. Tercer día     3. ____ Tened dominio sobre los peces del mar.

d. Cuarto día     4. ____ Produzcan las aguas innumerables seres vivientes.

e. Quinto día     5. ____ Haya lumbreras en la bóveda del cielo.

f. Sexto día     6. ____ Haya una bóveda en medio de las aguas.

               7. ____ Llenad la tierra, sojuzgadla.

               8. ____ Produzca la tierra hierba.

               9. ____ Sea la luz.

2. Haga una lista de las características que Dios dio al hombre y que no tienen los otros elementos de la creación (Gén. 1:26, 27).

a. _____

b. _____

3. Elija la mejor respuesta.
La idea más importante del relato de la creación es:

____ mostrarnos que Dios es poderoso.

____ enseñarnos el proceso científico de la creación.

____ Dios es el único creador de todo.

____ El universo tuvo un principio.

### Lea su Biblia y piense

# 1 Dios el Creador, Génesis 1:1, 2.

La idea más importante del relato de la creación es que Dios hizo todas las cosas (v. 1). *Creó,* es el verbo que traduce la palabra hebrea **bara,** que indica una actividad propia y única de Dios. También significa "crear de la nada" o "crear algo totalmente nuevo". La descripción del proceso de la creación y sus detalles quedan en segundo plano. Se nos enseña que más allá del universo, existe un ser eterno superior a su creación, cuya característica es el orden y el progreso: la tierra estaba desordenada, vacía y en tinieblas, pero él, en pasos progresivos, la transforma maravillosamente y pone en orden el caos primitivo.

## 2 El primer día, creó la luz, Génesis 1:3.

La palabra de Dios tiene poder. Dios dijo: sea la luz. Y fue la luz. Su voluntad se cumplió sin fallo alguno. La luz era de vital necesidad para hacer visibles todas las demás cosas que se crearían.

## 3 El segundo día, creó el firmamento, Génesis 1:7, 8.

Dios, progresando en el proceso de creación, crea el firmamento y separa las aguas que están debajo de él, de las que están por encima. Desaparecen el caos y la obscuridad. Dios le da nombre a cada elemento nuevo, indicando así su dominio sobre lo creado.

## 4 El tercer día, creó la tierra, mares y plantas, Génesis 1:9-11.

La tierra estaba cubierta totalmente por agua. La acción de Dios es necesaria para que aparezca la parte seca, y a su vez se formen los mares. El escenario se va preparando para la aparición del ser humano. Sólo faltan algunos detalles. Uno de ellos es de gran importancia: la aparición de la vida vegetal capaz de reproducirse. Hasta el momento sólo había materia inorgánica.

## 5 El cuarto día, creó el sol, la luna y estrellas, Génesis 1:16.

La atención se centra en nuestro planeta que, aunque diminuto ante la inmensidad del universo, Dios lo dota de lo mejor. El sol y la luna son indispensables para conservar la vida sobre la tierra. El sol, la luna y las estrellas fueron creados para servir al ser humano, no se les debe ver como dioses. Nuestro deber es rendir adoración al Creador.

## 6 El quinto día, creó los animales acuáticos y aves, Génesis 1:20.

El mar también participa en la creación. Dios le ordena producir seres acuáticos. También ordena la producción de aves. Si la vida vegetal es admirable por su variedad y belleza, ahora la presencia de la vida animal, deslumbra por su capacidad de movimiento y utilización de los sentidos.

## 7 El sexto día, creó los animales de la tierra y el hombre, Génesis 1:25-27.

Dios crea los animales terrestres: ganado y reptiles, y los aprecia como buenos. Ahora se prepara para crear algo especial: el ser humano, cuya creación requirió de acciones nunca antes aplicadas. Dios quiso que fuera algo especial para culminar así su obra. El acto creador es solemne, en él participa toda la divinidad: *Hagamos al hombre*. La declaración: *a nuestra imagen. . . nuestra semejanza*, significa que el ser humano es capacitado espiritualmente para tener comunión con Dios. Es un ser moral, racional, capaz de pensar y formar ideas, guiado por su libertad y

17

conciencia y no sólo por instintos como los animales. Es un representante de Dios, con autoridad y dominio sobre toda la creación.

## 8 El séptimo día, Dios descansó, Génesis 2:2, 3.

Dios descansó en el séptimo día al concluir la creación y declararla muy buena. El descanso es una expresión de satisfacción por lo logrado. El séptimo día es bendecido y santificado. Observando el día de reposo, los seres humanos recuerdan que Dios es el creador y lo adoran.

─────────────── Aplicaciones del estudio ───────────────

**1. Dios es el creador de todo, Génesis 1.** Génesis contiene el comienzo de muchas cosas relacionadas con la vida del hombre, pero lo más importante es que Dios es el personaje central del libro, y esto se evidencia en la frase clave del mismo: *en el principio creó Dios*. El es el autor de las maravillas de la creación y todo debe dar cuenta de su existencia a él. ¿Cómo estoy respondiendo yo a ese ser tan especial?

**2. La creación de Dios es buena, Génesis 1:31.** Dios halló buena su creación. Coincidimos en esto al observar las montañas, los ríos, la lluvia, el arco iris. Sin embargo, hay problemas evidentes en ella: enfermedad, muerte, corrupción. Estos, no fueron ocasionados por Dios, sino por el hombre. Acojámonos a las promesas de Dios, de redimir este caos con una tierra nueva y un cielo nuevo, sin llanto ni dolor (Apoc. 21:1-4).

**3. Me someto al creador.** Si aceptamos que Dios es el creador, ni por un instante cabe la idea de un gobierno independiente de él. En todo momento, observamos a Dios velando por su creación, advirtiendo, llamando y corrigiendo al ser humano. Nada ni nadie lo saca de su propósito. Acojámonos a su plan; él ordenará la creación y también nuestras vidas.

─────────────── Prueba ───────────────

1. Escriba en el espacio provisto una respuesta bíblica para el caso presentado:
    En el periódico de hoy sale un pronóstico que dice: "Tus negocios se verán afectados por la conjunción de Marte y Venus".

_____

_____

2. Haga una lista de por lo menos dos actividades en las que se comprometerá a cumplir en el hogar con el propósito de someterse a Dios como su creador.

_____

### Lecturas bíblicas para el siguiente estudio

**Lunes:** Génesis 2:4-7          **Jueves:** Génesis 2:15-17
**Martes:** Génesis 2:8, 9        **Viernes:** Génesis 2:18-20
**Miércoles:** Génesis 2:10-14    **Sábado:** Génesis 2:21-25

**Unidad 1**

# La primera pareja

**Contexto:** Génesis 2:4-25
**Texto básico:** Génesis 2:7-9, 16-25
**Versículo clave:** Génesis 2:7
**Verdad central:** Dios creó al hombre y a la mujer con todas las posibilidades, oportunidades y responsabilidades.
**Metas de enseñanza-aprendizaje:** Que el alumno demuestre su conocimiento del hecho de que Dios creó al hombre y a la mujer, y su valorización de las posibilidades, oportunidades y responsabilidades que Dios le ha dado.

## Estudio panorámico del contexto

El capítulo 1 de Génesis trata el asunto de la creación como conjunto. El capítulo 2, pone la atención en el hombre: su formación, su vida terrenal, su relación con Dios.

Los versículos 4-7 hablan de la apariencia que tenía la tierra cuando fue formado el hombre. Se destacan dos aspectos fundamentales en la creación del hombre: 1) Está formado del polvo de la tierra, es decir, está hecho con los materiales existentes. 2) Recibe aliento de vida, esto es, posee una naturaleza espiritual que lo diferencia de cualquier otro ser de la creación, y le permite una relación especial con el Creador.

En los versículos del 8-14 sobresalen las características de hermosura (atractivo a la vista) y utilidad (bueno para comer) del ambiente preparado para el desarrollo humano. Muchos estudiosos se inclinan por ubicar el jardín de Edén en Mesopotamia. Se mencionan dos tipos de árboles: el de la vida y el del conocimiento del bien y del mal.

Los versículos del 15-17 señalan las responsabilidades del hombre. Desde el principio la idea era que el hombre trabajara, que el servicio fuera algo fundamental en su vida. Notamos aquí la posibilidad del pensamiento humano, de un lenguaje para comunicarse con Dios. El Creador le da al ser humano libertad en el jardín con una pequeña limitación que significa libertad para escoger entre comer o no comer del árbol del conocimiento del bien y del mal. Si desobedece habrá consecuencias graves que echarán a perder el mundo de oportunidades felices que Dios ha preparado para él.

Los versículos del 18-20 describen el cuidado que tiene el creador del hombre. Le dio dominio sobre el ambiente creado y le presentó a las criaturas para que les pusiera nombre. Sin embargo, no se encuentra ayuda idónea en toda la creación para el hombre. Dios resuelve el problema creando a la mujer y estableciendo la

19

correcta relación entre el hombre y la mujer: ser complemento el uno del otro, sin obstáculos; en plena armonía y bendición de Dios.

---
## Estudio del texto básico
---

**Lea su Biblia y responda**

1. Ordene cronológicamente las acciones efectuadas por Dios según Génesis 2:4-25, numerándolos 1, 2, 3, etc.
Jehovah Dios:
a. _____ plantó un jardín en Edén.
b. _____ formó de la tierra los animales del campo.
c. _____ tomó al hombre y lo puso en el Edén.
d. _____ hizo una mujer y la trajo al hombre.
e. _____ trajo los animales al hombre para que los nombrara.
f. _____ hizo que sobre el hombre cayera sueño.
g. _____ dijo: No es bueno que el hombre esté solo.
h. _____ formó al hombre del polvo de la tierra.
i. _____ hizo brotar toda clase de árboles.

2. Escriba las dos responsabilidades asignadas por Dios al hombre (vv. 15-19).
a._____
b._____

3. Escriba los cuatro pasos que Dios dio en el proceso de creación de la mujer: (vv. 21, 22)
a._____
b._____
c._____
d._____

**Lea su Biblia y piense**

# 1 Dios creó a Adán, Génesis 2:7.

**V. 7.** El cuerpo del hombre fue formado del polvo de la tierra, o sea, del mismo tipo de materia que el de las otras criaturas. Sin embargo, algo especial lo distingue: Dios sopló en su nariz aliento de vida, lo cual hace que tenga un espíritu inmortal que le permite comunicarse con su Creador, comportarse de manera diferente de los animales, pensar y formar ideas. Es una criatura privilegiada que puede dominar lo que le rodea.

# 2 Dios plantó un jardín en Edén, Génesis 2:8, 9.

**V. 8.** Dios prepara un ambiente agradable, fértil y rico en recursos naturales para el hombre en un lugar situado en oriente, probablemente en la región de Mesopotamia.

**V. 9.** Por su sola voluntad, Dios hace brotar árboles hermosos y útiles. El hombre necesita deleite y utilidad, por eso Dios crea un hermoso hogar. Dos árboles merecen mención especial: el de la vida y el del conocimiento del bien y del mal. Ambos tienen un papel que desempeñar en la vida del hombre: uno sirve para medir la capacidad del hombre para obedecer al Creador, el otro tiene su propósito pendiente; sólo al final de la Biblia se le vuelve a mencionar.

## 3 Dios responsabilizó al hombre, Génesis 2:16, 17.

**V. 16.** El hombre no fue creado para ser un simple espectador de la obra de Dios. Se le encarga cuidar y cultivar el Edén. Lo puede explotar para su beneficio con una única excepción.

**V. 17.** El hombre es responsable ante su Creador de decidir con entera libertad sobre la prohibición de no comer del árbol del conocimiento del bien y del mal. Si desobedece, muere. Es una ocasión que se le da para usar su razón y desarrollar su carácter y santidad. Puede demostrar su amor a Dios obedeciéndole y viviendo de acuerdo con el propósito establecido por él.

## 4 Dios creó a Eva, Génesis 2:18-25.

**V. 18.** El día necesita de la noche; los cielos de la tierra; el sol de la luna; las tinieblas de la luz. Cada uno es el complemento del otro. El hombre también necesita su complemento, el cual no se encuentra en toda la creación. El hombre está solo. Por eso Dios pensó en una ayuda idónea para el hombre. *Idónea* significa que tiene suficiencia, aptitud, que es adecuada y conveniente. Este fue el papel dado por Dios a la mujer.

**V. 19.** Los animales del campo y las aves del cielo son puestos bajo el dominio del hombre, a quien se le encarga ponerles nombre.

**V. 20.** La tarea asignada le trae satisfacción, pero hay soledad en lo más hondo de su ser: necesita una ayuda idónea.

**V. 21.** Dios usa al mismo Adán para proveerle la ayuda que necesita. Le hace dormir profundamente y obtiene de él una costilla.

**V. 22.** Con esa costilla, el Señor hizo una mujer, y mostró su cuidado para el hombre formándola con material obtenido del mismo hombre. Luego presenta la mujer a Adán, quien queda satisfecho.

**V. 23.** *Hueso de mis huesos y carne de mi carne* es la exclamación que hace el hombre. Su compañera participa de los mismos atributos y responsabilidades. Están en capacidad mutua de comprender sus inquietudes, razonamientos y sentimientos.

**V. 24.** Se establece el matrimonio como la relación correcta entre el hombre y la mujer. Este debe ser monógamo porque Dios hizo una sola compañera para el varón. Debe ser exclusiva porque el hombre dejará a su padre y a su madre para darle toda la atención. Es una unión estrecha, íntima e indisoluble porque "serán una sola carne". El broche de oro con que se cierra la creación no pudo lucir más hermoso y prometedor. Todo se había dispuesto en la mejor forma. Había perfección en lo físico, en lo espiritual y en lo social.

21

## Aplicaciones del estudio

**1. La imagen de Dios en el ser humano.** El soplo de vida que recibió el hombre de Dios, lo pone en una escala superior a cualquier otra cosa creada. El ser humano tiene la imagen de Dios y por eso el apóstol Pablo dice que nuestra tarea es la de servir para alabanza de su gloria (Ef. 1:12) y la de llegar a tener la medida de la estatura de Cristo, el Hijo de Dios.

**2. La autoridad que Dios le dio al hombre.** El ser humano recibió autoridad para dominar la creación. Esa autoridad aún la mantiene, pero la ha usado arbitrariamente. Está destruyendo lo recibido. Tomemos el camino correcto y convirtámonos en fieles administradores. (1 Cor. 4:1, 2).

**3. La vida social establecida por Dios.** En nuestro tiempo experimentamos formas de vida humana que en nada concuerdan con el plan original de Dios. La violencia, el adulterio, la fornicación, la venganza, son acciones que contradicen ese plan. Volvamos a tomar las directrices originales porque de lo contrario no entraremos al reino de Dios.

## Prueba

1. Escriba 4 "razones", que usted descubre en nuestro estudio de hoy, por las cuales Dios creó al hombre y a la mujer.

a. _____
b. _____
c. _____
d. _____

2. Examine su vida matrimonial y escriba brevemente:
a. Una posibilidad: _____
b. Una oportunidad: _____
c. Una responsabilidad: _____

### Lecturas bíblicas para el siguiente estudio

**Lunes:** Génesis 3:1-7       **Jueves:** Génesis 3:14-19
**Martes:** Génesis 3:8-10       **Viernes:** Génesis 3:20, 21
**Miércoles:** Génesis 3:11-13       **Sábado:** Génesis 3:22-24

# El primer pecado

**Contexto:** Génesis 3:1-24
**Texto básico:** Génesis 3:6-13, 15-19, 24
**Versículo clave:** Génesis 3:15
**Verdad central:** La desobediencia de Adán y Eva demuestra cómo el pecado separa al ser humano de Dios.
**Metas de enseñanza-aprendizaje:** Que el alumno demuestre su conocimiento de como el pecado separa al ser humano de la persona de Dios, y su actitud hacia las maneras de evitar la separación de Dios.

---------- Estudio panorámico del contexto ----------

Toda la grandeza que muestra progresivamente el relato de la creación queda rota con los nuevos sucesos. Se introducen términos hasta ahora desconocidos: tentación, pecado, maldición, dolor. Hace bien la Escritura en darnos esta información dolorosa. Sin ella no tendríamos conocimiento de la misericordia de Dios que siempre busca al ser humano sin importar cuán bajo haya caído (Rom. 5:8).

La caída se produce por sutileza y engaño de la serpiente, y tiene varias etapas: (1) La serpiente estimula la curiosidad de la mujer hablándole. (2) Crea dudas sobre lo dicho por Dios, su bondad, justicia y santidad. (3) Incita a la mujer a la incredulidad y la conduce a la desobediencia. El hombre también cae y no le queda otra salida que huir. Hay profunda vergüenza en ellos y el temor es el resultado de su culpa. Dios tiene que establecer su justicia y sentar responsabilidades. El hombre admite que ha comido, pero le echa la culpa a su compañera. La mujer admite que ha comido, pero responsabiliza a la serpiente. Sin embargo, cada cual ha de presentarse a Dios consciente de su propia culpa.

Dios emite una triple condena por la falta. Primera: a la serpiente, la maldice. Segunda: para la mujer: su maternidad ha de ser con dolor y sufrimiento. Tercera: el hombre tiene que afrontar dificultades en el trabajo, aflicción y muerte. Dios actúa con misericordia proveyendo el primer vestido adecuado a una vergüenza tan profunda. Nunca puede el hombre proveer solución satisfactoria para sus problemas.

Finalmente, viene un acto de separación. El hombre ya no tiene el derecho de quedarse en Edén. Hay peligro de que llegue al árbol de la vida. Habrá que dar tiempo para que el mismo Dios provea un medio de salvación que anule el acto de rebeldía que trajo el castigo del hombre, la sociedad y la naturaleza.

# Estudio del texto básico

**Lea su Biblia y responda**

1. Encuentre el personaje que dijo (Gén. 3:1-24):
____ Oí tu voz en el jardín y tuve miedo.
____ Comerás polvo todos los días de tu vida.
____ La serpiente me engañó y comí.
____ Vuestros ojos serán abiertos.
2. Marque con una **X** la frase que mejor corresponde a la verdad.
a. El hombre llamó Eva a su compañera porque:
____ fue formada de su costilla.
____ sería madre de todos los vivientes.
____ es hueso de mis huesos.
____ me engañó y yo comí.
b. Jehovah Dios maldijo:
____ a la serpiente, la tierra y la primera pareja.
____ sólo a la serpiente.
____ a la serpiente y a la tierra.
____ a la serpiente, al hombre y a la mujer.
3. Ordene cronológicamente los siguientes acontecimientos usando los numerales del 1 al 3.
____ El hombre da a su mujer el nombre de Eva.
____ La mujer da a su marido del fruto.
____ Jehovah pregunta: ¿Por qué has hecho esto?

**Lea su Biblia y piense**

# 1 La primera tentación y pecado, Génesis 3:6, 7.

La serpiente acusó a Dios de ser muy severo al prohibirles comer de los árboles del huerto. Fomentó incredulidad al asegurar que no había peligro de muerte. Insinuó que Dios era egoísta al privarlos de algo tan bueno como ser sabios al igual que él. Bajo estas circunstancias empieza el v. 6 a decir los pasos que marcan el descenso hacia la consumación de la desobediencia: (1) vio que el árbol era bueno para comer; (2) era atractivo a la vista; (3) tomó del fruto y comió. Se concretó así el desprecio total de los favores de Dios. Ya no había camino de retorno. Sólo hubo oportunidad de extender la desgracia ofreciéndole el fruto a su compañero.

**V. 7.** Los efectos de la acción son inmediatos y dolorosos. Primero, los ojos de la pareja son abiertos, tal y como la serpiente les dijo. La práctica de decir en parte la verdad es una vieja táctica del enemigo que le da buenos resultados. La falsedad está en que ellos ahora son como Dios conociendo el bien y el mal, pero el mal los hace darse cuenta de que estaban desnudos. Segundo, sienten una gran vergüenza. Perdieron su grata experiencia narrada en Génesis 2:25. En tercer lugar, buscan soluciones frustrantes. Cosieron hojas de higuera para cubrirse.

## 2 La primera huida, Génesis 3:8-13.

**V. 8.** La sola voz del Señor les hizo buscar un nuevo refugio. No había intención alguna de afrontar la realidad. El alejamiento de Dios es el camino que el hombre frecuenta.
**V. 9.** Dios llamó al hombre. Le quería mostrar su amor y misericordia. Sólo demandaba una respuesta personal a su pregunta: ¿Dónde estás tú?
**V. 10.** La primera pareja tiene miedo. Estaban desnudos. Alejados de Dios, quien deseaba, más que ese reconocimiento, plena responsabilidad por la falta cometida.
**V. 11.** *¿Acaso has comido...?* Dios siempre toma la iniciativa. Le brinda la oportunidad de entregarse a él.
**Vv. 12, 13.** Tarde o temprano el hombre tiene que dar respuesta al Creador. Habrá quien responda a tiempo para alcanzar su gracia y perdón. Habrá quien se rebele una y otra vez, haciéndose acreedor a su juicio eterno.

## 3 Las primeras consecuencias, Génesis 3:15-19.

**V. 15.** La primera en recibir la sentencia de Dios es la serpiente. Se establece una enemistad permanente entre la raza humana y la serpiente. Para felicidad nuestra, el hombre tendrá ventaja en esto. La herida en la cabeza de la serpiente va a ser mortal. La acción es efectuada por la simiente de la mujer aunque con sufrimiento por las heridas dadas por el enemigo.
**V. 16.** Se inicia la sentencia sobre la mujer. Las consecuencias del pecado afectan su desempeño como madre. Sufrimiento en el embarazo, dolor al dar a luz, sujeción al control del marido. Se echa a perder el plan de Dios para el matrimonio.
**Vv. 17-19.** Corresponde la sentencia al hombre. La tierra es maldita y negará sus frutos. Espinos y cardos estorbarán las labores. Obtener su sustento sería cosa difícil y sólo recibirá alivio cuando vuelva a la tierra de donde salió. Morir es una nueva acción que entra en escena, pues antes era desconocida.

## 4 El primer expulsado, Génesis 3:24.

El hermoso jardín del Edén, deja de ser el hogar del hombre. Hay elementos en el Edén que pueden hacer daño al hombre. Está el árbol de la vida, al que no debe tener acceso. Se protege el Edén con dos querubines y se da una espera. Con la obra redentora de Cristo todos aquellos que crean en su nombre serán los nuevos pobladores de tan maravillosa obra.

# Aplicaciones del estudio

**1. El pecado es una realidad en la vida del hombre.** El capítulo 3 de Génesis nos presenta el triste cuadro de como el rey de la creación quiso alcanzar otro reino con argumentos falsos. La psicología moderna quiere justificar nuestras acciones negativas atribuyéndolas a nuestros padres o mal ambiente, pero el pecado está en nuestras vidas: cuando queremos seguir nuestro propio camino, cuando rechazamos a nuestro Dueño original, cuando afirmamos nuestra voluntad egoísta.

**2. ¿Dónde estás tú?** La interrogante la planteó Dios a Adán y a Eva pero la misma pregunta se oye en el corazón de cada pecador de hoy. Dios no puede pasar por alto nuestras faltas. La justicia de él es inmutable. Dios llama al pecador para que admita sus faltas. El desea que lleguemos ante él contritos y humillados. Dios nos ama, pero si nos escondemos en los árboles de nuestras excusas heredaremos nuestra condenación.

# Prueba

1. Haga una lista de por lo menos tres cosas que muestran una persona a pesar de manifestar una conducta intachable moral y socialmente, puede estar tan separada de Dios como el mayor delincuente que conozcamos.

a. _____

b. _____

c. _____

2. Reflexione sobre su conducta como seguidor de Cristo y determine dos aspectos de ella que ponen una pared de separación entre su vida y lo que el Señor desea de usted.

a. _____

b. _____

## Lecturas bíblicas para el siguiente estudio

**Lunes:** Génesis 4:1-5          **Jueves:** Génesis 4:16-24
**Martes:** Génesis 4:6-8         **Viernes:** Génesis 4:25, 26
**Miércoles:** Génesis 4:9-15     **Sábado:** Génesis 5:1-8

# Caín mata a Abel

**Contexto:** Génesis 4:1 a 5:8
**Texto básico:** Génesis 4:3-15, 25
**Versículo clave:** Génesis 4:7
**Verdad central:** La muerte de Abel por la mano de Caín ilustra como una motivación equivocada y los celos pueden conducir a acciones trágicas.
**Metas de enseñanza-aprendizaje:** Que el alumno demuestre su conocimiento de la motivación que condujo a Caín a matar a su hermano Abel, y su actitud hacia las maneras de superar los motivos que conducen a acciones trágicas.

## Estudio panorámico del contexto

El cuarto capítulo de Génesis examina las relaciones entre los miembros de la primera familia. Adán y Eva, expulsados del Edén, siguen conscientes de su relación con Dios. Eva confía en que su primogénito esté relacionado con la promesa y propósito divinos. Al nacer le llama Caín, que significa "posesión" y declara: *He adquirido un varón de parte de Jehovah.* Su segundo hijo recibe el nombre de Abel.

Los dos hermanos son muy diferentes. Caín se dedica a las labores agrícolas y Abel a ser pastor de ovejas. A pesar de la caída del hombre, éste siente la necesidad de expresar gratitud, lealtad y dependencia de Dios. La forma de hacerlo es a través de las ofrendas y ambos hermanos las realizan. Las ofrendas son de distinta especie, pero más que eso, la lectura cuidadosa de los versículos 3, 4 nos indica una actitud diferente entre los dos que hace inclinar la balanza a favor de Abel. Caín trae una ofrenda a Jehovah, Abel trae de lo mejor de sus ovejas. Dios rechaza la falsa piedad de Caín y acepta el espíritu recto de Abel. Esto causa la ira de Caín que demuda su semblante, por lo que Dios le advierte que ese camino le dará malos resultados. Caín no acata el consejo y cegado por el odio, mata a Abel.

Dios castiga a Caín. La condena incluye rompimiento de la relación entre el homicida y la tierra. El temor va a ser su compañero, ha de sentirse fugitivo en la tierra, y errante. No existe arrepentimiento de parte de Caín. Expresa su temor de perder la vida por lo que Dios pone una señal en él dando evidencia de que sólo él es el Señor de la vida. Se hace luego una referencia al lugar escogido por Caín después de su castigo y el desarrollo material obtenido por sus descendientes. Hay grandes talentos entre ellos pero también hay manifestación de gran crecimiento del pecado. La poligamia y la violencia se incrementan y no hay noticia de la vuelta de Caín a un encuentro verdadero con el Señor. Dios concede a Adán la reconstrucción de su familia con la venida de Set (v. 25) y también el reavivamiento de la religión (v. 26). Las promesas de Dios no han faltado a pesar de las actitudes incorrectas de los hombres.

---

## Estudio del texto básico

**Lea su Biblia y responda**

1. Escriba brevemente un consejo para Caín en cada situación dada. Tome como base el pasaje bíblico dado.
a. Cuando se enfureció Caín.

_____
Efesios 4:26.
b. Cuando Caín supo que su ofrenda no agradaba al Señor.

_____
Salmo 50:23.
c. Cuando Dios le preguntó: ¿Qué has hecho?

_____
Lucas 15:21.
d. Cuando se levantó contra su hermano Abel.

_____
Romanos 12:21.

2. Marque con **X** la declaración correcta:
_____ Con el nacimiento de Set se comenzó a invocar el nombre de Jehovah.
_____ Adán engendró solamente tres hijos.
_____ Dios puso una señal sobre Caín.
_____ Dios planteó cinco preguntas a Caín.

3. ¿Cuál consejo dio Jesús (Mat. 5:23) para cuando se presentaban problemas entre hermanos? Resúmalo brevemente.

_____

_____

**Lea su Biblia y piense**

## 1 Las ofrendas de Caín y Abel, Génesis 4:3-5.

El tema a tratar en el capítulo 4 es el progreso del pecado, su desarrollo y expresión en la primera familia.

**V. 3.** No se sabe cómo tuvieron origen las primeras ofrendas. Pero se nos narra que Caín tomó la iniciativa y trajo del fruto de la tierra una ofrenda a Jehovah. El problema es que no se preocupó mucho por su calidad. Esto refleja que su actitud ante el acto no era la más correcta.

**V. 4.** Abel también sintió la necesidad de adorar a Dios y preparó su ofrenda. La escogió con todo cuidado: de los primerizos de sus ovejas y lo mejor de ellas. Su actitud fue la correcta. Eso fue lo que agradó a Dios porque su agrado se manifiesta cuando hay disposición sincera, corazón contrito y humillado (Sal. 51:16-19). **V. 5.** Dios no miró con agrado a Caín ni a su ofrenda. Caín reacciona negativamente y se enfurece, lo que muestra es que si hubiera existido un espíritu recto, no se habría presentado la ira, ni tampoco se hubiera demudado su semblante. En Isaías 1:10-20 se detalla lo que Dios detesta y acepta en un acto de adoración hacia él.

## 2 Caín mata a Abel, Génesis 4:6-8.

**V. 6.** Dios trata con paciencia a Caín. El desea enderezar su vida corrigiendo las acciones malas que ha realizado. **V. 7.** Dios le indica a Caín que si él procede correctamente todo puede resultar en aprobación para él. Pero debe tener cuidado porque el pecado está listo para caer sobre él si se rinde a éste voluntariamente. Tampoco hay razón para estar enfadado con Abel: la envidia, orgullo y maldad en su propio corazón son los causantes de esta situación. **V. 8.** La reacción de Caín fue negativa. Se niega a enfrentarse con el pecado y es arrastrado por la violencia. Su acto tiene muchas cosas que hacen más seria su falta. Finge amabilidad y amistad invitando a Abel a salir al campo. Ya estaba advertido por Dios de lo que podría ocurrir, pero se levanta contra su propio hermano y lo mata.

## 3 El castigo de Caín, Génesis 4:9-15.

**Vv. 9-11.** La reacción de Dios ante el primer homicidio hace resaltar su justicia y misericordia. Justicia porque él no puede tolerar ni por un instante el pecado. Misericordia porque nuevamente trata con Caín para que él haga una confesión de su falta. La respuesta de Caín es mentirosa. Imita a su padre al no responsabilizarse de su acción. **Vv. 10-12.** La evidencia contra Caín es clara y sin excusa. Dios se dispone a imponer un castigo. Es una maldición sobre él. Sólo la serpiente y la tierra habían recibido antes castigo parecido. El bienestar de Caín sobre la tierra es afectado. Su oficio es alterado. Cuando Caín labre la tierra ésta le va a negar su fuerza. Nunca va a disfrutar de un lugar seguro. Errante y fugitivo pasará el resto de su existencia. **Vv. 13-15.** Caín se da cuenta de lo grande de su castigo pero no saca como conclusión que es menos de lo que merecía. Por el contrario, se queja de lo duro y severo. Ante las quejas de Caín, Dios le da muestras de su misericordia dándole una señal como protección contra la venganza. Caín escoge esconderse de la presencia de Dios. Prefiere privarse de las bendiciones que puede recibir de él antes que someterse a sus mandamientos.

## 4 El nacimiento de Set, Génesis 4:25.

Con la venida de Set, su madre reconoce la sustitución de Abel. El propósito de Dios para la humanidad va a tener continuación a pesar de los esfuerzos que el enemigo ha hecho para impedirlo. La descendencia de Set es la que proveerá para la creación del pueblo de Dios y a través de éste, la encarnación de Jesucristo, el Hijo de Dios.

## Aplicaciones del estudio

**1. No todas las invocaciones a Dios son de su agrado.** Caín y Abel sintieron la necesidad de dirigirse a Dios por medio de un sacrificio. Aparentemente, los dos reconocían el poder de Dios, su amor, misericordia y justicia. Sin embargo, en el sacrificio de Abel iban su fe y su corazón. ¡Qué diferencia con Caín! Sólo lo externo se pudo observar en él. Con cuánta frecuencia usamos el nombre de Dios para poses piadosas y religiosas. ¡Que Dios nos abra los ojos para poder ofrecer verdaderos sacrificios de alabanza y entrega! Recordemos que la ofrenda representa a la persona.

**2. El pecado progresa muy rápidamente.** El pecado empezó con un "simple" pecado de desobediencia. En el Edén, no se hizo caso de la advertencia de Dios y la pareja comió la fruta prohibida. La descendencia de Adán aumentó la intensidad de sus pecados. Caín se enfureció, demudó su semblante y mató. No dejemos que el pecado anide en nuestros corazones. Ante su presencia, confesémoslo a Dios. No permitamos que una pequeña semilla del mal brote en nuevas formas progresivas de maldad.

## Prueba

1. Piense en una situación de nuestro tiempo en que los protagonistas están actuando con celos u otras motivaciones equivocadas. Proponga 3 acciones básicas que ellos deben efectuar para hallar una solución correcta al problema.

a. _____

b. _____

c. _____

2. Me comprometo a integrar a mi vida los tres pasos básicos del ejercicio anterior para evitar que motivaciones equivocadas me lleven alguna vez a una acción trágica.

Fecha: _____ Firma: _____

### Lecturas bíblicas para el siguiente estudio

**Lunes:** Génesis 5:9-32          **Jueves:** Génesis 6:13-22
**Martes:** Génesis 6:1-8          **Viernes:** Génesis 7:1-16
**Miércoles:** Génesis 6:9-12      **Sábado:** Génesis 7:17-24

**Unidad 2**

# Noé y el diluvio

**Contexto:** Génesis 5:9 a 7:24
**Texto básico:** Génesis 6:5-9, 13-19; 7:19
**Versículo clave:** Génesis 6:9
**Verdad central:** El relato del diluvio da a conocer la justicia de Dios tanto como su misericordia.

**Metas de enseñanza-aprendizaje:** Que el alumno demuestre su conocimiento de por qué Dios envió el diluvio y protegió a Noé y su familia, y su actitud hacia la importancia de vivir una vida justa y cabal por medio de una buena relación con Dios.

## Estudio panorámico del contexto

La línea de Caín no ofrece ninguna esperanza para solucionar la difícil situación del hombre originada con la caída en el jardín del Edén. En Génesis 4:24 se obtienen los últimos datos sobre la descendencia del primer homicida. El cuadro es de violencia multiplicada y alejamiento de Dios. Con el v. 25 se toma una nueva dirección, Dios toma de nuevo a Adán como punto de partida y renace la esperanza de la promesa de salvación con el nacimiento de Set. Hay un avivamiento con su venida porque *se empezó a invocar el nombre de Jehovah* (v. 26b). Luego tenemos la lista de descendientes de Set. Hay 10 generaciones en ella y una marcada monotonía sólo interrumpida por las referencias a Enoc y Noé. La descripción que se repite es: "vivió. . . engendró. . . murió" que recalca la falsedad hecha por la serpiente de que no morirían. Noé, cuyo nombre significa alivio, marca la máxima esperanza de consuelo de las duras penas heredadas por el pecado.

En Génesis 6:1-8 se describe el avance de la corrupción y violencia de los hombres. El alejamiento de Dios es tal que llega el momento en que sólo la familia de Noé cumplía las normas morales y espirituales de Dios. Las acciones de los hombres le dolieron de tal forma a Dios que sintió tristeza de haberlos creado. Decide destruir a esa malvada generación luego de observar que no existe en ninguno el arrepentimiento. El rechazo a la justicia y a la verdad es total (v. 5). Era importante proteger la simiente de la mujer que corría el peligro de ser acabada por la maldad. La paciencia de Dios tiene su límite. La misericordia de él se muestra al fijarse en un pequeño punto: Noé y su familia (vv. 9-12).

A pesar de la insignificante muestra de rectitud, Dios decide establecer un plan de salvación para la humanidad a través de ellos. Comunica a Noé la forma de poner fin a la violencia y le da instrucciones para la construcción de un arca. Establece un pacto con él y su familia.

Noé vendría a ser el segundo padre de la raza. El pacto incluye previsiones para salvar los seres vivientes. Se destaca la obediencia de Noé con la frase "hizo conforme a todo lo que Dios le mandó". El plazo se cumple y Noé recibe la orden de entrar en el arca y la oportunidad de salvarse del juicio de Dios por su

31

disposición de andar con él. Hay una descripción del número y tipo de animales que deben entrar. Solamente los que quedan dentro del arca se salvan. Dios cierra la puerta. El diluvio fue un fenómeno único del que muchas culturas tienen relatos. Fue una catástrofe que dejó a la tierra en el estado en que la encontramos en Génesis 1, con la diferencia de que la misericordia de Dios hizo que ocho personas y representantes de la vida animal se preservaran.

## Estudio del texto básico

### Lea su Biblia y responda

1. Relacione los nombres con las descripciones (5:6-29).

a. Enoc      1 ____ Padre de Noé.
b. Noé       2 ____ Antepasado lejano de Noé.
c. Lamec     3 ____ Abuelo de Noé.
d. Set       4 ____ Caminó con Dios.
e. Matusalén 5 ____ Iba a aliviar de labores.

2. Escriba las características del carácter de Noé (6:8 a 7:5).
a. _____
b. _____
c. _____

3. Ahora describa el ambiente pecaminoso que se daba en la tierra (6:11-13).
a. _____
b. _____

4. ¿Piensa usted que hay mayor o menor violencia en nuestros días que en los días de Noé? Explique brevemente.
_____
_____

5. ¿Cree usted que el comportamiento suyo hoy puede ser calificado como el de Noé en su tiempo?
_____
_____

### Lea su Biblia y piense

# 1 La corrupción de la humanidad, Génesis 6:5-7.

**V. 5.** Jehovah vio que *la maldad* del ser humano era mucha sobre la tierra. Qué diferencia más grande con las declaraciones del primer capítulo: *Y vio Dios que esto era bueno.* La profundidad de la caída del hombre es inmensa y ni uno solo de sus actos pecaminosos puede ser aceptado ante la presencia de Dios. El ojo de Dios penetraba a lo profundo: Vio que la tendencia de sus corazones era de continuo sólo al mal. No era que actuaban por mero descuido o desconocimiento. Lo hacían con toda la intención. Trataban de hacer cada vez el mayor daño posible. El arrepentimiento no se cruzó nunca en sus tenebrosos pensamientos.

**V. 6.** Dios no es un simple espectador de las actuaciones del hombre. El se siente dolido en su corazón. Se lamentó de haber hecho al hombre en la tierra. No implica cambio en la mente de Dios sino en su forma de conducirse.

**V. 7.** Dios toma la decisión de arrasar de la faz de la tierra los seres que ha creado. El propósito original para el hombre se ha corrompido y no hay voluntad alguna en él para enmendarse.

## 2 Noé, un hombre justo y cabal, Génesis 6:8, 9.

**V. 8.** Del mar de corrupción y desesperanza surge la vida de un ser diferente. Esta insignificante muestra de la raza humana es suficiente para que la misericordia de Dios se manifieste. Noé no significa nada para los de su generación, que ponían su mirada en los héroes de renombre. Pero Dios mira el corazón.

**V. 9.** Las cualidades de Noé incluyen el ser justo, ser cabal en su generación y caminar con Dios. Había sinceridad y rectitud en su corazón. Estas condiciones eran difíciles de ser cultivadas en el medio que le rodeaba. Su secreto consistía en caminar con Dios, obediente a sus mandatos. Noé supo nadar contra la corriente de su tiempo porque se amparó en el cuidado de Dios.

## 3 Preparativos para el arca, Génesis 6:13-19.

**V. 13.** Lo primero que hizo Dios fue ponerse en comunicación con Noé para explicarle los alcances de sus acciones. La calidad del castigo está acorde con la tremenda descomposición moral y espiritual del hombre. Cuando el hombre pone oídos sordos a su conciencia y se aleja del temor de Dios se convierte en una fiera y llena todo su ambiente de violencia e injusticia.

**V. 14.** En segundo lugar, Dios prepara un instrumento de salvación para Noé y los suyos, y da las instrucciones precisas sobre los materiales a usar para la construcción de un arca. Tiene que proveerla de compartimientos y también protegerla del agua y la humedad.

**Vv. 15-17.** El tamaño del arca es de aproximadamente 150 metros de largo, 25 metros de ancho y 15 metros de alto. El arca debe tener 3 pisos. También una claraboya o ventana en la parte alta. A un costado debe tener una sola puerta. La razón de todos estos preparativos se debe al terrible castigo que se avecina: un diluvio de aguas sobre la tierra, que destruirá toda carne en la cual hay aliento de vida debajo del cielo.

**V. 18.** Por último, establece un pacto de salvación con Noé. Un acto más de la misericordia de Dios para quienes son sensibles a su llamado. El número de personas incluidas es de ocho: Noé, su esposa, sus tres hijos con sus respectivas esposas.

**V. 19.** Los seres vivientes son tomados en cuenta en el plan de Dios. Todos los seres vivientes aseguran su continuidad por la pareja representativa que entra al arca.

## 4 El diluvio, Génesis 7:19.

La experiencia vivida con el diluvio es imposible de describir en toda su magnitud. Fue un proceso que deshizo todo lo actuado en los primeros días de la creación cuando hubo separación de las aguas de las aguas. En este proceso había orden, armonía. Cada vez resultaban cosas hermosas que eran buenas ante los ojos de Dios. Ahora se invierte el proceso. El caos se apodera de la tierra y la muerte empieza a cobrar vidas; vidas rebeldes al llamado de Dios; vidas que nunca tuvieron intención de volverse a su Creador. El nivel de agua fue tan elevado que aun las montañas más altas fueron cubiertas por ella. Fue un verdadero cataclismo que atravesó mares y continentes para arrasar cuanto ser viviente se pusiera en su paso.

### Aplicaciones del estudio

1. **La humanidad necesita gente que tema a Dios.** Ante el cuadro pavoroso de la maldad del hombre surge la figura de Noé. El tenía una actitud correcta; actuaba con justicia; era perfecto, es decir, correcto, generoso, con buena posición ante los ojos de Dios. Estas son joyas raras, elementos escasos, pero Dios sigue tratando con este tipo de personas, que solamente bajo el control de Cristo podemos encontrar. Sometámonos a su poder transformador y seamos los Noé de la perdida humanidad de nuestro siglo.

2. **La invitación de Dios para salvación.** Dios le dijo a Noé: "Entra tú y toda tu casa en el arca." Esta es la constante invitación de Dios para el hombre, demostrando su amor y misericordia: "Venid a mí todos los trabajados y cargados" (Mat. 11:28); "Entrad por la puerta estrecha. . . que lleva a la vida" (Mat. 7:13). ¡Que ninguno descuide la invitación del Señor!

### Prueba

1. Describa tres acciones de la sociedad de nuestros días que podrían recibir de Dios la calificación de "la maldad del hombre es mucha, la tierra está corrompida".

a. _____

b. _____

c. _____

2. ¿Qué cosas podría practicar en mi vida para poder recibir de Dios el calificativo de "cabal, justo y persona que camina con él"?

a. _____

b. _____

c. _____

Me comprometo a practicar estas tres cosas a fin de que mi vida sea más fructífera delante de Dios.

### Lecturas bíblicas para el siguiente estudio

**Lunes:** Génesis 8:1-19        **Jueves:** Génesis 10:1-32
**Martes:** Génesis 8:20 a 9:17   **Viernes:** Génesis 11:1-9
**Miércoles:** Génesis 9:18-29    **Sábado:** Génesis 11:10-26

# El pacto de Dios con Noé

**Contexto:** Génesis 8:1 a 11:26
**Texto básico:** Génesis 8:20, 21; 9:11-13; 10:32; 11:1-9
**Versículos clave:** Génesis 8:21, 22
**Verdad central:** El compromiso que Dios tuvo que hacer con él mismo muestra la naturaleza pecaminosa del ser humano.
**Metas de enseñanza-aprendizaje:** Que el alumno demuestre su conocimiento de por qué Dios tuvo que hacer un compromiso con él mismo de no volver a destruir la tierra por causa del hombre, y su actitud hacia la voluntad de Dios para su vida.

## Estudio panorámico del contexto

El diluvio es una advertencia de que Dios es el juez justo de todo el mundo. Dios, en un acto de gracia, se acuerda de los que están en el arca. Ejerce su poder sobre el viento y el agua dejando así preparado el nuevo hogar para la raza humana representada en la familia de Noé, la cual recibe la orden de salir del arca. Noé realiza un sacrificio como una señal de agradecimiento y consagración de su vida a Dios. Dios establece un pacto en que: (a) promete que jamás volverá a destruir la tierra con un diluvio; (b) reitera que el hombre se multiplique; (c) pone una señal, el arco iris, para recordar el pacto hecho.

Este pacto fue hecho por iniciativa de Dios, y él pone las condiciones y se compromete solemnemente a cumplirlo en beneficio del hombre. El mayor pacto de Dios se establece a través de su Hijo Jesucristo, a pesar de que todos los hombres se han descarriado (Isa. 53:6).

La naturaleza pecaminosa del hombre no tiene corrección ni aplicándole los mayores castigos físicos. Los hijos de Dios no están eximidos de sutiles tentaciones. Noé cae en embriaguez. Cam, su hijo, lo deshonra. La maldición hecha por Noé tiene consecuencias en la descendencia de su hijo. Génesis 10:1-32 dedica su espacio a tratar el origen de las otras naciones. Dios establece que su plan de salvación ha de venir por la descendencia de Sem. Aun así, con este pasaje, demuestra que la humanidad es una sola. A través del pueblo escogido traerá bendición a todos los demás.

La raza humana debía esparcirse y llenar la tierra. El hombre decide hacer lo contrario. Desea hacerse un nombre y vivir con la exclusión de Dios en sus planes. Materializa su idea comenzando la construcción de la torre de Babel, la cual se localiza en Sinar, una región de Mesopotamia. Dios desbarata su orgulloso plan de independencia.

Comienza ahora la historia del pueblo de Dios. De aquí en adelante, se presta atención a los semitas, especialmente a uno de ellos, Abram, a quien Dios va a usar en una forma muy especial. El Génesis le dedica 13 capítulos a este personaje.

---

## Estudio del texto básico

### Lea su Biblia y responda

1. Escriba brevemente las cosas que Dios no volverá a hacer (8:21, 22; 9:11).

a. _____

b. _____

c. _____

2. Señale dos cosas que Dios le otorga al hombre y que no están contempladas en lo que le dio en Génesis 1 (9:2-4).

a. _____

b. _____

3. Señale con una V la(s) afirmación(es) correcta(s) de acuerdo con Génesis.

a. ____ Dios mandó al hombre a multiplicarse y a permanecer unidos.

b. ____ El nombre del hijo menor de Noé es Jafet.

c. ____ La torre de Babel fue construida con ladrillos.

d. ____ El arco iris anuncia que no habrá otro diluvio.

e. ____ Noé tenía que cumplir algún requisito para que se cumpliera el pacto.

4. ¿Cuál fue el pecado de Noé, Cam y los hombres de Sinar?

a. Noé: _____

b. Cam: _____

c. Los hombres de Sinar: _____

### Lea su Biblia y piense

## 1 La ofrenda de Noé, Génesis 8:20, 21.

**V. 20.** Noé hace un *altar* al salir del arca como reconocimiento a Dios por el favor recibido. El no piensa en su bienestar físico, sólo desea poner a Dios en primer lugar.

**V. 21.** La respuesta de Dios es de complacencia por la ofrenda. El sacrificio fue realizado en una actitud correcta. A continuación viene la garantía divina con referencia al futuro de la tierra. Consta de dos partes: (a) no volverá jamás a maldecir la tierra por causa del hombre. Dios actuará ahora en base a su misericordia y no por el grado de maldad del hombre. (b) Tampoco volverá a destruir a todo ser viviente. El hombre es, más bien, digno de compasión. Todo lo que hace es efecto del pecado que está en él y no se puede esperar algo mejor de una raza caída. La solución definitiva del pecado está de nuevo en Dios a través de su Hijo Jesucristo (Juan 3:16).

## 2 El pacto de Dios, Génesis 9:11-13.

**V. 11.** Es la primera vez que se habla de un *pacto* en la Biblia. En él, Dios toma la iniciativa, pone las condiciones y hace las promesas que desea voluntariamente, buscando siempre el beneficio del hombre. Dios va a seguir estableciendo pactos con sus escogidos. Los pactos se relacionan entre sí y cada uno es progresivo en sus beneficios. Por medio de Jesucristo estamos amparados con el nuevo pacto (Luc. 22:20), que es el mejor de todos.

**Vv. 12, 13.** Se establece un recordatorio del pacto: un *arco* iris en las nubes. Ese signo confirma que Dios cumplirá su palabra. El hombre puede vivir seguro en la tierra. A pesar de sus pecados, no volverá a haber un diluvio. La señal dada es para consolar, no para atemorizar.

## 3 Procedencia de las naciones, Génesis 10:32.

Este versículo es un valioso resumen del crecimiento de la raza humana después del diluvio, a partir de Noé. Nos habla de que el aumento de la población fue un mandato expreso de Dios. Que la humanidad es una (Hech. 17:26). Que todos los pueblos serán benditos a través de su pueblo escogido. La aparición de las naciones tiene un origen común: la familia de Noé.

## 4 La torre de Babel, Génesis 11:1-9.

**V. 1.** Había un solo idioma en la tierra. Era fácil comunicarse y entenderse. No es un punto negativo. Es difícil acusarles de haber roto alguna ley de Dios en esto.

**V. 2.** Viajaron de un lugar a otro, hasta encontrar la fértil y rica llanura de Sinar, donde se establecieron.

**V. 3.** Aunque no se conseguía piedra, su ingenio les hizo hacer ladrillos para sustituirla y utilizar brea en vez de mortero. La búsqueda del bienestar muchas veces actúa como agente separador de Dios.

**V. 4.** El orgullo y la autosuficiencia del ser humano empiezan a germinar. Su decisión de hacer una torre cuya cúspide llegue al cielo habla de su ambición y de su orgullo.

**Vv. 5-7.** Jehovah desciende para ver la obra. El tiene trazados sus propósitos y no puede ser indiferente a las acciones del ser humano que puedan interrumpirlos. Dios hace una evaluación de lo que podrán hacer los seres humanos si siguen contando con todos los recursos que tienen. *Vamos. . . descendamos. . . confundamos.* Dios actúa en su divinidad completa. La forma de castigo es muy singular. Se elimina el idioma único y se crea una confusión terrible.

**Vv. 8,9.** Dios tiene en sus manos los hilos de la historia. El es el Señor y sabe qué cosa es mejor en cada ocasión para sus criaturas: en esta ocasión dispersa y confunde. El sabrá cuándo reúne y pone armonía.

# Aplicaciones del estudio

**1. Nuestra respuesta a la salvación de Dios.** Al salir del arca, Noé edificó un altar a Jehovah como agradecimiento por tan grande salvación. Noé sintió la necesidad de acercarse a Dios y consagrarse a él. Nosotros, al igual que Noé, debemos agradecer a Dios por su amor tan grande al entregar a su Hijo Cristo. Lo que él pide es que presentemos nuestros cuerpos en sacrificio vivo y santo, para comprender su voluntad, buena, agradable y perfecta.

**2. La calidad de los pactos que hace Dios.** Pactar significa ponerse de acuerdo, convenir en algo. Cuando los pactos se realizan entre seres humanos, ambas partes dan y reciben. Los pactos de Dios son diferentes. Son pactos de gracia: él los da, el hombre los recibe. En su Hijo Cristo, Dios ha establecido un nuevo y mejor pacto. Recibamos ese pacto. Ninguna de nuestras acciones tendrá validez ante tanto amor y desprendimiento.

# Prueba

1. Marque con una **X** la razón fundamental por la cual Dios tuvo que hacer un compromiso consigo mismo, para no destruir la tierra.

_____ a. La mayoría de los hombres son pecadores.

_____ b. La cantidad de justos siempre es mínima.

_____ c. La tendencia de todo hombre es hacia el mal.

_____ d. El hombre no tiene capacidad de hacer lo justo.

2. Reconozco que no hay nada que yo pueda hacer por mis propios medios para alcanzar la voluntad de Dios para mi vida. Me comprometo a aceptar su pacto de gracia a través de Jesucristo, cumpliendo los siguientes pasos:

a. Arrepentirme de mis pecados (Hech. 2:38).

b. Creer en su Hijo unigénito (Juan 3:16).

c. Hacerme su fiel discípulo (Heb. 12:2).

d. Responder a su llamado a la santificación (1 Tes. 4:3-7).

### Lecturas bíblicas para el siguiente estudio

**Lunes:** Génesis 11:27-32     **Jueves:** Génesis 14:1-16
**Martes:** Génesis 12:1-20     **Viernes:** Génesis 14:17-20
**Miércoles:** Génesis 13:1-18     **Sábado:** Génesis 14:21-24

**Unidad 3**

# Dios pacta con Abram

**Contexto:** Génesis 11:27 a 14:24
**Texto básico:** Génesis 12:1-7; 14:11, 12, 16-20
**Versículos clave:** Génesis 12:2, 3
**Verdad central:** El pacto y las promesas de Dios requerían el cumplimiento de ciertas condiciones por parte de Abram.
**Metas de enseñanza-aprendizaje:** Que el alumno demuestre su conocimiento de cómo Abram cumplió con las condiciones del pacto y las promesas de Dios, y su actitud hacia las respuestas que Dios espera de nuestra parte para cumplir sus promesas.

## Estudio panorámico del contexto

Los primeros once capítulos del Génesis, contienen un resumen de lo ocurrido a la humanidad desde la creación hasta su dispersión sobre la tierra.

Ahora empieza el relato de Abram como cabeza de una familia usada por Dios, para cumplir su plan de salvación. Abram procede de la línea de Sem, hijo de Noé. Su padre Taré y su familia vivieron en Ur de los caldeos, en Mesopotamia. Un día, toman la decisión de salir hacia Canaán. Se detienen en Harán donde años después muere Taré. Harán es una región situada al norte de Mesopotamia, y al igual que Ur, es reconocida como centro de idolatría. Abram recibe el llamado de Dios para dejar su tierra y su familia para dirigirse hacia el sur. Lo hace con su esposa Sarai, su sobrino Lot y todas sus riquezas. Su destino es Canaán, tierra prometida por Dios a su descendencia.

Cuando se presenta el hambre en Canaán, Abram viaja a la próspera región de Egipto. Ante el temor de lo que puedan hacer los egipcios con su esposa, Abram miente. Dios tiene que acudir en su ayuda. La prosperidad de Abram y de su sobrino aumenta grandemente. La tierra que ocupaban se les hace pequeña y por eso comienzan los problemas de relaciones. Ante esta situación, Abram toma la iniciativa de separarse de Lot. Con desprendimiento y aprecio por su sobrino, Abram le da a escoger el nuevo territorio. Abram recibe de nuevo las palabras de Dios que le confirman la promesa de darle la tierra de Canaán a su descendencia. Abram lleva una vida de campo y de gran tranquilidad. Sin embargo, en el capítulo 14 lo encontramos en acciones decididas, que tienen por objetivo liberar a su sobrino Lot, que había sido tomado cautivo. Abram arma a sus hombres y vence. Al regreso de su experiencia guerrera, sale a su encuentro el rey de Salem y sacerdote del Dios Altísimo. Abram le da los diezmos de su botín luego de haber recibido bendición y reconocimiento como creyente en Dios. También tiene una entrevista con el rey de Sodoma, al que rechaza los beneficios económicos que desea darle por su valerosa intervención para liberar a Lot. Así Abram destaca su confianza en Dios, antes que en la fuerza.

## Estudio del texto básico

**Lea su Biblia y responda**

1. Marque con **X** la respuesta correcta en cada caso: (11:31)
a. Las personas que salieron de Ur de los caldeos fueron:
_____ 1. Solamente Abram, Lot y sus respectivas esposas.
_____ 2. Taré, Lot, Abram y su esposa.
_____ 3. Solamente Abram y su esposa Sarai.
b. El llamamiento de Abram fue hecho por Dios cuando. . . (11:31— 12:1):
_____ 1. . . . estaba Abram en Ur de los caldeos.
_____ 2. . . . estaba en Harán.
_____ 3. . . . está en camino hacia Harán.
c. Dios le pidió a Abram que dejara. . . (12:1)
_____ 1. . . . sus riquezas y familia.
_____ 2. . . . su tierra, familia y riquezas.
_____ 3. . . . su tierra y familia.

2. Escriba una frase, tomada de Génesis 12:4-14, que describa una de las cualidades de Abram:
a. Obediente: _____
b. Rico: _____
c. Mentiroso: _____
d. Dadivoso: _____
e. Decidido: _____
f. Temeroso de Dios: _____

**Lea su Biblia y piense**

## 1 El llamamiento de Abram, Génesis 12:1-3.

**V. 1.** La tercera prueba para la humanidad da comienzo. La primera se da con Adán, quien falla. La segunda fue con Noé, cuyos descendientes también fracasaron. Ahora se hace un tercer intento con Abram como cabeza de una nación que se va a convertir en bendición para toda la humanidad. Dios llama a Abram y le pide: (1) irse de Harán donde habita, (2) dejar a su familia e (3) irse a una tierra desconocida.

**Vv. 2, 3.** Abram recibe promesas de Dios a cambio de lo que deja: (1) hacer de él una gran nación (o sea, darle unidad geográfica, política y de raza, a pesar de ser Abram y Sarai una pareja estéril); (2) bendecirlo y engrandecer su nombre, (3) bendecir por medio de él todas las naciones de la tierra. Es un nuevo trato de Dios con el ser humano y que sólo él puede cumplir. Sólo Dios podría escoger una pareja estéril y de vida nómada, para llevarla a una tierra difícil con el fin de proveer un beneficio para toda la humanidad.

## 2 Abram viaja a Canaán, Génesis 12:4-7.

**Vv. 4-6.** Abram aceptó la palabra de Dios sin titubeos. Abram toma a su esposa Sarai e inicia el recorrido. Se le une su sobrino Lot y llevan consigo todas las riquezas adquiridas en Harán. Llegan hasta la encina de Moré, cerca de Siquem. La tierra de la promesa no estaba lista para ser ocupada; tenía ya sus habitantes. Era una zona estratégica; punto de paso obligado hacia Egipto y Mesopotamia. La reclamaban muchos pueblos y era peligrosa y conflictiva, pero Dios tenía previsto continuar allí su plan de salvación.

**V. 7.** Abram llega a la tierra que Dios ha escogido. Hace un altar como testimonio de adoración y aceptación de la revelación divina. Sirve también de testimonio ante la idolatría y extrañas prácticas religiosas de los pueblos que viven alrededor.

## 3 Abram rescata a Lot, Génesis 14:11, 12, 16.

**Vv. 11, 12.** La rebelión de los pueblos que vivían en Canaán contra el que los gobernaba, hizo que se desatara una guerra que culminó con la caída de Sodoma y Gomorra. La lucha hubiera pasado inadvertida si no fuera porque Lot, el sobrino de Abram, resultó preso por los vencedores de la contienda.

**V. 16.** Abram se entera de lo ocurrido a su sobrino y alista su gente para lograr el rescate. Abram no demostró resentimiento alguno hacia su sobrino, quien se había separado de él en un acto no muy generoso. Abram era un hombre decidido, valeroso, pero nunca utilizó estas cualidades para forzar la conquista de la tierra que Dios le prometió. Prefirió tener fe en Dios y en sus promesas (1 Juan 5:4).

## 4 Abram da sus diezmos, Génesis 14:18-20.

Durante el viaje de regreso a su casa, luego de rescatar a Lot victoriosamente, Abram es recibido por Melquisedec, sacerdote del Dios Altísimo. Melquisedec es el rey de Salem, antiguo nombre de Jerusalén. Este rey bendice a Abram y él le ofrece los diezmos de todo lo ganado en la lucha. Así, Abram reconocía que la victoria se debía al poder del Dios Altísimo. También dejaba establecida la práctica de entregar el diez por ciento como gratitud y reconocimiento a Dios. Melquisedec es un personaje que aparece nombrado en otras partes de la Biblia. Su nombre significa "Rey de Justicia". En Hebreos 7:1-3 se hace una comparación entre él y Cristo por su nombre y posición como sacerdote y rey.

---
## Aplicaciones del estudio
---

**1. El llamamiento de Dios.** En el plan de Dios siempre hay un llamado especial para que las personas puedan responderle adecuadamente. Dios llamó a Abram, y él respondió con confianza absoluta en su palabra. Este llamado de Dios a la confianza absoluta para cumplir así su plan de salvación también es para nosotros.

**2. El testimonio sobre Dios.** La tierra a la que llegó Abram estaba habitada por gente idólatra. Abram dio testimonio ante ellos edificando un altar a Dios e invocando su nombre. ¿Cuántas prácticas extrañas y cuánta idolatría hay en nuestro tiempo? Sigamos el ejemplo de Abram con un testimonio verdadero a todos los que nos rodean.

**3. Los requisitos de Dios.** Al llamar a Abram, Dios le pidió que se separara de sus seres queridos, su cultura y bienestar. Dios nos manda hacer nuestra propia separación. Separación del pecado y de nuestra voluntad egoísta para que él pueda hacernos útiles en su obra salvadora.

---
## Prueba
---

1. Describa brevemente tres posibles cambios en la vida de Abram que tuvieron que darse para poder cumplir con las indicaciones del pacto.
a. En lo individual: _____
b. En lo familiar: _____
c. El lo político: _____

2. Me comprometo a realizar las siguientes acciones en mi vida, para que Dios pueda cumplir en mí sus promesas.
a. En lo social: _____
b. En lo familiar: _____
c. En la comunidad: _____

### Lecturas bíblicas para el siguiente estudio

**Lunes:** Génesis 15:1-6          **Jueves:** Génesis 17:1-14
**Martes:** Génesis 15:7-21        **Viernes:** Génesis 17:15-21
**Miércoles:** Génesis 16:1-16     **Sábado:** Génesis 17:22-27

# Dios tiene un plan

**Contexto:** Génesis 15:1 a 17:27
**Texto básico:** Génesis 15:1-6; 16:1, 2, 15; 17:10, 18-20
**Versículo clave:** Génesis 15:6
**Verdad central:** Dios hace sus planes y mueve las circunstancias para que ellos se cumplan a la perfección.
**Metas de enseñanza-aprendizaje:** Que el alumno demuestre su conocimiento de cómo Dios tenía sus planes para Abraham y cómo paso a paso los fue cumpliendo, y su actitud hacia lo que nosotros podemos hacer para cumplir con los planes y la voluntad de Dios.

──────── **Estudio panorámico del contexto** ────────

Abram pasa por una depresión. Dios le dice que no tema, que él mismo será su escudo y que lo premiará grandemente. Abram se pregunta la forma en que la promesa se cumplirá, porque han pasado los años y no hay descendencia. Pero Dios le promete un hijo y una descendencia numerosa. Abram sabe que hay dificultades para hacer esa promesa realidad, pero se apoya en Jehovah incondicionalmente, y esto le fue contado por justicia. Ahora Dios toma la iniciativa para hacer un pacto con Abram. Dios se identifica como el que tiene pleno conocimiento de lo que hace, y le repite su promesa de darle la tierra. Dios le pide a Abram que prepare un ritual de pacto según se acostumbraba. Entonces Dios hace un adelanto de lo que ocurrirá a los descendientes de Abram antes de poseer la tierra prometida: 400 años de esclavitud y opresión.

Dios también define los límites de la tierra prometida. Será desde el arroyo de Egipto hasta el gran río Eufrates. Dios coloca a su pueblo en un lugar estratégico, en la encrucijada de tres continentes: Europa, Asia y Africa, para que así su pueblo tenga mayor influencia en el mundo.

Una de las pruebas más difíciles para Abram y Sarai fue la larga espera antes de recibir a su hijo. Dios quería manifestar su poder con un milagro. Al pasar diez años de espera, Sarai interviene "para ayudar a Dios". Según las costumbres, una sierva podía constituirse en madre sustituta para luego ceder los derechos a su dueña. Así lo hace Sarai con Agar, y nace Ismael.

Esto trajo problemas a la familia. De Ismael descienden los árabes que siempre han tenido roces con la descendencia de Isaac, el verdadero hijo de Abram. Ahora Dios, hablando como el Todopoderoso, anima a Abram. Le solicita rectitud y desarrollo en todos los aspectos. Para confirmar su pacto, cambia el nombre de Abram (padre excelso) por Abraham (padre de una multitud). Dios establece también la circuncisión en todos los varones, como señal de identidad para los miembros del pacto. En esta ocasión, Dios establece el tiempo en que ha de nacer Isaac.

## Estudio del texto básico

**Lea su Biblia y responda**

1. ¿Quién dijo? Génesis 15:1—17:21.

| | |
|---|---|
| a. Sarai | ____ El será como un asno montés. |
| b. Abram | ____ Tú eres un Dios que me ve. |
| c. Agar | ____ ¡Ojalá Ismael viva delante de ti! |
| d. El ángel | ____ Jehovah juzgue entre tú y yo. |
| e. Dios | ____ Tu galardón será muy grande. |
| | ____ He aquí tu sierva está en tus manos. |

2. Escriba brevemente:
a. Dos promesas de Dios para Abram:
1. _____
2. _____
b. Tres momentos de duda en Abram y Sarai:
1. _____
2. _____
3. _____
c. Dos mandamientos de Dios para Abram:
1. _____
2. _____

**Lea su Biblia y piense**

# 1 La Promesa de Dios, Génesis 15:1-6.
**V. 1.** Luego de grandes emociones, Abram presenta depresión. Dios inicia un diálogo con su escogido y le pide que no tenga miedo; se ofrece como su escudo y le promete una gran recompensa.

**Vv. 2, 3.** Abram acepta las palabras de Dios. Sin embargo, no le encuentra valor a la recompensa si no tiene esperanza de tener un heredero. Abram piensa que, según la costumbre, el que seguirá como sucesor suyo será Eliezer, su siervo. Hacía diez años que estaban en Canaán y las promesas se marchitaban por ser Abram y Sarai tan viejos.

**Vv. 4, 5.** Hay una respuesta amorosa de parte de Dios. La fe de Abram recibe refuerzos. Dios le asegura que tendrá alguien que saldrá de su ser para heredarlo. Lo hace contemplar el firmamento porque en igual magnitud crecerá su descendencia.

**V. 6.** La respuesta de Abram es de confianza plena en Dios. Acepta como realidad lo prometido y vive de acuerdo con esa nueva situación. La fe es la única respuesta apropiada a la revelación de Dios. Abram actuó correctamente y Dios cuenta esto como justicia. Esto significa que ahora hay una relación correcta entre Abram y Dios. Dios es el que concede esa relación, no tomando en cuenta el pecado del hombre.

## 2 Abram llamó a su hijo Ismael, Génesis 16:1, 2, 15.

**V. 1.** Empieza la narración de una triste equivocación. Sarai, mujer de Abram, se siente responsable de la falta de descendencia y razona un procedimiento legal. Ella tenía una sierva egipcia, la cual podría suplir biológicamente un hijo a su esposo, pero ella sería la madre legal.

**V. 2.** Sarai le sugiere el plan a Abram y le pone lo que ella considera un argumento fuerte: *Jehovah me ha impedido concebir*. Ella le pide que se una a su sierva, que tal vez así pueda ella tener hijos. Sus motivos son buenos; conllevan la negación de sus derechos y el sacrificio personal. Pero este plan humano contradecía lo que Dios había determinado.

**V. 15.** La mala decisión que se tomó dio como resultado dificultades en las relaciones entre Agar y Sarai. Llega el momento del alumbramiento de Agar, y su padre le pone por nombre a la criatura, Ismael. Su significado es "Dios escucha". La venida de Ismael como resultado de un plan humano ha causado problemas. De Ismael descienden los árabes fuente de constante roce y tensión con los israelitas.

## 3 El pacto y la circuncisión, Génesis 17:10.

Dios y Abram establecen un pacto que es identificado con la circuncisión. La señal será para Abram y sus descendientes. La circuncisión indicará, con seguridad, el derecho de la persona y su familia a los beneficios del pacto. Por otra parte significa que la persona está dispuesta a reconocer a Dios con todo su corazón (vea Deut. 30:6; Jer. 4:4 y Col. 2:20).

## 4 Promesa del nacimiento de Isaac, Génesis 17:18-20.

**V. 18.** Todavía Abram no entiende cómo Dios va a realizar sus promesas. Hasta se atreve a sugerirle a Dios que lo haga a través de Ismael. Pero Dios tiene su plan original y no va a cambiarlo por sugerencias humanas.

**V. 19.** Dios, entonces, afirma que será Sarai, la estéril y anciana esposa, quien logre la descendencia correcta. Inclusive tiene un nombre para el hijo que ha de venir: Isaac. El pacto será confirmado con Isaac y su descendencia después de él.

**V. 20.** Ismael será bendecido, fecundo y grande. De él saldrá una gran nación. Pero quedará fuera del pacto. Dios actúa con misericordia con el producto de las equivocaciones humanas, pero sus decisiones son mejores que las que el hombre se atreve a sugerir.

## Aplicaciones del estudio

**1. El peligro de la depresión.** Abram fue un hombre privilegiado al tener tantas y tan maravillosas experiencias con Dios. A pesar de eso, tuvo sus momentos de temor y desesperanza, los que hicieron a Dios acudir en su ayuda para fortalecerlo. Nosotros tenemos en cada momento de nuestra vida personal, económica o política, situaciones difíciles que nos hacen caer en depresión. Evitemos ese peligro buscando siempre la comunión con Dios a través de su Palabra y con oración. El sigue prometiendo ser nuestro escudo y darnos un galardón.

**2. El peligro de no contar con la señal del pacto.** Dios estableció un pacto con Abram y fue sellado con la señal de la circuncisión. Todo descendiente de Abram tenía que contar con esa señal para poder ser identificado como beneficiario del pacto. Cristo Jesús ha establecido un nuevo pacto en su sangre (Luc. 22:19). Quien no haya lavado sus pecados en su sangre, no puede sentirse con derecho a contar con la vida eterna (1 Cor. 6:9-11).

## Prueba

1. Resuma, en las líneas dadas, las cuatro acciones que contenía el plan de Dios para Abram.
Provea las citas bíblicas que lo respaldan.
a. _____ Génesis _____
b. _____ Génesis _____
c. _____ Génesis _____
d. _____ Génesis _____

2. Dios tiene un plan para cumplir en su vida.
a. ¿Qué acciones puede hacer para que se cumpla conforme a la voluntad de Dios?
(1) _____
(2) _____
b. ¿Qué acciones debe evitar para no interferir en sus pasos?
(1) _____
(2) _____
(3) _____

### Lecturas bíblicas para el siguiente estudio

**Lunes:** Génesis 18:1-8
**Martes:** Génesis 18:9-15
**Miércoles:** Génesis 18:16-33

**Jueves:** Génesis 19:1-22
**Viernes:** Génesis 19:23-29
**Sábado:** Génesis 19:30-38

Unidad 3

# Dios destruye a Sodoma
# y Gomorra

**Contexto:** Génesis 18:1 a 19:38
**Texto básico:** Génesis 18:17, 20-24, 32; 19:15-17, 24-26
**Versículo clave:** Génesis 19:16
**Verdad central:** El relato de la destrucción de Sodoma y Gomorra ilustran la misericordia de Dios tanto como la seguridad de su justo juicio.
**Metas de enseñanza-aprendizaje:** Que el alumno demuestre su conocimiento del carácter de Dios como lo descubre en el relato de la destrucción de Sodoma y Gomorra, y su actitud hacia el hecho de que Dios escucha la oración de intercesión por una persona que está perdida sin Cristo.

──────── **Estudio panorámico del contexto** ────────

En su vida espiritual y en las relaciones con los demás, Abraham manifiesta su carácter mostrando hospitalidad. En esta ocasión, recibe la visita de Jehová en la presencia de tres hombres. Estos no se identifican, pero Abraham les demuestra gran atención y esmero. Ellos conocían detalles de la familia de Abraham, preguntan por su esposa, luego, hacen la promesa del nacimiento de Isaac. Sara oye, pero duda y se ríe. El mensajero reprende a Sara y le hace ver que para Dios no hay nada imposible.

Dios considera que Abraham, que es su amigo, tiene derecho a conocer las cosas que va a realizar contra Sodoma y Gomorra. Era necesario que Abraham supiera que el desastre que sucedería no sería un accidente natural, sino manifestación de la justicia y el derecho que él demanda. El diálogo que se establece entre Abraham y Dios nos habla de su misericordia. A pesar de la gravedad de las faltas, Dios detendría el castigo por amor a unos poquísimos justos.

El relato de Génesis 19:1-22 es uno de los más negros de la Biblia. La pecaminosa ciudad exhibe todas sus horribles costumbres. Cuando Lot recibe a los dos visitantes, los hombres de la ciudad atropellan la casa con propósitos censurables. Con la ayuda de los dos ángeles, los actos son impedidos. No hay ocasión para evitar la destrucción. Lot y su familia reciben la orden de alistarse para salir de la ciudad.

El juicio de Dios se ejecuta. Dios hace "llover fuego y azufre desde los cielos". Abraham comprueba la destrucción viendo el humo desde Mamre. Ambas ciudades, Sodoma y Gomorra, quedan en la historia humana como ejemplo de iniquidad y rebeldía ante Dios. Su castigo es manifestación del cumplimiento ineludible del juicio de Dios.

¡Lot y Abraham! Dos polos opuestos; uno buscando la relación con el mundo; el otro, llamado amigo de Dios. Triste destino el de Lot, que no termina con su salida de Sodoma. Pierde a su esposa y sus hijas se pervierten. Del acto indebido de ellas, hay un doble producto: Moab y Ben-amí, padres de dos pueblos notorios por sus pecados y que crearon muchísimos problemas a Israel.

———————————— **Estudio del texto básico** ————————————

### Lea su Biblia y responda

1. Marque con **X** la declaración correcta (Gén. 18:1 a 19:16).

a. _____ Sara preparó alimentos para los visitantes de su tienda.

b. _____ Los tres hombres que visitaron a Abraham también visitaron a Lot.

c. _____ Lot preparó un banquete para los visitantes.

d. _____ Cinco personas salieron de Sodoma en la madrugada.

e. _____ Los yernos de Lot no le creyeron.

f. _____ Abraham intercedió hasta por 10 justos en Sodoma.

2. Escriba una frase tomada del texto bíblico que exprese lo que se solicita:

a. Dios es misericordioso: _____ (18:31)

b. Dios es justo: _____ (19:13)

c. Abraham amaba a sus prójimos: _____ (18:25)

d. Sara desconfiaba de la promesa: _____ (18:12)

e. Había maldad en Sodoma: _____ (19:5-7)

### Lea su Biblia y piense

## 1 Abraham pide por Sodoma y Gomorra, Génesis 18:17, 20-24, 32.

**V. 17.** Dios eleva el tipo de relación que tiene con Abraham al grado de amistad y comparte con él sus propósitos. Israel, el pueblo escogido por Dios para traer bendición a los demás pueblos, siguió contando con este tipo de relación. A través de ellos hemos recibido y conocido las Sagradas Escrituras.

**Vv. 20-24, 32.** Abraham, luego de conocer las causas por las que Sodoma y Gomorra van a sufrir el castigo de Dios, tomó la decisión de interceder por ellos. Apela a la misericordia de Dios a pesar de que sabe que el pecado cometido es muy grave. Ya Dios ha dado muestras de su misericordia pues acude a ver si han consumado su maldad. Da una última oportunidad antes de su justo juicio. Con intrepidez y reverencia, Abraham sostiene un diálogo con Dios que tiene por objeto el evitar la terrible destrucción. Siente compasión por los justos que puedan estar en esas pecaminosas ciudades. Sin duda piensa específicamente en Lot y su familia. Lamentablemente el pecado ha penetrado tanto en los habitantes de esas ciudades que ni aun diez justos fue posible hallar, como para que Dios pasara por alto el castigo.

## 2 Lot y sus hijas son librados de la ruina, Génesis 19:15-17.

**V. 15.** Con apremio, los ángeles le dicen a Lot que ya el tiempo se agota. Su mujer y sus hijas deben actuar con apuro para no ser alcanzados con el castigo de la ciudad. Ni siquiera otras personas relacionadas con la familia quieren prestar oídos al mensaje de destrucción.

**V. 16.** El peligro se acerca pero Lot y su familia todavía no tenían noción de lo severo del mismo. Los ángeles tuvieron que tomarles de la mano para sacarlos. Ellos comprendían que Dios quería demostrar su misericordia en esa familia.

**V. 17.** Son tan rápidas las advertencias, que deben ser acatadas de inmediato. No debían mirar atrás. El hacerlo les reduciría su esfuerzo para alcanzar la seguridad. También indicaría apego a la pecaminosa ciudad, haciéndose acreedor al tremendo juicio de Dios.

## 3 Destrucción de Sodoma y Gomorra, Génesis 19:24-26

**V. 24.** La destrucción de Sodoma y Gomorra no fue por un mero accidente natural. Fue el resultado del justo juicio de Dios sobre la repugnante inmundicia de los pecados de sus habitantes. Este juicio fue una acción directa de Dios. Fue Jehovah quien hizo llover desde los cielos azufre y fuego. No hay posibilidad alguna para escaparse de la efectividad y del fiel cumplimiento de la sentencia dictada por el Creador.

**V. 25.** En este versículo se nota lo extenso de este enorme castigo. Abarcó todas las áreas que tenían que ver con las ciudades. Fueron muertos todos sus habitantes. Fue castigada toda la llanura. Fue incluido todo el ambiente. Es una destrucción total y efectiva. La información arqueológica nos dice que esa región era fértil y populosa. Hoy en día se encuentra bajo las aguas del Mar Muerto.

**V. 26.** La destrucción alcanzó en algún grado a Lot. Su esposa escapa de la ciudad, pero lo hace con pesar en su corazón. Había quizá muchas cosas que quedaron atrás apegadas a su vida, o quizá fue la curiosidad. La tentación la venció y quebró la advertencia hecha por los ángeles. Quedó convertida en estatua de sal. Existe una larga extensión de 8 kms. al suroeste del Mar Muerto, de columnas de sal que recuerdan esta experiencia. La mujer de Lot, por su desobediencia y por la indiferencia que mostró en la oferta de salvación, quedó excluida de la misericordia de Dios.

## Aplicaciones del estudio

**1. La importancia de la amistad con Dios.** Abraham tuvo la oportunidad de establecer una relación muy especial con Dios. Por eso pudo conocer los planes que él tenía con respecto a Sodoma y Gomorra. La relación de Abraham con Dios partió de su obediencia para abandonar su tierra. Continuó fortaleciéndose cada vez que Dios le hablaba y Abraham ponía su confianza en él. El conocimiento de la voluntad de Dios va en aumento, si decidimos aumentar nuestra comunión con él, hasta convertirla en amistad. El Señor quiere convertirnos en sus amigos para darnos a conocer las cosas de su Padre (Juan 15:15).

**2. La importancia de la intercesión.** Es realmente lamentable pensar en el poco tiempo que pasamos en oración delante del Señor, y todavía más, pensar en los momentos que dedicamos para pedir a nuestro Dios por otros. Abraham nos da un excelente ejemplo de lo que puede hacer un siervo de Dios por su prójimo. Abraham liberó a Lot, con la fuerza de su espada, pero ahora lo libra por la fuerza de su oración de intercesión.

## Prueba

1. Piense en un hecho de la vida real que se haya dado en su comunidad local o nacional (terremoto, inundación, epidemia), e ilustre ante la clase, en forma breve, cómo se manifestó en él, la misericordia y el justo juicio de Dios.

2. Siguiendo el hermoso ejemplo de Abraham, me comprometo a interceder ante Dios por la salvación de (nombre)_____

_____ que es mi (amigo,

hermano, etc.) _____

que en estos momentos está apartado de los caminos de Dios.


### Lecturas bíblicas para el siguiente estudio

**Lunes:** Génesis 20:1-13          **Jueves:** Génesis 21:9-16
**Martes:** Génesis 20:14-18        **Viernes:** Génesis 21:17-21
**Miércoles:** Génesis 21:1-8       **Sábado:** Génesis 21:22-34

**Unidad 3**

# Abraham y sus problemas
# con Abimelec y Agar

**Contexto:** Génesis 20:1 a 21:34
**Texto básico:** Génesis 20:2, 3, 7-9; 21:1-3, 9-13, 17, 18
**Versículos clave:** Génesis 21:17, 18
**Verdad central:** El relato de los problemas que tuvo Abraham con Abimelec y Agar ilustra lo insensato de no confiar en Dios y en sus promesas.
**Metas de enseñanza-aprendizaje:** Que el alumno demuestre su conocimiento de los motivos que causaron los problemas de Abraham con Abimelec y Agar, y su actitud hacia la aceptación del hecho de que la falta de confianza en las promesas de Dios es fuente de problemas personales, familiares y sociales.

--- **Estudio panorámico del contexto** ---

Abraham deja Mamre, donde vivía, y se va al sur, a la región de los filisteos. Allí pone su campamento en un lugar llamado Gerar (13 kms. al sur de Gaza). El rey de Gerar conoce a Abraham, quien por temor recurre al engaño como lo había hecho en Egipto: niega que Sara es su esposa y asegura que es su hermana. El rey decide integrar a Sara a su grupo de mujeres. Dios hace una advertencia a Abimelec, quien muy asustado, defiende su inocencia ante Dios, y de inmediato llama a Abraham para aclarar el asunto.

Abimelec devuelve a Sara y le ofrece muchas riquezas a Abraham. Lo invita a habitar en su país, en el lugar que él desee. Además, le cuenta a Sara acerca de los 11 kilos de plata que ha hecho llegar a Abraham. Hace esto para dejar clara su inocencia en el asunto, y también porque Dios se lo pidió. Abraham ora a Dios por la sanidad de las mujeres y las siervas del rey, quienes habían sufrido esterilidad a causa de este incidente.

En el capítulo 21:1-8 se relata el nacimiento de Isaac, que fue prometido años atrás. La edad de Abraham y Sara no fue impedimento para Dios. Abraham le pone a su hijo *Isaac,* que quiere decir: "risa". El nombre, que en principio parecía un reproche a la incredulidad de sus padres, es ahora risa de alegría al ver la promesa cumplida.

La presencia de Isaac pronto trajo dificultades en las relaciones con Ismael, el otro hijo de Abraham. Por eso, Sara pide que Ismael y Agar salgan de la casa.

51

Abraham se preocupa, pero recibe de Dios dirección, quien le promete hacer de Ismael una nación grande, pues es parte de su familia. Sin embargo, para Dios la línea de Isaac es la que cuenta. La venida de Ismael fue el resultado de la falta de fe en Dios.

Abraham le da a Agar e Ismael lo necesario y los despide. Agar se queda sin agua en su viaje, y se dispone a entregar la vida de Ismael a Dios. Un ángel les ayuda, y Dios le promete a Agar formar con Ismael una gran nación. Les da agua y los dos prosiguen su camino y su vida. Ambos aprendieron que Dios no se había olvidado de ellos. Ismael se casa y habita en Parán, alejándose así de la familia de Abraham.

Abimelec y Abraham hacen una alianza comercial y política, lo que sirve de testimonio para que otros reconozcan al Señor (Gén. 21:22-34).

─────────── **Estudio del texto básico** ───────────

**Lea su Biblia y responda**

1. Conteste brevemente las siguientes preguntas:
a. ¿Por qué razón mintió Abraham? (20:11).
_____

b. ¿Cree que era necesario que Abraham mintiera?
Si ____ No ____ ¿Por qué? _____
c. ¿Qué hlchos prueban que Abimelec era temeroso de Dios? (20:4).
_____

d. ¿Por qué cree que Dios permitió el despido de Agar y su hijo Ismael? __
_____

e. ¿En qué manera Ismael participó de las promesas hechas a Abraham? (21:13). _____
_____

2. ¿Quién dijo?
a. Dios me ha hecho reír (21:6).
_____

b. ¿Acaso has de matar a la gente inocente? (20:4).
_____

c. En todo lo que te diga Sara hazle caso (21:12).
_____

d. Es hija de mi padre pero no de mi madre (20:12).
_____

e. No quiero ver morir al muchacho (21:16).
_____


**Lea su Biblia y piense**

# 1 Los problemas de Abraham con Abimelec, Génesis 20:2, 3, 7-9.

**V. 2.** Gerar representa para Abraham una experiencia nueva. Su cultura es diferente y su comportamiento imprevisible. Dios siempre le ha prometido protección a Abraham, pero él siente miedo. Entonces miente para sentirse protegido, y asegura ante el rey de Gerar que Sara es su hermana. El rey, confiado en la información, toma a Sara con la intención de integrarla a su harén. Este tipo de acciones eran muy corrientes en esos tiempos donde intervenía el comercio y la política. Relacionarse con un hombre poderoso como Abraham, por medio de su hermana, daría gran prestigio al rey.

**Vv. 3, 7.** Dios interviene en el asunto porque es necesario preservar a Sara para poder cumplir sus planes referentes a su descendencia. En primer lugar, habla a Abimelec, en sueños, advirtiéndole del peligro en que se encuentra al tomar a una mujer casada. En segundo lugar, le ordena a Abimelec devolver a Sara a su marido, al que califica de profeta. En tercer lugar, Dios interviene en el harén del rey, haciendo estériles a todas las mujeres.

**Vv. 8, 9.** El comportamiento de Abimelec demuestra que tiene conocimiento de Dios y que le teme. Abimelec devuelve a Sara y le llama la atención a Abraham por su actuación mentirosa. Esta fue una grave falta de Abraham por no confiar plenamente en las promesas de Dios.

## 2 El nacimiento de Isaac, Génesis 21:1-3.

**V. 1.** Ha llegado el momento preciso para que Dios cumpla su promesa. Sara va a recibir al hijo por tantos años esperado. Dios actúa en favor de Sara y Abraham. Isaac es el resultado del poder y la fidelidad del Señor.

**V. 2.** Sara concibe a pesar de su avanzada edad. El nacimiento no se debió a ninguna decisión humana. El propósito de Dios se realizó en el tiempo y el espacio previstos.

**V. 3.** El nombre que se le dio al niño fue dado por Dios con anterioridad. Significa "risa". Cuando fue anunciada su venida, Sara rió con incredulidad. Ahora hay una nueva risa, pero es de gozo y satisfacción.

## 3 Abraham despide a Agar e Ismael, Génesis 21:9-13, 17, 18.

**Vv. 9, 10.** Ismael había ocupado un lugar de privilegio en la familia de Abraham hasta el nacimiento de Isaac. Ahora toda la atención se centra en Isaac. Ismael se da cuenta del cambio y reacciona burlándose del nuevo heredero. Sara reacciona ante esta situación y exige que Agar e Ismael sean echados de la casa. Tal decisión no sólo apuntaba a solucionar un problema familiar, tenía que ver con la promesa de Dios de escoger a Isaac como único heredero.

**V. 11.** Abraham se preocupa por este nuevo conflicto. Después de todo Ismael es su hijo y por diecisiete años le ha provisto de compañía y gozo. Los sentimientos de dolor dominan a Abraham en estos momentos.

**Vv. 12, 13.** Dios interviene en esta difícil situación Abraham debe hacer caso de la petición de Sara. Dios tiene establecido que su plan de salvación se realizará por la línea de Isaac. No obstante, para Ismael, que es producto de la precipitación del pensamiento humano, hace la promesa de hacer de él una nación grande. Abraham se anima a hacer algo tan difícil como despedir a su hijo y a la madre.

**Vv. 17, 18.** Ismael y su madre caminan errantes por tierras desérticas y consumen la provisión de agua rápidamente. Agar se aparta de su hijo para no verlo morir, pero Ismael clama a Dios y es oído. Un ángel comunica dos cosas a Agar: (1) Dios ha escuchado al muchacho y (2) de Ismael hará una nación grande. Es un reconocimiento que recibe Ismael por ser un descendiente de Abraham.

## Aplicaciones del estudio

**1. El pecado causa daño a los hijos de Dios.** No importa cuán cerca estemos de Dios. El diablo aprovecha la más leve abertura para hacernos caer en pecado y perder las bendiciones de Dios. La pequeña ranura por donde entró el enemigo en la vida de Abraham se presentó cuando éste tuvo miedo de Abimelec y su gente. Quiso protegerse con la mentira. Muchas veces decimos que las mentiras son necesarias para salir de una situación apretada, pero esa ocasión, sin duda alguna, será aprovechada por el diablo para causar daño a nuestro testimonio.

**2. La fidelidad de Dios causa alegría en sus hijos.** Isaac no nació en el tiempo que Abraham quiso, ni como Sara lo planeó. Ambos pensaron que Dios se olvidaba de ellos, pero no falló. El nacimiento de Isaac causó risas de alegría, satisfacción y optimismo. "Dios no tarda sus promesas, como algunos las tienen por tardanza." La felicidad y alegría estarán de nuestra parte cuando veamos realizadas las promesas de Dios en su venida (2 Pedro 3:9).

## Prueba

1. ¿Cuál fue el motivo que causó el problema entre Abraham y. . .
a. Abimelec? _____ b. Agar? _____

2. Para construir un templo evangélico, las autoridades ponen requisitos muy exigentes. Un señor influyente ofrece ayuda para un trámite rápido, pero solicita una cantidad de dinero para dar propinas y el cambio de ciertos términos como "centro educacional" en vez de "templo" y otros por el estilo.
a. ¿Será bueno aceptar la ayuda? _____
b. ¿Se pondría o no en peligro el testimonio de esa congregación? Explique.

_____

3. Comparta con la clase alguna experiencia pasada en la que su falta de confianza en Dios, le causó algún problema. Comprométase a poner delante de Dios todos sus asuntos, a fin de no repetir experiencias semejantes.

### Lecturas bíblicas para el siguiente estudio

**Lunes:** Génesis 22:1-5          **Jueves:** Génesis 22:15-18
**Martes:** Génesis 22:6-10        **Viernes:** Génesis 22:19
**Miércoles:** Génesis 22:11-14    **Sábado:** Génesis 22:20-24

# Dios prueba la fe de Abraham

**Contexto:** Génesis 22:1-24
**Texto básico:** Génesis 22:1-3, 9-13, 15-18
**Versículo clave:** Génesis 22:18
**Verdad central:** La manera como Dios probó la fe de Abraham demuestra que Dios nos presenta los desafíos para fortalecer nuestra relación con él.
**Metas de enseñanza-aprendizaje:** Que el alumno demuestre su conocimiento del amor y la fe hacia Dios que Abraham demostró al ofrecer a su hijo Isaac, y su actitud hacia el poner la obediencia a Dios en primer lugar en todas las decisiones de la vida.

## Estudio panorámico del contexto

La fe de Abraham tiene su mayor prueba cuando recibe el pedido de Dios para que le ofrezca en sacrificio a su hijo Isaac. El corazón de Abraham estaba desgarrado: por un lado, estaba su amor paternal, por otro, la obediencia a Dios. El pedido no concordaba con la promesa de formar una nación a través de Isaac. El sacrificio se parecía mucho a los que practicaban los paganos ofreciendo a los primogénitos en el culto a la fertilidad. La confusión era grande para Abraham. Sin embargo, toma la prueba, hace los preparativos y parte con Isaac y dos siervos al lugar señalado: el monte Moriah, que queda a tres días del lugar donde vive Abraham.

Al divisar el monte, Abraham ordena a sus siervos quedarse. No desea que nadie interfiera en el acto que va a realizar. Se nota la gran fe de Abraham en su Dios: les dice a sus siervos que ambos volverán luego de adorar.

Abraham e Isaac inician la última etapa del viaje. Isaac carga la leña, Abraham el cuchillo y el fuego. Isaac da muestras de sus inquietudes e inicia un diálogo que ha de haber partido el corazón de Abraham al llamarlo: *padre mío*. Las respuestas de Abraham asombran por su prudencia y compostura. Demuestran toda su fe y dependencia en Dios.

Al llegar al sitio escogido, los hechos se suceden rápidamente. Abraham, sin duda, ha tenido que explicar a Isaac que él será el sacrificado. No había explicación posible, pero estaba decidido: era necesario obedecer a Dios incondicionalmente. Para Dios eso bastaba. Detuvo a Abraham en el acto final. Todo lo que Dios quería era la rendición de Abraham. Quería una demostración de que amaba más a Dios que a su propio hijo y a las promesas dadas. La fe de Abraham fue premiada grandemente. Fue provisto un animal para el sacrificio y Dios le renueva sus promesas. Nos podemos imaginar el gozo y la paz en el corazón de Abraham. Es emocionante para él poder presentar de nuevo a su hijo a los siervos y a Sara su esposa.

Abraham habita en Beerseba. El capítulo 22 termina con la genealogía de Nacor, hermano de Abraham, para establecer la procedencia de Rebeca, la futura esposa de Isaac.

─────────── **Estudio del texto básico** ───────────

**Lea su Biblia y responda**

1. Escriba tres características de Isaac encontradas en Génesis 22:2 que hicieron más dura la prueba de Dios puesta a Abraham.
a. _____
b. _____
c. _____
2. Escriba las acciones llevadas a cabo por Abraham para dar cumplimiento al mandato de Dios (Gén. 22:3-10).
V. 3: a. _____
b. _____
c. _____
d. _____
V. 6: e. _____
f. _____
g. _____
h. _____
V. 9: i. _____
j. _____
k. _____
l. _____
V. 10: m. _____
n. _____

**Lea su Biblia y piense**

**1 Dios presenta la prueba y Abraham la toma, Génesis 22:1-3, 9, 10.**

**Vv. 1, 2.** La vida de Abraham pasa por un período de prosperidad y paz luego de la alianza con Abimelec, la partida de Ismael y el advenimiento de Isaac. Todo apunta hacia el cumplimiento de las promesas de Dios. Sin embargo, todavía falta la prueba suprema de la fe de Abraham. Dios pone a prueba a su siervo con la intención de aumentarle su fe, darle la oportunidad de alcanzar una victoria significativa y recibir una revelación más profunda de Dios y su plan. Para tales objetivos Dios tiene que tocar lo más preciado de Abraham: su hijo Isaac.

Las órdenes recibidas por Abraham lo dejaron confundido y lleno de interrogantes: debía tomar a su hijo, a quien amaba, y ofrecerlo en sacrificio. No hubo objeciones, preguntas, ni lamentos. Abraham estaba listo para tomar el camino de una mejor relación con Dios.

**V. 3.** Abraham no demoró en cumplir el pedido de Dios, pues se levantó muy de mañana. No había ninguna duda de que si Dios pedía tal acto, aunque incomprensible para él, era porque Dios tendría una muy buena razón para hacerlo. La preparación es completa y minuciosa: un asno, dos siervos, Isaac, leña, fuego y el filoso cuchillo. Se inicia el largo viaje de tres días y comienza así a inclinarse la balanza a favor de la obediencia a Dios antes que a su amor paternal.

**Vv. 9, 10.** Las acciones que tomó Abraham al llegar al sitio escogido fueron rápidas. No obstante, han de haber sido momentos eternos en el corazón de Abraham. Pero hay firmeza y determinación: prepara el altar, arregla la leña, ata a su hijo y lo coloca encima de la leña. Sólo falta consumar el sacrificio. Sin titubeo alguno, Abraham extiende su mano y toma el cuchillo para degollar a su hijo. ¡Qué muestra más singular de amor y desprendimiento! Tal acción tan sólo es superada por el inmenso amor de nuestro Padre al ofrecer al mundo a su Hijo unigénito. Dios nos amó de tal manera que "no escatimó a su propio Hijo, sino que lo entregó por todos nosotros" (Rom. 8:32).

## 2 Dios da por buena la prueba, Génesis 22:11-13.

**V. 11.** Dios siente gran satisfacción del acto de fe dado por su siervo. Llama a Abraham antes de que la vida del muchacho sea cortada. Abraham contesta con el característico *Heme aquí* de los corazones obedientes y rendidos al Señor.

**V. 12.** Dios ha comprobado que para su siervo, él ocupa el primer lugar de su vida. Abraham ha dado muestra de ofrecerle a Dios lo mejor. Ahora todas las demás cosas le serán añadidas (Mat. 6:33).

**V. 13.** Dios no permite que Abraham le cause daño a su hijo. Abraham se da cuenta de que Dios provee para las necesidades conforme él lo había dicho a su hijo: *Dios. . . proveerá.*

## 3 Dios renueva su pacto y promesa con Abraham, Génesis 22:15-18.

**Vv. 15, 16.** Otra vez se oye la voz del cielo llamando a Abraham, reconociendo su acción. Dios le muestra que el sacrificio está cumplido. Dios se prepara para devolverle todo, mucho más enriquecido y bendecido que antes.

**Vv. 17, 18.** Son cuatro las promesas de Dios, claramente delineadas. Incluyen: bendiciones, multiplicación en gran manera de la descendencia, posesión de las ciudades enemigas y bendición por medio de él, a todas las naciones de la tierra. Gozo y paz debían reinar en el corazón de Abraham: había dicho que volverían y volvieron; había dicho que Dios supliría y así se hizo. Todo con "un simple secreto" de parte de Abraham: su íntima comunión con Dios, que le permitió aprender cada vez más del carácter de Aquel con quien estaba en pacto. Su secreto está expresado con las palabras *Heme aquí*, que el Señor todavía busca en nosotros.

# Aplicaciones del estudio

**1. Es simple adquirir una fe como la de Abraham.** Con frecuencia al leer los relatos de vidas tan especiales como la de Abraham, nos sentimos empequeñecidos y no aptos para experimentar en nosotros algo similar. El acto de fe de Abraham consistió, sin embargo, en una sola cosa: aceptó simplemente la palabra de Dios. Dios habló y Abraham creyó. No esperó razones ni presentó argumentos. Si actuamos en la misma forma, la paz y el descanso entrarán en nuestras vidas. La fuerza espiritual y el crecimiento serán nuestra rutina.

**2. En tu descendencia serán benditas todas las naciones de la tierra.** Tal vez Abraham no tuvo una visión completa de lo que estas palabras significaron. El apóstol Pablo nos lo explica en Gálatas 3:16 al relacionar la descendencia de Abraham con Cristo. Nosotros mismos formamos parte de las bendiciones de Abraham si aceptamos el sacrificio de Cristo. Este es el requisito exigido para formar parte del pueblo escogido, de la nación santa, del real sacerdocio para anunciar las virtudes de Cristo.

# Prueba

1. Explique brevemente la forma en que la actuación de Abraham estuvo en total acuerdo con el mandato de Jesús dado mucho tiempo después en Mateo 6:33.

_____

_____

2. Las siguientes tres cosas están ocupando el lugar que a Dios le corresponde. Como muestra de amor y fe a él, las "sacrifico" a fin de que él ocupe el primer lugar en todas mis decisiones.

a. _____

b. _____

c. _____

### Lecturas bíblicas para el siguiente estudio

**Lunes:** Génesis 23:1-20
**Martes:** Génesis 24:1-27
**Miércoles:** Génesis 24:28-49

**Jueves:** Génesis 24:50-60
**Viernes:** Génesis 24:61-67
**Sábado:** Génesis 25:1-18

**Unidad 3**

# Abraham busca esposa
# para Isaac

**Contexto:** Génesis 23:1 a 25:18
**Texto básico:** Génesis 24:2-4, 12-15, 26, 27, 61, 66, 67; 25:5-9
**Versículo clave:** Génesis 24:7
**Verdad central:** La manera como Abraham buscó una esposa para su hijo subraya la importancia de buscar la dirección de Dios en las decisiones familiares.
**Metas de enseñanza-aprendizaje:** Que el alumno demuestre su conocimiento de cómo el ejemplo de Abraham muestra la importancia de buscar la dirección de Dios en las decisiones familiares, y su actitud hacia el buscar la dirección de Dios para sus propias decisiones familiares.

-------- **Estudio panorámico del contexto** --------

Sara vivió 127 años. Es la única mujer de la Biblia que recibe el recuento de sus años. Tal vez sea para destacar la cantidad de años que estuvo unida a su marido, obedeciéndole y esperando en Dios como dice 1 Pedro 3:6.

Abraham sufre la pérdida de Sara y llora. Hace los preparativos para sepultarla y compra a los hititas, un pueblo que habitaba en Canaán, la cueva de Macpela. Este detalle es importante porque muestra que aunque Abraham admite ser extranjero, tiene la fe en que sus descendientes heredarán Canaán. De otra manera, hubiera enviado el cuerpo a Mesopotamia. Por el momento, este terreno es la única propiedad que tiene Abraham en la tierra prometida. Allí serán sepultados después, Isaac, Jacob, Rebeca y Lea.

La edad de Isaac era la apropiada para establecer su propia familia. Conforme a las costumbres orientales, correspondía a Abraham hacer los arreglos para tal acontecimiento. Abraham no quería que la compañera de su hijo fuera una cananea. Debía ser alguien que supiera valorar el pacto y que fuera de su misma parentela. Por eso, envió en una misión especial a uno de sus siervos. Abraham confía nuevamente en Dios cuando dice: *El enviará su ángel delante de ti y tú también tomarás de allá una mujer para mi hijo.*

La misión es cumplida con todo cuidado por el siervo. Destaca la oración que se hace para pedir dirección y dar gracias. Rebeca es la joven escogida. Es hija de Betuel, sobrino de Abraham. La joven es bondadosa, virgen y muy hermosa. No podía ser de otra forma, pues todo fue guiado por el mismo Dios. La familia de

Rebeca también comprende las razones del siervo de Abraham y admiten la mano de Jehovah en todo esto. Reciben todos los regalos enviados por Abraham, y Rebeca decide partir para su nuevo hogar. El encuentro entre Isaac y su prometida se da en el campo. Ella es conducida a la tienda de Sara con todo respeto y cortesía. El amor unió a esta pareja y dio continuidad a los planes de Dios. Abraham ha terminado su misión, muere y es sepultado en Macpela por Isaac e Ismael.

## Estudio del texto básico

### Lea su Biblia y responda

1. Lea Génesis 23:16 a 24:53 y relacione las dos columnas dadas al contestar para qué se usaron.

a. Objetos de oro, plata y vestidos.    a. \_\_\_\_ para pagar sepultura de Sara.

b. Pendientes de oro y dos brazaletes.    b. \_\_\_\_ para regalar a Rebeca.

c. 400 siclos de plata.    c. \_\_\_\_ para dar a Rebeca después de hablar con su familia.

d. Toda clase de cosas preciosas.    d \_\_\_\_ para llevar a Nacor.

e. Objetos preciosos.    e \_\_\_\_ para dar a Labán y a la madre de Rebeca.

2. Relacione los nombres con las declaraciones:

a. Abraham    a. \_\_\_\_ Señor mío, escúchame.

b. Siervo de Abraham    b. \_\_\_\_ Te haré jurar por Jehovah.

c. Rebeca    c. \_\_\_\_ De Jehovah procede esto.

d. Labán    d. \_\_\_\_ Haz que hoy ocurra algo.

e. Efrón    e. \_\_\_\_ Sí, iré.

3. Escriba por lo menos tres razones por las que usted cree que Rebeca estaba dentro de la voluntad de Dios para Isaac.

a. _____

b. _____

c. _____

### Lea su Biblia y piense

## 1 Abraham envía a Eliezer a buscar esposa para su hijo, Génesis 24:2-4, 12-14.

Vv. 2-4. Abraham empieza a tomar previsiones ante lo avanzado de su edad. Tiene un hijo de cuarenta años y conforme a las costumbres de su tiempo, le corresponde a él buscar compañera para su heredero. Pero todas las decisiones están basadas en las promesas de Dios en cuanto a la tierra y a la descendencia. Isaac no debe abandonar la tierra que ocupa para ir a buscar esposa. Esta debe ser una mujer con ciertas condiciones. Nada ni nadie debe echar por tierra el pacto del Señor. Abraham entonces llama a su siervo de mayor confianza, al administrador de todos sus bienes. Lo hace jurar por Jehovah, que no buscará entre las mujeres de los cananeos, pues su idolatría y tendencia al pecado es conocida. Ha de ser de su antigua tierra y de su parentela. El siervo ha de ir entonces hasta Harán y visitar allí a la familia de Nacor, hermano de Abraham.

**Vv. 12-14.** El siervo tomó el encargo con toda seriedad y sabiduría. Sinceramente pide a Dios en oración que le guíe porque su tarea es difícil. Abraham con su testimonio ha ganado el cariño y respeto de su gente. El siervo pide una señal al Señor. El no desea actuar guiado por su conocimiento o gustos. Paso a paso desea que Dios tome la dirección de los acontecimientos.

## 2 Eliezer encuentra a Rebeca, Génesis 24:15, 26, 27.

**V. 15.** La respuesta de Dios fue rápida. No había terminado de hablar cuando se aparece una joven con un cántaro en su hombro. Su nombre es Rebeca, de la familia de Abraham, una de las condiciones principales. Además se distingue por su belleza y laboriosidad.

**Vv. 26, 27.** Resalta la reverencia y el agradecimiento del siervo de Abraham. Está plenamente convencido de que es Dios quien ha guiado su camino. Agradece la bondad y misericordia de Dios para con su amo.

## 3 Rebeca, esposa de Isaac, Génesis 24:61, 66, 67.

**V. 61.** Rebeca toma la decisión de hacer el viaje a Canaán. El siervo entonces la toma y regresa.

**V. 66.** La responsabilidad del siervo se demuestra en la información que da a su amo.

**V. 67.** Isaac recibió a la joven con todo respeto y cariño. La llevó a la tienda que era de su madre, lo cual significaba un gran privilegio. Isaac pone en su relación matrimonial el amor, el lazo que une en forma verdadera y permanente a los matrimonios que han sido guiados por la mano de Dios.

## 4 Abraham es sepultado en Macpela, Génesis 25:5-9.

**V. 5.** Abraham tuvo más hijos luego de muerta Sara, pero siempre tuvo el cuidado de preservar para su hijo Isaac la tierra que estaba incluida en el pacto.

**V. 6.** A los otros hijos los envió hacia el oriente y les hizo obsequios. Pero a su hijo Isaac le reservó lo mejor.

**Vv. 7, 8.** La vida de Abraham fue larga y llena de grandes acontecimientos. Terminó sus días con gran vigor y buena vejez. Sus numerosos años no alcanzaron, sin embargo, para poder ver realizadas todas las promesas que Dios le había hecho. Pero dejó todas las cosas listas para que el pacto se realizara. Había llegado la hora de unirse con sus padres, y no podía aún contar, cual arena del mar, a sus descendientes, pero su fe y esperanza nunca decayeron.

**V. 9.** Sus hijos Isaac e Ismael le sepultaron en el mismo lugar donde años atrás Abraham había enterrado a Sara. La cueva de Macpela es la pequeñísima porción de tierra prometida que le perteneció a este patriarca.

# Aplicaciones del estudio

**1. La comunión con Dios es básica en la toma de decisiones.** Abraham nos da excelentes ejemplos de cómo actuar en nuestras vidas, estando en constante comunión con Dios. Los sentimientos no deben tomar el lugar que sólo corresponde al Señor. Por eso, Abraham enterró a su esposa en Canaán en vez de Harán, y tomó sucho más tiempo para buscar esposa para su hijo, que si hubiera dejado las cosas al azar. El enemigo es astuto y muchas veces nos hace sentir que es mejor actuar con sentido común o con más prisa. El Señor nos pide meditar, orar y oír su voz antes de tomar alguna decisión.

**2. Los padres deben velar siempre por el bienestar de sus hijos.** Abraham veló por su hijo Isaac no obstante que ya tenía poder de decisión, experiencia y suficiente edad. Es muy común en nuestro tiempo, pensar que los hijos al cumplir su mayoría de edad, salen de nuestra responsabilidad, porque ellos saben lo que deben y no deben hacer. Pero el consejo constante, la intervención adecuada, sobre todo si va respaldada por la voluntad de Dios, hará mucho bien a nuestros hijos, sus hogares y decisiones.

# Prueba

1. Haga mención de por lo menos tres principios que Abraham y su siervo siguieron en la búsqueda de Rebeca que pueden aplicarse hoy para ayudar en la exitosa búsqueda de la pareja de nuestros hijos.

a. _____

b. _____

c. _____

2. Piense en una situación familiar que no ha sido tratada bajo la dirección de Dios. Comprométase a seguir en adelante el ejemplo de Abraham y su siervo para hallar la solución más adecuada. Redacte sus primeras ideas aquí.

_____

_____

### Lecturas bíblicas para el siguiente estudio

**Lunes:** Génesis 25:19-26     **Jueves:** Génesis 26:6-11
**Martes:** Génesis 25:27:34     **Viernes:** Génesis 26:12-22
**Miércoles:** Génesis 26:1-5     **Sábado:** Génesis 26:23-35

**Unidad 4**

# Isaac y sus hijos

**Contexto:** Génesis 25:19 a 26:35
**Texto básico:** Génesis 25:21-23, 29-33; 26:1-3, 12, 13, 25
**Versículo clave:** Génesis 26:25a
**Verdad central:** Isaac y sus hijos nos ilustran la diferencia en los resultados de la actitud de confiar en Dios y confiar en uno mismo.
**Metas de enseñanza-aprendizaje:** Que el alumno demuestre su conocimiento del nacimiento de los dos hijos de Isaac: Esaú y Jacob. Los valores que condujeron a Esaú y Jacob a negociar la primogenitura y cómo Dios hace extensivo su pacto con Isaac. Que demuestre también su actitud hacia los valores que subrayan la dependencia en Dios y rechazan el egoísmo y la confianza en sí mismo.

──────── **Estudio panorámico del contexto** ────────

Isaac fue un hombre quieto, tranquilo. Su existencia es una transición entre la vida de su padre y la de su hijo Jacob. Su esposa era estéril y por eso Isaac pidió ayuda a Dios. El embarazo de Rebeca presentó problemas y ella acudió a Dios, entonces le fue dada una profecía: ella sería madre de un par de niños, que a su tiempo, fundarían dos naciones enemigas. La que descienda del mayor dependerá de la que salga del hijo menor. Los mellizos al nacer, presentan características muy diferentes. El mayor es velludo y rojizo. Se le pone por nombre Esaú. El menor nace tomado del talón de su hermano y lo llaman Jacob.

Los niños son diferentes en sus vocaciones y caracteres. Esaú es un cazador y atrae las simpatías de su padre. Jacob es quieto y hogareño. Es el favorito de su madre. A Esaú le interesa satisfacer sus necesidades físicas. No le interesa lo espiritual. Por eso, cuando el hambre lo acosa, decide vender su primogenitura; la cambia por un plato de lentejas preparado por su hermano. Este derecho incluía una porción doble de la herencia y la jefatura de la familia. En este caso particular, incluía velar por el pacto y dar continuidad al plan de salvación dispuesto por Dios. Esto fue lo que despreció Esaú. Prefirió calmar su hambre que asumir la responsabilidad que le correspondía.

Por una escasez de alimentos, Isaac decide viajar a Egipto. Es significativo que Isaac se dirigió a Abimelec, rey de los filisteos antes que a Dios. Sin embargo, Dios se aparece a Isaac y le prohíbe seguir su camino. Le promete bendición en medio de la escasez y le confirma el pacto que había dado a su padre. Esta fue una primera prueba para Isaac, que salió bien librado al obedecer al Señor permaneciendo en su tierra.

63

Isaac se enfrenta a otra prueba. Miente como Abraham diciendo que Rebeca es su hermana. Dios usa un pequeño descuido para hacer saber a Abimelec la verdad y librar a Rebeca. Isaac cultiva la tierra donde mora. Dios le prospera grandemente causando envidia a los vecinos, a quienes Isaac responde con cordura y paciencia. Sus enemigos reconocen que Isaac es bendecido por Dios y conciertan un pacto con él.

─────────── **Estudio del texto básico** ───────────

### Lea su Biblia y responda

1. Isaac recibió las bendiciones del pacto hecho a su padre Abraham. Según Génesis 26:5, las razones que Dios expuso para ello fueron las siguientes:
a. _____
b. _____
c. _____
d. _____
e. _____

2. Identifique el personaje a quien corresponde cada característica escribiendo una **E** (Esaú), una **J** (Jacob), una **I** (Isaac) o una **R** (Rebeca) delante de cada una de ellas.
a. ____ Experto en la caza.
b. ____ Dijo: *He aquí que yo me voy a morir.*
c. ____ Solía permanecer en las tiendas.
d. ____ Dijo: *Jehovah nos ha hecho ensanchar.*
e. ____ Dijo: *¿para qué he de vivir?*
f. ____ Prefería a Esaú porque comía de su caza.
g. ____ Prefería a Jacob.

3. Explique el significado de las siguientes frases:
a. *Así despreció Esaú la primogenitura.*
_____
b. *En tu descendencia serán benditas todas las naciones de la tierra.* ____
_____

### Lea su Biblia y piense

# 1 Nacimiento de Esaú y Jacob, Génesis 25:21-23.
**V. 21.** Isaac conocía bien la promesa de Dios dada a su padre. A través de él y no de Ismael, Dios cumpliría su pacto, pero los años pasaban y nada se realizaba.
Isaac hizo lo mejor: presentarse a Dios en oración. No trató de realizar alguna acción humana. Fue premiado con una respuesta inmediata de Dios: Rebeca, su amada, concibió.

**V. 22.** Ahora es el embarazo el que presenta dificultades. Rebeca no entiende qué está sucediendo dentro de ella porque hay dos vidas en su vientre y se están peleando allí mismo. Rebeca da muestras de depender del Señor y acude a él para recibir orientación.

**V. 23.** La respuesta de Jehovah es una profecía. Sus dos hijos van a representar dos naciones que van a oponerse la una a la otra. La nación del menor va a tener el dominio sobre la del mayor. Esto contraría todo lo establecido por la época. Dios muestra su soberanía sobre toda estructura humana. Ni Esaú ni Jacob tienen méritos para recibir algo de Dios, pero él actúa conforme a su voluntad (Ef. 1:11). No hay nada arbitrario en Dios y en sus caminos, pero muchas veces no entendemos sus propósitos más profundos. El orden humano por más sabio que parezca no calza muchas veces con el orden de la gracia (Isa. 55:9).

## 2 Jacob compra la primogenitura de Esaú, Génesis 25:29-33.

**Vv. 29, 30.** Las diferencias de carácter y de vocación que tienen los dos hermanos, hacen posible un acontecimiento singular. Esaú es un cazador, hombre de campo y tiene un día malo de cacería. Se cansa y llega agotado a la casa. Jacob es un hombre hogareño, se deleita en preparar guisos. Esaú le pide que le dé de su plato. Jacob aprovecha para proponerle un trueque. Conoce a su hermano y ve ahora la oportunidad que esperaba.

**Vv. 31-33.** La condición que Jacob exige por su guiso es la venta de la primogenitura. Esto era un privilegio espiritual por las bendiciones y promesas que estaban contempladas en ella, pero la vida de Esaú estaba ligada a las cosas materiales y Dios no contaba en sus razonamientos. Para encontrar satisfacción en sus apetitos momentáneos echa por tierra sus privilegios futuros. Las bendiciones venideras no eran atractivas para él.

Jacob se da cuenta del poco valor que siente su hermano por sus derechos y solicita que Esaú le jure inmediatamente su decisión. Esaú lo cumple sin ningún reparo. Jacob adquiere lo que siempre ha anhelado. Es buena su tenacidad, su visión del futuro, aunque el método que utiliza no es el más adecuado.

## 3 Jehovah confirma su pacto a Isaac, Génesis 26:1-3, 12, 13, 25.

**Vv. 1-3.** Se ponen en peligro de nuevo las condiciones del pacto. Hay hambre en la tierra. Es necesario tomar decisiones que no afecten el bienestar familiar. Isaac deja su hogar para dirigirse a Egipto. En su paso llega a Gerar, la tierra de los filisteos. Isaac está abandonando la tierra prometida. Hay mucha gente que también reclama derechos sobre ella. Dios tiene que intervenir inmediatamente. Isaac piensa en lo mejor pero no consulta a Dios de sus planes. La orden de Dios es que no descienda. Los peligros son muchos o Isaac no los podía percibir. Las promesas dadas a su padre Abraham son entonces confirmadas a él.

**V. 25.** Isaac responde a las bendiciones recibidas adorando a su Dios. Con el altar demuestra su consagración a Dios. Invoca, ora a su Dios, el Dios de su padre, porque siente necesidad de su guía y ayuda.

# Aplicaciones del estudio

**1. Es necesario poner a Dios en primer lugar.** En la vida de Esaú no había lugar para Dios. Su gran vigor físico y sus habilidades para la caza fueron desperdiciados en conseguir lo momentáneo, lo material. Muchos hoy llegan a tener fama, dinero y poder pero todo con la fatal ausencia de Dios. Dios ha de ser el primero en todo. Luego vendrán la paz, el poder y el progreso en nuestras vidas.

**2. La guía de Dios es nuestra única seguridad.** Isaac acudió a Dios para recibir dirección sobre la esterilidad de Rebeca. Era una tremenda crisis la que afrontaba y él procedió bien. Pero cuando faltó alimento en la tierra, Isaac sintió que eso lo podía resolver por sí mismo y se dirigió a Egipto, sin consultar a Dios. Eso le trajo grandes problemas. Debemos aprender entonces que no hay cosas pequeñas que Dios no necesite guiar. No hay nada pequeño que no necesite de su gracia y poder.

# Prueba

1. Examine su vida como cristiano para determinar por lo menos dos ocasiones en que "vendió su primogenitura", es decir, puso a un lado al Señor a cambio de recibir alguna cosa de este mundo. Compártala con la clase si lo desea.

2. Enliste por lo menos dos acciones concretas que practicará en su vida como cristiano, que le permitirán una mayor dependencia de Dios y rechazar el egoísmo y la confianza en usted mismo.

a. _____

b. _____

### Lecturas bíblicas para el siguiente estudio

**Lunes:** Génesis 27:1-5          **Jueves:** Génesis 27:18-29
**Martes:** Génesis 27:6-10        **Viernes:** Génesis 27:30-40
**Miércoles:** Génesis 27:11-17    **Sábado:** Génesis 27:41-45

**Unidad 4**

# Isaac engañado
# por Rebeca y Jacob

**Contexto:** Génesis 27:1-45
**Texto básico:** Génesis 27:6-10, 18-23, 34-36
**Versículo clave:** Génesis 26:39
**Verdad central:** La conducta de Isaac y de Rebeca nos enseña cómo las actitudes egoístas dañan las relaciones interpersonales y a la familia.
**Metas de enseñanza-aprendizaje:** Que el alumno demuestre su conocimiento de los factores que entraron en juego para que Jacob usurpara la bendición de Esaú, y su actitud hacia las actitudes que deben evitarse a fin de fortalecer las relaciones entre los miembros de su familia.

--------- **Estudio panorámico del contexto** ---------

La familia de Isaac es pequeña, pero llena de celos, envidias y engaños. Las actitudes egoístas dominan a sus miembros y cada uno desea intervenir, sin tomar en cuenta la voluntad de Dios.

Isaac esta viejo y ciego. Llama a su hijo Esaú y le comunica su deseo de bendecirlo. Isaac sabía que esa bendición no correspondía a su hijo mayor (Gén. 25:23). Hubo prisa en su decisión, pues Isaac vivió, después de esto, 40 años más. La bendición significaba entregar el liderazgo de la familia, la herencia material y los derechos espirituales.

Isaac le pide a Esaú que le prepare y traiga un potaje para luego bendecirlo. Rebeca oye sus palabras. De inmediato llama a su predilecto Jacob y le instruye para que sea él quien cumpla con lo requerido por su padre. Esaú ya ha salido a cazar, es su oportunidad para recuperar el terreno perdido al vender su primogenitura. Jacob presenta reservas al plan de su madre. Ella le convence rápidamente porque ha tomado en cuenta todos los detalles para no fallar. Tiene previsto vestir a Jacob con la ropa de su hermano y cubrir sus partes lampiñas con pieles que lo presenten velludo.

Jacob se presenta ante su padre. Isaac quiere estar seguro de la identidad de quien le habla y esto lleva a Jacob a tejer una cadena de mentiras. Al final, su plan tiene éxito y recibe la bendición.

No pasa mucho tiempo en descubrirse el engaño. Isaac se estremece al reconocer la astucia de su hijo y comprobar que no ha sido posible cambiar los planes de Dios. La reacción de Esaú, al enterarse, es amarga, muy propia de su carácter.

Solicita una nueva bendición con ruego y llanto. Isaac accede, pero la nueva bendición no lleva todos los ingredientes de la primera. Consiste en prosperidad sobre la tierra, lucha por la sobrevivencia, servidumbre a su hermano Jacob y esperanza de una futura liberación.

Debido a las amenazas de su hermano, Jacob tiene que salir de su hogar e irse a tierra extraña. El Señor va a poner allí su mano correctora sobre él. Rebeca despide a su hijo para no verlo nunca más, pues muere antes de su regreso.

---

## Estudio del texto básico

### Lea su Biblia y responda

1. Nunca se puede lanzar una mentira sin que sean necesarias otras para apoyarla. Compruebe este principio formando la cadena de mentiras de Jacob ante cada pregunta de su padre.

a. ¿Quién eres, hijo mío?

_____

b. ¿Cómo es que pudiste hallarla tan pronto, hijo mío?

_____

c. ¿Eres tú realmente mi hijo Esaú?

_____

2. Escriba **V** o **F** según crea que son verdaderas o falsas las afirmaciones dadas:
a. _____ Isaac oró al Señor antes de decidir dar la bendición a su hijo Esaú.
b. _____ Jacob preparó el potaje que trajo ante su padre.
c. _____ Esaú debió suplicar y llorar para obtener su bendición.
d. _____ Isaac murió poco tiempo después de este incidente.
e. _____ Rebeca asumió toda la responsabilidad del engaño.

3. Marque con **X** la mejor respuesta. Cuando Jacob recibió la bendición de Isaac:
a. _____ obtuvo las promesas más importantes dadas a Abraham.
b. _____ sólo obtuvo parte de las promesas dadas a su abuelo.
c. _____ no obtuvo ninguna de las promesas dadas a Abraham.

### Lea su Biblia y piense

## 1 Rebeca instruye a Jacob, Génesis 27:6-10.

**Vv. 6, 7.** Rebeca informa a su hijo preferido sobre la conversación entre Isaac y Esaú. Isaac ha hecho sus planes sin la colaboración de Rebeca, pero no contó con que ella lo oiría, ni tampoco con su astucia. Recibir la bendición consistía en la trasmisión de todos los derechos y responsabilidades hacia el hijo mayor.

**Vv. 8-10.** Rebeca no desea que la bendición sea propiedad de Esaú. Elabora un plan para evitar el peligro de echar por tierra el propósito de Dios establecido en la profecía que había recibido antes de nacer los gemelos. Quizá pensó que Dios había olvidado su palabra y por eso se atrevió a poner su grano de arena en el asunto. Se responsabilizó de sus actos y solicitó que Jacob trajera dos buenos cabritos. Con ellos haría un potaje como a Isaac le gustaba. La parte de Jacob era llevarlo ante su padre para que éste lo comiera y luego recibiera la bendición tan esperada.

## 2 Jacob engaña a Isaac, Génesis 27:18-23.

**Vv. 18, 19.** Los preparativos han sido ejecutados en forma rápida y con precisión. Jacob se acerca a su padre con la comida solicitada. Ha sido preparada por su madre que conoce bien los gustos de su esposo. Empieza ahora la gran cadena de mentiras que tuvo que utilizar Jacob para engañar a su desconfiado padre. Se presenta como Esaú y asegura que la comida ha sido hecha con el producto de su caza.

**V. 20.** El engaño no fue fácil de realizar. Isaac agudiza sus sentidos para estar seguro de que es Esaú quien le habla y hace muchas preguntas. Jacob tiene que profundizar sus mentiras y hasta involucra a Jehovah en sus respuestas.

**Vv. 21-23.** Isaac sigue con dudas y pide otras pruebas como la de palpar el rostro y los brazos de su hijo. Descubre que la voz no es la que oye con frecuencia de Esaú. Rebeca ha tomado en cuenta todos los detalles: ha puesto velludas las manos de Jacob con ayuda de la piel de animales y lo ha vestido con las ropas de Esaú. Isaac queda por fin convencido y da la bendición.

¡Qué cantidad de malas acciones hay detrás de cada personaje! Nadie quiso ceder en sus intervenciones para pedir la dirección de Dios. No sabemos cómo hubiera sido la historia si esto se hubiera dado. No obstante, Dios actuó a través de las circunstancias. Esaú había perdido todo derecho a la bendición. Había desprestigiado con anterioridad la primogenitura. Había expresado su propia voluntad al escoger como mujer a una hetea. Causó amargura a sus padres con esta decisión. No había forma de asegurar éxito al plan de Dios en manos del rebelde Esaú. Así había sido declarado en la profecía.

## 3 Esaú descubre el engaño de Jacob, Génesis 27:34-36.

**V. 34.** La reacción de Esaú es digna de su carácter. Estalló en amargura lanzando un grito debido a la mortificación de verse vencido. No estaba pensando en las bendiciones espirituales que acababa de perder. Su lamento era por los beneficios materiales que el engaño le había quitado. Entonces ruega a su padre que lo bendiga también. Lo que ocurre es que la bendición es única y una vez otorgada no se puede transferir.

**Vv. 35, 36.** Isaac explica que fue Jacob quien se ha llevado la bendición. Esaú lo acusa de haberlo suplantado por dos veces. No reconoce que fue él quien despreció su primogenitura. La hostilidad que este episodio desata, hace que la familia de Isaac tenga que desintegrarse.

## Aplicaciones del estudio

**1. La mentira no debe usarse para alcanzar el bien.** Desde que Jacob estaba en el vientre materno, Dios determinó que él sería quien seguiría con las promesas dadas a su abuelo. Dios tendría su manera especial de lograr esto, pero Jacob y Rebeca metieron sus manos en el asunto para forzarlo. Utilizaron la mentira para lograr lo que era justo, pero pagaron muy cara su osadía. El trabajo en la obra del Señor ha de alcanzarse con medios dignos, justos y veraces. No manchemos nuestro testimonio por lograr pequeñas victorias que saldrán muy caras en sus consecuencias.

**2. Señor, delante de ti están todos mis deseos.** El capítulo 27 de Génesis se hubiera escrito de otra forma si los cuatro integrantes de la familia de Isaac hubieran hecho de esta corta oración su razón de vivir. Todos nosotros tenemos nuestros deseos, no los consigamos a base de mañas. Pongámoslos delante del Señor para que él los haga realidad conforme a su voluntad.

## Prueba

1. Describa por lo menos dos situaciones personales en las que utilizó "mentiras piadosas" para lograr un buen fin que perseguía.

a. _____

b. _____

2. Escriba por lo menos dos actitudes negativas que están afectando las relaciones entre los miembros de su familia.

a. _____

b. _____

Escriba dos maneras prácticas con que va a superarlas de aquí en adelante con el auxilio del Señor.

a. _____

b. _____

### Lecturas bíblicas para el siguiente estudio

**Lunes:** Génesis 27:46—28:5     **Jueves:** Génesis 28:13-15
**Martes:** Génesis 28:6-9     **Viernes:** Génesis 28:16-19
**Miércoles:** Génesis 28:10-12     **Sábado:** Génesis 28:20-22

**Unidad 5**

# Jacob se encuentra con Dios

**Contexto:** Génesis 27:46 a 28:22
**Texto básico:** Génesis 28:11-22
**Versículo clave:** Génesis 28:22b
**Verdad central:** La manera como Jacob respondió a Dios y a sus bendiciones pone énfasis sobre el valor de la relación personal con Dios.
**Metas de enseñanza-aprendizaje:** Que el alumno demuestre su conocimiento de las respuestas que dio Jacob a Dios en su encuentro en Betel, y su actitud hacia la necesidad de encontrarse personalmente con Dios.

## ———— Estudio panorámico del contexto ————

Rebeca actúa motivada por el temor al odio de Esaú hacia Jacob y por su desagrado de las mujeres heteas. Conversa con su esposo para prevenir una unión desagradable de Jacob con alguna joven de la zona. Entonces, Isaac llama a Jacob y le da instrucciones para que se dirija a tierra de sus familiares. El desea que la esposa de Jacob sea alguna de las doncellas de la casa de Labán. Isaac le bendice, deseándole fecundidad y multiplicación de sus descendientes, y pide a Dios que le dé la bendición de Abraham. Jacob parte para Padan-aram, la tierra de su tío. Es una región al noroeste de Palestina ocupada hoy día por el país de Turquía.

Esaú sigue con problemas en su vida. Causó disgusto a sus padres por escoger a dos heteas como esposas, y ahora observa cómo Jacob es enviado a Padan-aram y cuenta con la bendición de su padre. Entonces decide buscarse una nueva esposa. Va a los dominios de Ismael, el otro hijo de Abraham, y toma para sí a Majalat. Se emparenta así con una gente que nada tiene que ver con las promesas del pacto.

El viaje que emprende Jacob es largo. Sale de Beerseba lugar donde vive y se dirige hacia Harán. Son unos 600 kilómetros de caminata. Este viaje va a significar para Jacob la transformación de su vida. Luego de un cansado día de viaje, Jacob decide tomar un descanso. Jehovah da a Jacob un maravilloso sueño que tiene el propósito de animarlo a fortalecer su fe. El sueño consiste en una escalera que une el cielo y la tierra, con unos ángeles que la suben y bajan. Esto significaba que Jacob tenía la comunicación abierta con su Dios. Dios le ofrecía esta posibilidad no obstante que en su vida había gastado energías en mentiras y engaños. Había algo de la mayor importancia al final del sueño. Dios se hallaba en lo alto de la escalera. Es el mismo Dios de Abraham e Isaac su padre. Dios habla a Jacob y le confirma el pacto en toda su extensión. Habrá protección para Jacob y contará con la presencia de Dios hasta cumplir el propósito que él tiene. Jacob despierta maravillado de su experiencia. Ahora conoce a Dios en forma personal. Llama al sitio Betel, esto es, "casa de Dios". Jacob se compromete a ser fiel a Jehovah, su Dios.

# Estudio del texto básico

**Lea su Biblia y responda**

1. Escriba una razón, obtenida del texto bíblico de la lección, que justifique cada acción que se detalla:
a. Rebeca declaró estar hastiada de vivir porque:
(27:46) _____
b. Jacob salió de su casa para Padan-aram porque:
(28:1) _____
c. Esaú salió para Ismael a tomar una nueva esposa porque:
(28:8) _____
d. Jacob llamó al lugar donde durmió "Betel", porque:
(28:17) _____

2. Encuentre el personaje: (Gén. 28:2, 9)
a. Mujer de Esaú: _____
b. Padre de Rebeca: _____
c. Hermano de Rebeca: _____
d. Hija de Ismael: _____

3. Conteste **V** o **F** según crea que corresponda:
a. _____ Jacob fue bendecido por Isaac dos veces.
b. _____ Esaú se casó por lo menos tres veces.
c. _____ Isaac envió a Jacob a su familia en Mesopotamia.
d. _____ Un ángel habló con Jacob en su sueño.

**Lea su Biblia y piense**

## 1 El sueño de Jacob, Génesis 28:11-15.

Jacob tiene un encuentro personal con Dios. Anteriormente lo conocía a través de sus padres. Cuando Isaac le preguntó cómo había conseguido la caza tan pronto, Jacob contestó: Jehovah tu Dios hizo que se encontrase conmigo.

**Vv. 11, 12.** Jacob se encontraba camino hacia la casa de Labán por indicación de sus padres. Cansado de la caminata decide reposar quedándose dormido. Tiene entonces un sueño que consiste en una escalera puesta en la tierra, pero que alcanza hasta el cielo. Los ángeles de Dios subían y bajaban por ella y Dios estaba en lo alto. Jacob estaba separado de Dios y el pecado lo dominaba. Dios estaba poniendo un medio de comunicación para cerrar el abismo de separación entre ellos. Los mensajeros de Dios, los ángeles, subían y bajaban. La comunicación estaba abierta, era constante y se hacía con gran facilidad.

**Vv. 13, 14.** Dios estaba en lo alto y tenía un mensaje para Jacob. Dios se revela como el "Dios de Abraham y de Isaac" y luego da una revelación específica que tiene que ver con la tierra donde está Jacob. Ahora éste tiene la seguridad específica de que el pacto con Abraham y con su padre va a continuar a través de él y con sus descendientes. Cuánto conflicto, odio y desunión se causó por alcanzar una bendición paterna. Dios es el que tiene la última palabra y actúa a su debido tiempo, bajo sus condiciones.

**V. 15.** También Jacob es objeto de una cuádruple promesa personal. Dios le dice que va a estar con él, que lo va a guardar, que lo hará volver a su tierra, que no lo abandonará hasta que se haya hecho todo lo dicho. Aquí tenemos a Jacob, el suplantador, atento a la voz de Dios, a pesar de sus errores.

## 2 Jacob nombra el lugar, Betel, Génesis 28:16-19.

**Vv. 16, 17.** Al despertar, Jacob queda asombrado al darse cuenta de que Dios estaba presente en ese lugar donde él se creía solo. Había tenido un encuentro personal con Dios, al que antes solo conocía por experiencias ajenas. Luego, expresa temor, el temor reverente por un Dios tan poderoso, que ha estado tan cerca de él.

**Vv. 18, 19.** Jacob desea dejar constancia de su inolvidable encuentro. Por eso, toma la piedra que le sirvió de almohada y la pone como memorial, derramando aceite sobre ella. Pone el nombre de Betel al lugar, que quiere decir, "casa de Dios". Son actos que nos indican que la experiencia para Jacob fue muy fuerte y contrasta con todas sus maquinaciones anteriores, buscando el provecho personal solamente.

## 3 Jacob hace un voto en Betel, Génesis 28:20-22.

Los cambios en la vida de Jacob son rápidos y maravillosos. Es realmente una nueva criatura. Jacob quiere dar nuevos rumbos a su vida y por eso se dispone a emitir un voto.

**Vv. 20, 21.** Movido por el temor, la reverencia y la gratitud, Jacob expresa que como Dios va a estar con él en todo momento, lo va a guardar en el viaje, le va a suplir de alimento y vestido, y lo va a hacer regresar a casa de sus padres, a él no le queda más que adorarlo con todo su ser. Algunos quieren ver en las declaraciones de Jacob la exigencia de ciertas condiciones de este hombre hacia Dios. Lo anterior es poco probable, pues ya Dios le había prometido todas estas cosas antes. El compromiso personal de Jacob con el Señor consiste en que, a pesar de que el viaje le llevará a tierras extrañas donde la gente no adora a Jehovah, él no fallará porque sólo adorará a su Dios en todo momento.

**V. 22.** La piedra va a quedar consagrada como casa de Dios. La presencia de Dios va a ser reconocida y honrada. Jacob destinará el diezmo de todo lo que el Señor le dé.

# Aplicaciones del estudio

**1. Dios siempre toma la iniciativa en la búsqueda del hombre.** Jacob no era el recipiente más adecuado desde el punto de vista humano para hacerse cargo del plan de salvación establecido por Dios. Engañador, suplantador, no tuvo reparos en usar hasta el nombre de Dios en sus mentiras. Pero Dios pudo moldear un carácter nuevo en él. Lo buscó y le habló hasta romper su duro corazón. Su palabra es como fuego y como martillo para romper la roca. La iniciativa es de él. Sólo se requiere obedecer a su llamado a través de su Hijo Cristo (Heb. 3:7, 8).

**2. Dios no necesita de nuestros esfuerzos para lograr sus propósitos.** Jacob hizo todo el esfuerzo posible por impedir que las promesas de Dios para él fueran desviadas. Rebeca usó toda su astucia para impedir que Esaú se saliera con la suya. Dios no necesita de esos esfuerzos. Se aparece a Jacob cuando está solo, dormido, indefenso. No es con fuerza ni con poder humano que podemos hacer crecer la obra de Dios. Es tan sólo con su Espíritu que su reino alcanzará la victoria.

# Prueba

1. Determine por lo menos tres acciones que una persona que ha declarado: "Acepto a Cristo como Señor y Salvador", debe realizar para dar evidencia de su voto:

a. _____

b. _____

c. _____

2. Reflexione sobre su experiencia personal con Cristo. Comprométase a renovar alguno de los votos que hizo al Señor en esa oportunidad y que le permitan "proseguir a la meta, al premio del llamamiento de Dios en Cristo Jesús".

### Lecturas bíblicas para el siguiente estudio

**Lunes:** Génesis 29:1-8
**Martes:** Génesis 29:9-14
**Miércoles:** Génesis 29:15-30

**Jueves:** Génesis 29:31-35
**Viernes:** Génesis 30:1-24
**Sábado:** Génesis 30:25-43

**Unidad 5**

# Jacob en Harán

**Contexto:** Génesis 29:1 a 30:43
**Texto básico:** Génesis 29:10-12, 18-28; 30:22-24
**Versículo clave:** Génesis 29:20
**Verdad central:** La manera como Dios guió a Jacob, muestra que él dirige los eventos y las circunstancias en la vida de las personas para cumplir su voluntad.
**Metas de enseñanza-aprendizaje:** Que el alumno demuestre su conocimiento de la manera como Dios guió los eventos y circunstancias en la vida de Jacob, y su actitud hacia la confianza en Dios conociendo que él dirige nuestras vidas según su voluntad.

--- **Estudio panorámico del contexto** ---

Jacob inicia una etapa muy importante en su vida, haciendo frente a dificultades y experiencias que le ayudarán a formar su carácter. Dios lo somete a estas pruebas para que sea un digno representante de las promesas del pacto. Al dejar Betel, Jacob inicia su larga jornada hacia la casa de su tío Labán. Cierto día, se encuentra con unos pastores. Ellos le dicen que son de Harán y que conocen a su tío. Recibe noticias de su bienestar y de que su hija Raquel pronto se hará presente. Ella cuida las ovejas de su padre.

El encuentro de Jacob con Raquel es muy cortés y emocionante. Jacob remueve la piedra que tapa el pozo y da de beber al rebaño de su prima. La besa y llora. Ella le da las nuevas a su padre, quien también manifiesta regocijo por la llegada de Jacob y lo hospeda durante un mes.

Raquel es la mujer que cautiva el corazón de Jacob, el cual ofrece siete años de servicio a su tío para que se la dé como esposa. El trato se hace y para Jacob el tiempo pasa muy veloz porque siente mucho amor por la muchacha. Al llegar el término del plazo, Jacob reclama sus derechos y se prepara la fiesta del casamiento. Conforme a la costumbre, la novia se entrega con velo y a la sombra de la noche. Esto permite a Labán entregar a Lea, su hija mayor en vez de a Raquel. Hasta el día siguiente Jacob se da cuenta del engaño. Ante las protestas, Labán alega razones de costumbre y da solución proponiendo que una semana después le hará entrega de Raquel a cambio de otros siete años más de trabajo. Jacob acepta y se casa con las dos hermanas acompañadas de sus respectivas siervas. Se inicia una relación de celos y envidias entre las dos esposas.

Los primeros hijos de Jacob proceden de Lea. Su amada Raquel es estéril. Raquel trata de dar hijos a su amado y utiliza a su sierva para lograrlo. Lea recurre al mismo procedimiento. José es el primer hijo de Raquel luego que Dios se acuerda de ella. En lo económico, la situación es de creciente prosperidad para Jacob. Ya se han cumplido 11 años desde que llegó Jacob y ya siente deseos de regresar a su tierra. Jacob es el escogido de Dios, quien le prospera mucho.

## Estudio del texto básico

### Lea su Biblia y responda

1. Relacione los nombres con su significado (Gén. 29:32 a 30:24).

| | |
|---|---|
| Judá | a. _____ Mi conflicto. |
| Zabulón | b. _____ Alabanza. |
| Dan | c. _____ Honra. |
| Neftalí | d. _____ Hacer justicia. |

2. Relacione los números con las características:

| | |
|---|---|
| 2 | a. _____ Número de hijos de Lea (varones) |
| 6 | b. _____ Número de hijos de Bilha. |
| 1 | c. _____ Número de hijos de Raquel. |
| | d. _____ Número de hijos de Zilpa. |

3. Después de leer Génesis 29:1 a 30:43. ¿Quién dijo?:
a. Jehovah ha visto mi aflicción: _____
b. Dame hijos; o si no, me muero: _____
c. ¿Estoy yo en lugar de Dios?: _____
d. Yo te he alquilado: _____
e. Bien, que sea como tú dices: _____
f. Jehovah me añada otro hijo: _____

### Lea su Biblia y piense

# 1 Encuentro de Jacob con Raquel, Génesis 29:10-12.

**V. 10.** Jacob realiza una serie de actos de cortesía y de saludo muy expresivos, al conocer a su prima Raquel. Remueve la piedra que tapa la boca del pozo y da de beber a las ovejas del rebaño de Labán su tío.

**V. 11.** Jacob besa a Raquel y se deja vencer por la emoción rompiendo a llorar. Quizá siente una gran alegría de encontrar tan fácilmente a sus familiares.

**V. 12.** Jacob dice a Raquel quién es, y la muchacha corre a donde está su padre a contar las buenas nuevas.

# 2 Jacob se casa con Lea y con Raquel, Génesis 29:18-28.

Luego de pasar un mes como huésped en la casa de su tío, Jacob hace un contrato de trabajo con Labán. Han pasado otras cosas interesantes para Jacob en esta estadía.

**V. 18.** Jacob ha conocido a las dos hijas de Labán: Raquel y Lea. Se ha enamorado de la menor de ellas por lo que ofrece siete años de trabajo a su futuro suegro a cambio de la entrega de ella como esposa.
**Vv. 19, 20.** Labán acepta la petición de Jacob, quien comienza los años de servicio con tal entusiasmo que le parecen días, porque ama mucho a su prometida. Siete años son una espera que Jacob afronta con disciplina. Son pasos que aseguran una pronta descendencia para el cumplimiento de las promesas del pacto.
**Vv. 21-27a.** Cumplido el plazo, Jacob se apresura a reclamar sus derechos. Labán hace una reunión de todos los hombres del lugar y hace un banquete para celebrar el acontecimiento. Pero Labán introduce en la historia decisiones contrarias a los sentimientos de Jacob. Se aprovecha de la costumbre oriental de su tiempo para consumar un engaño: le entrega a Jacob a su hija Lea, en vez de Raquel. Como es de noche y la muchacha viene con velo, el esposo no se da cuenta del cambio y consuma el matrimonio. El antiguo engañador sale engañado. Jacob siente en su propia carne lo que habría experimentado Esaú cuando él actuó en igual forma. La protesta de Jacob a la mañana siguiente no se hace esperar. Su suegro da unas razones no muy convincentes, pero asegura que arreglará el problema entregando, luego de una semana, también a Raquel.
**Vv. 27b, 28.** Jacob debe trabajar otros siete años para Labán. La vida de Jacob como esposo empieza con dificultades y roces desde su inicio. Con tan sólo una semana de diferencia tiene a dos esposas que también están acompañadas, según la costumbre, por sus correspondientes esclavas Zilpa y Bilha.

**3** **Rivalidad entre Lea y Raquel, Génesis 30:22-24.**
El nacimiento de los hijos de Jacob se vio envuelto en una serie de conflictos en que tomaron parte sus dos esposas y las siervas de ellas. Lea, que no era la preferida de Jacob, es la que le da hijos, y Raquel es estéril. Cada una usa sus mejores recursos para atraer la atención del esposo.
**V. 22.** Dios se acuerda de Raquel, quien ha manifestado deseos de morir si no se convierte en madre.
**V. 23.** Con el nacimiento de su primer hijo, ella declara que el Señor le ha quitado la afrenta. Es un reconocimiento de esta mujer a la bondad y misericordia del Señor.
**V. 24.** El hijo de Raquel recibe por nombre José. El va a tener gran responsabilidad en la preservación de la familia más adelante. Con su nacimiento se marca el término de los años de trabajo de Jacob para Labán. Ahora Jacob siente deseos de regresar a su tierra, lo cual no logrará en forma fácil. La descendencia, para seguir adelante con el plan de salvación, ya va en camino. Dios ha mostrado gran paciencia en todas estas relaciones conflictivas. Su mano no ha dejado el control de la situación a los hombres. De Lea y no de Raquel, como deseaba Jacob, han de salir las mayores bendiciones para el mundo. Lea es la madre de Judá, la tribu de donde ha de venir el Salvador del mundo.

# Aplicaciones del estudio

**1. El hombre recoge lo que ha sembrado.** Es de imaginar el semblante de Jacob al darse cuenta de la mala actuación de parte de Labán. *¿Por qué me has engañado?*, fue su voz de reclamo e indignación. Jacob tuvo que experimentar la misma frustración y dolor que sintió Esaú cuando él le aplicó el mismo trato. Tal corrección era necesaria en la vida de Jacob. El Señor nos corrige con amor en el proceso de formación de nuestro carácter cristiano.

**2. La comunión con Dios debe ser constante.** Jacob tuvo un encuentro personal con Dios en Betel y obtuvo regocijo y triunfo. Pero no se lee que Jacob haya buscado a Dios constantemente para tomar decisiones. Su espiritualidad fue decayendo y de nuevo se vio envuelto en engaños y rencillas. Dios demanda constancia en la relación con él, para que la santificación sea siempre creciente.

**3. Debemos dar gracias a Dios por todo.** Lea tuvo un motivo de alabanza a Dios por cada hijo que tuvo. Por cada cosa que sucede en nuestra vida debemos agradecer a Dios por su amor. Dad gracias en todo, recomienda Pablo, porque esta es la voluntad de Dios para vosotros en Cristo Jesús.

# Prueba

1. Relacione lo aprendido en el estudio con alguna experiencia de su vida o de otra persona, en la que Dios guió eventos y circunstancias para cumplir su voluntad a pesar de las acciones que trataron de desviarla. Escriba en la línea en blanco esa ocasión y compártala con la clase.

_____

2. Examine tres áreas de su vida cotidiana: el hogar, el trabajo, la comunidad. Determine tres dificultades que está afrontando en ellas por decisiones incorrectas. Comprométase a superarlas poniendo la confianza en Dios.

a. En el hogar: _____
b. En el trabajo: _____
c. En la comunidad: _____

### Lecturas bíblicas para el siguiente estudio

**Lunes:** Génesis 31:1-3
**Martes:** Génesis 31:4-16
**Miércoles:** Génesis 31:17-21

**Jueves:** Génesis 31:22-35
**Viernes:** Génesis 31:36-42
**Sábado:** Génesis 31:43-55

**Unidad 5**

# Jacob instado a volver a Canaán

**Contexto:** Génesis 31:1-55
**Texto básico:** Génesis 31:4-13, 27-29, 31, 41, 42, 44, 50
**Versículo clave:** Génesis 31:49
**Verdad central:** La manera como Dios cuidó y bendijo a Jacob nos muestra que podemos confiar en Dios en cualquier circunstancia.
**Metas de enseñanza-aprendizaje:** Que el alumno demuestre su conocimiento de la manera como Dios cuidó y bendijo a Jacob al separarse de Labán, y su actitud hacia la confianza en el cuidado de Dios en cualquier circunstancia de su vida.

─────────── **Estudio panorámico del contexto** ───────────

Las relaciones entre Jacob y Labán se ponen difíciles. Veinte años atrás, Jacob había llegado sin ningún bien material, pero la prosperidad de ahora causa la envidia de Labán y sus hijos. Bajo estas circunstancias, Jacob recibe la voz de Jehovah para indicarle que regrese y que cuente con su protección. Jacob actúa con prontitud: llama a sus esposas para informarles lo que ocurre. El viaje que tiene en mente es muy largo, la tierra a donde irán es desconocida y él necesita tener la aprobación de ellas. Cuando están en su presencia les narra las injusticias de Labán, sus engaños repetidos y cómo Dios le ha indicado salir para su tierra. Las esposas están de acuerdo con la propuesta y lo animan a obedecer al Señor.

La salida de Jacob y su familia se hace en forma secreta. Todas las posesiones adquiridas son sacadas de Padan-aram. Su suegro no está presente. Es el período de esquilar las ovejas y Labán está lejos de su casa. Raquel toma los ídolos de su padre, pero no lo comunica a su esposo. Estos ídolos tenían significado religioso y servían también para reclamar derechos de herencia.

Tres días después, Labán es enterado de la huida de Jacob y tras siete días de jornada, lo alcanza en Galaad. Las intenciones de Labán no son muy buenas, pero Jehovah se le aparece en sueños y le advierte que no debe causar ningún daño a su yerno. El encuentro que tiene con Jacob es de exagerados reclamos. Le acusa de haberlo engañado saliendo a escondidas, sin darle oportunidad de besar a sus hijas y nietos. También de haberle robado sus ídolos, sus dioses familiares. Jacob, que desconocía por completo el acto de Raquel, declara que quien tenga en su poder los ídolos debe morir y autoriza el registro de todas sus pertenencias. Raquel fácilmente engaña a su padre y entonces Jacob queda sellado con un testimonio visible. Son dos hombres que se tienen mutua desconfianza y colocan al Señor para que sea él quien observe sus correspondientes actos.

## Lea su Biblia y responda

1. Escriba la frase del pasaje bíblico que contenga lo que se le pide.
a. Una promesa de Dios para Jacob.
(31:3) _____
b. Una orden de Dios para Jacob.
(31:13) _____
c. Una advertencia de Dios para Labán.
(31:24) _____
d. Una razón que dio Jacob para salir sin previo aviso.
(31:31) _____
e. Una acusación de Labán contra Jacob.
(31:28) _____

2. Escriba las frases que servían de consuelo y fortaleza para Jacob ante las dificultades que enfrentaba:
a. Cuando la mirada de Labán ya no era como la de antes Jacob decía: ___
b. Cuando Labán le cambiaba los salarios arbitrariamente Jacob decía: ___

3. Dé tres razones por las cuales cree usted que Labán conocía a Dios, pero no era un verdadero creyente.
a. (31:30) _____
b. (31:7) _____
c. (31:9) _____

## Lea su Biblia y piense

# 1 Jacob consulta con su familia, Génesis 31:4-13.

Al presentarse los primeros roces entre Jacob y Labán, la idea de volver a la tierra de Canaán toma fuerza. Entonces Jacob decide consultar con sus esposas.

**V. 4.** Jacob manda a llamar a sus esposas al lugar donde trabaja, porque quiere una conversación libre de toda presión. Es muy importante para él que se expresen con toda sinceridad.

**Vv. 5-12.** Jacob da explicaciones muy amplias a sus mujeres de cada problema que ha tenido con su suegro. Pero también menciona a su Dios y la protección que le ha dado. Labán ha cambiado totalmente desde hace mucho tiempo, pero el Dios de Isaac ha estado con él. Su suegro ha tratado de hacerle daño, pero su Dios se lo ha impedido. Jacob quiere dejar constancia de su correcto proceder y que en todo cuenta con la aprobación divina. Tal vez piensa que sus esposas se van a poner del lado de su padre y por eso hace un recuento de todas sus actuaciones.

**V. 13.** En seguida Jacob anuncia que ese mismo Dios que le ha protegido y prosperado es el mismo que le ha pedido salir para Canaán. El Dios de su padre, y suyo también, es con quien ha establecido un compromiso.

## 2 Labán persigue y alcanza a Jacob, Génesis 31:27-29, 31.

Jacob cuenta con el total apoyo de sus esposas y aprovecha la ausencia de Labán en su casa para huir. La noticia llega a Labán a los tres días, y éste decide perseguirlos. Labán lo alcanza cuando van por tierras de Galaad.

Las acusaciones de Labán tienen un tono poco amistoso. Conforme a las costumbres, Labán tiene todo el derecho sobre sus hijas y posesiones. Acusa a Jacob de engaño, de traer a sus hijas como cautivas de guerra, de no avisarle para que él pudiera hacer una fiesta de despedida. Está resentido porque no le permitieron siquiera besar a sus hijas y nietos. Suena exagerado el razonamiento de Labán, habiendo tenido oportunidad de manifestar su afecto durante tanto tiempo que los tuvo con él. Labán también declara que Jacob ha hecho una locura. Si no hubiera sido porque Dios ha intervenido con anterioridad hablándole en sueños, Labán hubiera intervenido con mayor severidad. Este es un momento de crisis para Jacob, pero su Eterno Protector, conforme a sus promesas hechas en Betel, no lo deja en ningún momento.

## 3 Jacob recrimina a Labán, Génesis 31:41, 42.

El salir Jacob bien librado de la acusación de Labán de haberle robado los ídolos, le da autoridad suficiente para enfrentarse a su suegro. Le hace ver varias injusticias: primero, que ha trabajado muy duro y con gran sacrificio por largos 20 años. De ellos, 14 han sido para obtener los derechos de posesión de sus hijas y 6 más por el ganado. Segundo, que los salarios no han sido nada justos y los ha cambiado arbitrariamente. Tercero, que si no hubiera sido por la intervención de Dios, este encuentro hubiera resultado en dejarle a él sin nada. Labán no desmiente las afirmaciones de su yerno. Sin duda se da cuenta de sus malas intenciones al querer retener a Jacob. Le quería utilizar como medio para enriquecerse aún más.

## 4 Jacob y Labán se reconcilian, Génesis 31:44, 50.

**V. 44.** Labán propone poner fin a sus diferencias con un pacto. Este se entendía como un compromiso entre dos partes con una obligación religiosa a la que se le daba gran valor.

**V. 50.** Aquí está la parte del pacto que tiene que ver con la familia. Labán advierte a Jacob sobre el cuidado que debe tener de sus esposas. Sin duda debe tener en mente las dificultades que habían tenido entre ellos anteriormente en Harán, pero que él mismo fomentó con sus erradas intervenciones.

# Aplicaciones del estudio

**1. Yo te guardaré por donde quiera que vayas.** Estas son palabras del Señor dadas a Jacob en Betel. Jacob no tenía idea de cuántos años ni cuántas experiencias buenas y malas le iban a ocurrir. Pero Dios nunca lo abandonó. De igual manera el Señor ha dicho que sus hijos están bajo su cuidado y que "nadie las arrebatará de mi mano" (Juan 10:28).

**2. Debemos estar bajo la dirección de Dios.** Jacob fue sensible a la voz de Dios y a su dirección. Sus riquezas no fueron obstáculo ni motivo de objeciones al llamado de Dios para que volviera a Canaán. Todas las cosas nuestras hemos de considerarlas como "pérdidas, por basura, para ganar a Cristo, a fin de conocerle, llegando a ser semejantes a él".

**3. El compartir nuestras experiencias espirituales reafirma la fe.** Jacob deseaba desde mucho tiempo atrás, volver a su tierra natal. Dios le había dado la orden de volver y también la promesa de cuidarlo. Pero Jacob recibió el impulso final cuando pudo compartir con sus esposas el proyecto y éstas le fortalecieron con sus frases: *Haz todo lo que Dios te ha dicho*. Debemos reafirmar nuestra fe con hermanos que tienen el mismo sentir en Cristo Jesús.

# Prueba

1. Describa por lo menos dos situaciones de peligro en que usted se ha encontrado alguna vez y explique brevemente cómo Dios le cuidó y bendijo en cada una de ellas.

a. _____

b. _____

2. Reflexione sobre una experiencia personal para determinar el grado de confianza que tuvo en el cuidado de Dios. Escriba sus conclusiones.

_____

_____

_____

### Lecturas bíblicas para el siguiente estudio

**Lunes:** Génesis 32:1-12      **Jueves:** Génesis 33:1-11
**Martes:** Génesis 32:13-23      **Viernes:** Génesis 33:12-16
**Miércoles:** Génesis 32:24-32      **Sábado:** Génesis 33:17-20

**Unidad 5**

# Jacob se encuentra
# con Dios y con Esaú

**Contexto:** Génesis 32:1 a 33:20
**Texto básico:** Génesis 32:9-11, 24-30; 33:1-4
**Versículos clave:** Génesis 32:9, 10
**Verdad central:** Los encuentros de Jacob con Dios y con Esaú ilustran el poder de Dios para cambiar vidas y llevar a cabo su voluntad.
**Metas de enseñanza-aprendizaje:** Que el alumno demuestre su conocimiento de los encuentros de Jacob con Dios y con Esaú, y su actitud hacia el poder de Dios para cambiar vidas y llevar a cabo su voluntad.

────────── **Estudio panorámico del contexto** ──────────

Jacob es la persona señalada por Dios para darle continuidad a su plan. Pero necesita un trabajo de disciplina y formación de su carácter. El proceso se inicia con buenas noticias de parte de Dios y malas de Esaú. Las buenas noticias están expresadas con la presencia de ángeles de Dios cerca del río Jordán. Estos seres significaban protección para los momentos difíciles que se acercaban. Jacob envía mensajeros a su hermano Esaú que vive en Seir, una región cerca del Mar Muerto en su parte sudeste. Su mensaje tiene la intención de hallar gracia delante de él. Manifiesta humildad, amabilidad, reconciliación. Para nada se mencionan derechos o reclamos.

Esaú no da ninguna respuesta. Se dirige al encuentro con su hermano con 400 hombres. Esta noticia es la que pone angustiado a Jacob, quien toma tres decisiones: (a) Separa a su gente en dos grupos. (b) Pide dirección de Dios, acogiéndose a sus promesas. (c) Escoge un buen presente para su hermano. Su propósito es el de apaciguar a su hermano. Toma otras medidas adicionales: en la noche dispone pasar a toda su familia al otro lado del río. Esto ofrece condiciones apropiadas para dificultar cualquier ataque que pueda intentar Esaú. Al quedarse Jacob solo, se le presenta un personaje que entabla una fuerte y prolongada lucha con él. Jacob no sabe quién es, pero en un diálogo que entabla casi al amanecer se da cuenta de que es Dios mismo. Como resultado de la lucha, Jacob recibe otro nombre: Israel. Su significado es "príncipe de Dios" porque no decayó en su solicitud. Al lugar lo llamó Peniel, que significa *Cara de Dios*. Tal nombre hace alusión al hecho de haber visto a Dios y quedar con vida. Esto marca la transformación espiritual de Jacob.

El encuentro con su hermano se da sin mayores incidentes y la reconciliación se logra. Se han vencido odios, celos y temores. Hay transformación en el carácter de Jacob y su familia está poniendo sus pies en la tierra prometida.

## Estudio del texto básico

### Lea su Biblia y responda

1. Complete cada una de las expresiones dadas:
a. Cuando salieron unos ángeles al encuentro de Jacob dijo:

_____

b. El nombre de Jacob, que significa _____,
le fue cambiado por el de _____, que significa

_____

c. Cuando Esaú vio a Jacob, entonces _____ a su
encuentro, lo _____, se echó sobre su
_____ y le _____.

2. Conteste brevemente: ¿Por qué razón Jacob colocó a las siervas delante con sus hijos, después a Lea y sus hijos y por último a Raquel y José?

_____

_____

3. Relacione con una línea el nombre con el significado:

a. Peniel _____ Suplantador.
b. Israel _____ Príncipe de Dios.
c. Jacob _____ Casa de Dios.
d. Betel _____ Añadir.
_____ Cara de Dios.

### Lea su Biblia y piense

# 1 Jacob teme el reencuentro con Esaú, Génesis 32:9-11.

Jacob teme por el encuentro que va a tener con su hermano. El saber que viene armado le causa angustia. Toma varias precauciones y luego se dirige a Dios en una plegaria.

**V. 9.** Clama al Dios de sus antepasados, con los cuales Dios hizo la alianza. Recuerda que es el Dios que se le apareció en Betel y en Harán dándole las promesas de protección. Jacob siente que la situación es difícil y recurre al Señor con toda su alma.

**V. 10.** Jacob reconoce con humildad que todo lo que es y tiene se debe tan sólo a la voluntad de Dios. Admite su indignidad, pero sobre todo la fidelidad de Dios.

**V. 11.** Jacob presenta su petición: desea que Dios le libre de la mano de su hermano. El miedo de Jacob se centra en el peligro de perder su descendencia. Está dando evidencia de un marcado progreso en su relación con Dios. Reconoce que sólo en él puede hallar seguridad y ayuda.

## 2 Jacob y el ángel en Peniel, Génesis 32:24-30.

Los pensamientos de Dios siempre son mucho más elevados que los del ser humano. Jacob derrama su alma a Dios pidiendo por el encuentro con su hermano, pero Dios decide que antes de eso, Jacob debe tener un encuentro personal con él.

**Vv. 24, 25.** Un hombre lucha con Jacob intensamente. Al rayar el alba y darse cuenta de que Jacob no cede, toca el encaje de su cadera produciendo una cojera que lo disminuye físicamente. Jacob siempre había confiado en su fuerza, en su astucia, en sus recursos humanos y había vencido. Bastó un pequeño golpe del ángel para que el arrogante Jacob quedara reducido e incapacitado para seguir luchando.

**Vv. 26-29.** El ángel le pide a Jacob que lo deje ir, pues ya raya el alba. Jacob está agarrado de Dios. Se olvida de pedir protección de su hermano y cualquier cosa material. En estos momentos sólo desea la bendición de Dios. Reconoce que siempre ha sido un "Jacob", un suplantador. Jacob ha encontrado la victoria sometiéndose a Dios. Después de confesar el ángel le anuncia que de ahora en adelante su nombre va a ser Israel. Jacob no volverá a ser el engañador. En su lugar va a ser "príncipe de Dios". Ahora tiene un nuevo carácter. Va a ser el ser humano quien obtiene victorias con Dios por medio de la fe. Jacob desea conocer el nombre de su oponente. En respuesta a su pregunta recibe la bendición por la cual luchó tan bravamente.

**V. 30.** Jacob deja constancia de tan importante acontecimiento llamando al lugar *Peniel,* que significa "Cara de Dios". La explicación que él da sobre esto es muy significativa: Es un nombre que no recuerda su bravura o su victoria, sino la gracia de Dios que le permitió ver su cara y salir con vida. Jacob fue transformado por Dios con un encuentro personal. Su nuevo nombre será el mismo que llevará la nación que formará su descendencia. Israel tiene su nacimiento de un encuentro con Dios. Sólo de esta manera puede ser ese pueblo bendición para todas las naciones de la tierra.

## 3 Reencuentro de Jacob con Esaú, Génesis 33:1-4.

**Vv. 1-4.** Por fin se acerca el momento del reencuentro. Esaú se avecina con sus 400 hombres y no se sabe cuál será su comportamiento. Jacob ubica a sus hijos, sus siervas y esposas de tal modo que, si hay un ataque, habrá posibilidades de escape. El acercamiento de Jacob es de mucho respeto. Se postra en tierra siete veces, lo cual es un reconocimiento a su hermano mayor. Esaú tiene un comportamiento espontáneo. Refleja perdón, amor y emoción por tantos años de separación. Dios ha movido las circunstancias. Los temores de Jacob eran infundados. El odio es cambiado en afecto: se abrazan, se besan y lloran.

# Estudio del texto básico

**1. La gracia de Dios siempre se manifiesta al ser humano.** Jacob no contaba con ningún mérito para ser elegido por Dios y ocupar un puesto en su plan redentor. No era el primogénito y tenía grandes debilidades. Pero Dios lo cuidó, lo guió y lo transformó en Peniel. Su gracia está vigente en el día de hoy. Acudamos lo más pronto a nuestro encuentro con él; su Espíritu nos cambiará al igual que a Jacob.

**2. Nuestra norma debe ser buscar a Dios en todo tiempo.** Jacob se dirigió a Dios en sus momentos de crisis. Demostró humildad, fe y fervor. Iguales condiciones demanda el Señor en nuestras vidas pero con un ingrediente más: que esa comunión sea en todo momento y ocasión. Su mandamiento nos dice: Orad sin cesar.

**3. Sólo la comunión con Dios puede cambiar nuestras vidas.** Dios quebrantó el orgullo y la tendencia al engaño de Jacob cuando tuvo comunión con él. Busquemos esa comunión a través de su Hijo Cristo. El quiere cambiar nuestra vieja naturaleza y dotarnos de una nueva manera de vivir.

## Prueba

1. Escriba breve y exactamente:

a. Dos resultados positivos del encuentro de Jacob con Dios.

1. _____
2. _____

b. Dos resultados positivos del encuentro de Jacob con Esaú.

1. _____
2. _____

2. Me comprometo a poner ante Dios los siguientes aspectos negativos de mi vida, porque sé que sólo Dios podrá cambiarlos:

_____

_____

## Lecturas bíblicas para el siguiente estudio

**Lunes:** Génesis 34:1-31
**Martes:** Génesis 35:1-8
**Miércoles:** Génesis 35:9-15

**Jueves:** Génesis 35:16-20
**Viernes:** Génesis 35:21-29
**Sábado:** Génesis 36:1-43

# Jacob regresa a Betel

**Contexto:** Génesis 34:1 a 36:43
**Texto básico:** Génesis 35:1-7, 10-13, 16-18
**Versículo clave:** Génesis 35:3
**Verdad central:** El relato del regreso de Jacob a Betel señala la actitud con la cual debemos acercarnos para adorar a Dios.
**Metas de enseñanza-aprendizaje:** Que el alumno demuestre su conocimiento de lo que hizo Jacob en preparación para encontrarse de nuevo con Dios en Betel, y su valorización de la actitud con la cual debemos acercarnos a Dios para adorarlo.

---

## Estudio panorámico del contexto

---

Las grandes experiencias espirituales de Jacob no lo eximen de los problemas con su familia o con los vecinos de la nueva tierra. Dina, su hija, siente la curiosidad de visitar a las jóvenes del nuevo lugar. Conoce a Siquem, hijo de Hamor, quien la ofendió. Los hermanos de Dina se enfurecen por lo ocurrido. El ofensor da muestras de querer casarse con Dina. Acompañado de su padre, proponen a Jacob que permitan casamientos entre los dos grupos. Los hijos de Jacob actúan de mala fe, aceptan el trato, pero exigen que todos los varones de la ciudad sean circuncidados. La condición es aceptada, pero los hijos de Jacob la aprovechan para la venganza de la afrenta. Cuando los varones de la ciudad están pasando por el proceso del dolor de la circuncisión, Simeón y Leví invaden la ciudad matando a todos los hombres, incluyendo a Siquem y Hamor. Jacob reprende a sus hijos y muestra su temor de sufrir las consecuencias del odio que podría desatar aquel acto.

Dios llama nuevamente a Jacob. Le pide que se desplace a Betel y le haga un altar. Jacob obedece y le pide a todos sus acompañantes que dejen los ídolos, se purifiquen y cambien sus vestidos. Dios se manifiesta causando terror en los habitantes de la zona. Por eso no persiguen a Jacob, quien levanta un altar en Betel en reconocimiento del Dios que se le apareció durante su huida años atrás. Dios ahora lo confirma como el sucesor del pacto hecho a Abraham. Le habla nuevamente sobre el cambio de nombre, y Jacob ratifica también su fidelidad a Dios edificando un memorial.

Raquel da a luz a su segundo hijo cerca de Efrata. Ella muere porque es un parto difícil. Antes de morir nombra a su hijo *Benoní* que significa "hijo de mi aflicción", pero Jacob se lo cambia por Benjamín: "hijo de mi mano derecha".

Los errores y el carácter egoísta de los humanos siguen manifestándose, Rubén ofende a su padre tomando una de sus concubinas. También llega el tiempo de la muerte de Isaac que tiene 180 años. Jacob y Esaú se reúnen para darle sepultura, demostrando su verdadera reconciliación.

## ─────── Estudio del texto básico ───────

**Lea su Biblia y responda**

1. Relacione los nombres con las características dadas:

a. Dina        _____ (1) Vengó junto con su hermano la afrenta hecha a Dina.
b. Simeón    _____ (2) Salió para ver las jóvenes del lugar.
c. Raquel     _____ (3) Se sintió ligado a Dina.
d. Benoní     _____ (4) Murió y fue sepultada en Belén.
e. Siquem    _____ (5) Le fue cambiado el nombre por su padre.

2. Escriba en el espacio provisto el nombre de la persona que hizo cada declaración:

_____Quitad los dioses extraños que hay entre vosotros (35:2).

_____ Habitad entre nosotros. Danos vuestras hijas y tomad vosotros las nuestras (34:9).

_____ Tu nombre será Israel (10).

_____ Os daré lo que me pidáis (34:11).

3. Escriba **V** (verdadero) o **F** (falso) según usted crea.

a. _____ Sólo Jacob subió a Betel para adorar.
b. _____ Raquel sólo tuvo dos hijos.
c. _____ La madre de Dina fue Bilha.
d. _____ Jacob exigió la circuncisión de Siquem.

**Lea su Biblia y piense**

# 1 Jacob regresa a Betel, Génesis 35:1-7.

**V. 1.** Por orden de Dios, Jacob debe subir a Betel y hacerle un altar. Es una llamada de atención para Jacob, quien hacía muchos años había prometido hacer un santuario a Dios. El Señor, que nunca falla, había cumplido su parte, estar con él, guardarlo, proveerle pan, vestido y devolverlo a la casa de su padre. Jacob, con todo lo adquirido, se había detenido en Siquem y no había cumplido. Dios no le recuerda la promesa sino la ocasión en que la hizo, cuando huía de Esaú.

**Vv. 2-4.** Jacob manda a toda su familia a prepararse para el acto solemne que se va a realizar en Betel. Les pide con autoridad que quiten los dioses ajenos, se purifiquen y cambien sus vestidos. ¡Es increíble que en una familia que conocía al Dios verdadero hubiera evidencias de idolatría! Dios demanda lealtad completa a él y un cambio de mente y de corazón. Jacob estaba actuando como digno jefe de la familia y siervo del verdadero Dios demostrando una relación permanente y personal con Dios. Sus palabras convencen y toda su gente entrega los dioses extraños.

**V. 5.** El poder de Dios se hace presente para proteger a la familia de Jacob. Los vecinos no pueden hacerle daño, el temor está sobre ellos; la confianza y la seguridad con Jacob.

**Vv. 6, 7.** Jacob llega a su destino y hace el altar. Ha cumplido su promesa. Llama al lugar *El-Betel,* que tiene un nuevo significado: antes era la casa de Dios (Betel), ahora significa *el Dios de la casa de Dios.*

## 2 Jehovah ratifica su pacto con Jacob, Génesis 35:10-13.

Al cumplir Jacob con su promesa, Dios se le aparece para ratificar el pacto con él. Esta ratificación contiene asuntos de gran importancia:

**V. 10.** Primero, se confirma que ahora el nombre de Jacob será Israel. Así ha quedado hasta el presente, identificando a la nación escogida por Dios.

**V. 11.** Segundo, se confirma la promesa de formar una nación. Se va a dar una multiplicación de tal manera que se formará una organización más compleja.

**Vv. 12, 13.** Tercero, se confirma que la tierra de Abraham y de Isaac les pertenecerá, no solamente a Jacob, sino a sus descendientes. Todos estos sucesos constituyen un acto culminante en la vida de Jacob. Es la repetición de la experiencia de Peniel y de Betel. Es como dar mayor seguridad al pacto. Jacob se ve unido, por la propia voz de Dios, a su abuelo Abraham y a su padre Isaac. Pero también será la base de una gran nación portadora de la mayor bendición que va a recibir el mundo.

## 3 Raquel muere al nacer Benjamín, Génesis 35:16-18.

Benjamín es el último hijo de Jacob con su amada esposa Raquel, quien muere por las dificultades del parto.

**V. 16.** Al salir de Betel, Jacob se dirige hacia el sur. Poco antes de llegar a Efrata, su esposa siente los dolores de parto, que traerán al mundo a su segundo hijo. Toda la vida de esta mujer ha sido cruzada por el dolor, tuvo que esperar una semana más para ser la esposa del hombre que tanto la amaba, tuvo que esperar mucho tiempo para darle hijos, pues era estéril, y ahora tiene que privarse de ver crecer a su nuevo hijo porque la vida se le escapa.

**Vv. 17, 18.** La partera trata de animar a Raquel en su dolor. Asegura que su hijo sobrevivirá. Sin embargo, apenas tiene tiempo de ponerle nombre al enterarse de que es un varón. Había expresado su gran deseo de tener otro hijo al nacer José. Dios le concedió la petición, pero sólo lo disfrutó poniéndole **Benoní,** que significa "hijo de mi aflicción". Su padre Jacob, se lo cambia por Benjamín: "hijo de mi mano derecha". Con Benjamín el número de los hijos de Jacob llega a 12. Este número tiene gran importancia porque significa "completo", capacidad para formar la nación de Israel.

# Aplicaciones del estudio

**1. Quitad los dioses extraños, purificaos y cambiad vuestros vestidos.** Jacob supo interpretar perfectamente las condiciones que Dios desea para poder manifestarse en todo su poder: quitar los dioses extraños, purificarse y cambiar sus vestidos. Las condiciones siguen vigentes. Pablo dice que el que se limpia de estas cosas, será un vaso para honra, consagrado y útil para el Señor, preparado para toda buena obra (2 Tim. 2:21).

**2. La paciencia de Dios.** Ningún político, economista, sociólogo o psicólogo moderno, daría un solo centavo por Jacob y su familia como base para formar una nación. Dios trató por muchos años con Jacob, hasta hacerlo su instrumento útil en Betel. Demos gracias a Dios por su misericordia, porque él trata a cada uno de nosotros en la misma forma, aunque estemos llenos de pecado y rebeldía. Nos busca, nos llama y con paciencia nos trata hasta llevarnos a nuestro Betel.

# Prueba

1. Elabore una lista de tres actitudes con las que debemos acercarnos a Dios para adorarlo. Califique de mala, buena o regular la forma en que cada una de ellas se manifiesta en su vida.

a. _____
Calificación _____
b. _____
Calificación _____
c. _____
Calificación _____

2. Comprométase a elevar el nivel de aquellas áreas de la lista anterior en las que su calificación fue mala o regular.

### Lecturas bíblicas para el siguiente estudio

**Lunes:** Génesis 37:1-4        **Jueves:** Génesis 37:23-28
**Martes:** Génesis 37:4-11      **Viernes:** Génesis 37:29-36
**Miércoles:** Génesis 37:12-22  **Sábado:** Génesis 38:1-30

**Unidad 6**

# José es vendido
# y llevado a Egipto

**Contexto:** Génesis 37:1 a 38:30
**Texto básico:** Génesis 37:1-8, 13, 14, 23-27
**Versículo clave:** Génesis 37:14
**Verdad central:** El relato de como José es vendido por sus hermanos demuestra que las actitudes negativas de los padres tienden a reproducirse en sus hijos.
**Metas de enseñanza-aprendizaje:** Que el alumno demuestre su conocimiento de los eventos que produjeron que José fuera vendido por sus hermanos, y su valorización de las actitudes negativas que debemos evitar a fin de no heredárselas a los hijos.

── **Estudio panorámico del contexto** ──

La historia de José, el hijo de Jacob y Raquel, ocupa la última parte del libro de Génesis. Todo lo que le pasa a la familia de Jacob desde su llegada a Canaán hasta su conversión en una nación en Egipto, tiene que ver con José, quien fue un instrumento de Dios para cumplir sus planes.

José es el hijo predilecto de Jacob. Su conducta es diferente de la de sus hermanos. Cuando comparte con ellos el trabajo de apacentar a las ovejas, conoce de sus malas acciones y se las cuenta a su padre. Jacob le regala una túnica de colores que lo señala como su favorito. Todo esto atrae el odio y los celos de sus hermanos.

Estos malos sentimientos se fortalecen cuando José les cuenta de los sueños que ha tenido. De ellos se deduce que José iría a tener predominio sobre ellos y aun sobre sus padres. Al oírlo, su padre lo reprende. No obstante, Jacob guarda esto en su mente, pues por experiencia propia, conoce del valor de los sueños cuando Dios los usa para revelar algo.

Los hermanos de José tienen que trasladarse de un lado para otro pastoreando las ovejas. La distancia que los separa ahora de la casa es de unos 80 kms. y Jacob se preocupa porque se hallan en tierra de Siquem. Entonces, decide enviar a José para que los visite y le traiga noticias. José los encuentra en Dotán, y ellos, al verlo, se ponen de acuerdo para matarlo. Rubén, el hermano mayor, los convence para que tan sólo lo echen en un pozo. Su idea es liberarlo posteriormente. Se pone en ejecución el plan, pero es interrumpido por la presencia de una caravana de mercaderes. Judá propone entonces venderlo como esclavo y en esa forma llega José a Egipto. Para dar una razón del paradero de José, tiñen su túnica con sangre y dicen a Jacob que así la encontraron. Jacob sufre y se pone de luto por largos días y rehúsa a ser consolado. El capítulo 38 da una historia desdichada de uno de los hijos de Jacob. Judá se mezcla con gente cananea y tiene problemas. La inclusión de este capítulo nos habla de las malas conductas que practicaban los vecinos de Jacob. Quizá por ello está en los planes de Dios el llevar a Jacob y su familia a Egipto.

--------------------- **Estudio del texto básico** ---------------------

**Lea su Biblia y responda**

1. Marque con **X** la respuesta exacta.
a. Los hermanos de José lo aborrecían porque. . .
_____ . . . era hijo de Raquel.
_____ . . . los acusaba ante su padre de sus fechorías.
_____ . . . Jacob lo amaba más que a ellos.
_____ . . . su padre le dio una túnica de colores.
b. José fue vendido a los mercaderes. . .
_____ . . . con el consentimiento de todos sus hermanos.
_____ . . . estando Rubén en desacuerdo con eso.
_____ . . . estando Judá en desacuerdo con eso.
_____ . . . estando Rubén ausente del grupo que lo vendió.
2. Escriba el nombre de las personas que hicieron las siguientes declaraciones:
a. _____ "Busco a mis hermanos."
b. _____ "No derraméis sangre."
c. _____ "Enlutado estaré hasta el Seol."
d. _____ "Es nuestro hermano, nuestra carne."
e. _____ "¿Qué sueño es este que has tenido?"

**Lea su Biblia y piense**

# 1 José, el más amado, Génesis 37:1-4.

**Vv. 1, 2a.** Jacob se ha establecido en la tierra de la promesa, Canaán. Parece que todo está listo para el cumplimiento de las bendiciones prometidas por Dios. Sin embargo, han de ocurrir muchas cosas sorprendentes en la familia de Jacob. José va a ser el protagonista de aquí en adelante, de los restantes capítulos de Génesis, con la excepción de la historia del capítulo 38.

**V. 2b.** Se presenta a José como un muchacho de 17 años, ocupado en las tareas de pastor junto a sus hermanos. José se entera de las cosas indebidas que hacen ellos y por la confianza que tiene con su padre le informa sobre esa situación.

**V. 3.** Jacob sentía un afecto especial hacia José. Esto se debía a varias razones: (a) le había nacido en la vejez; (b) su madre era Raquel, la que más amaba Jacob;

(c) José se comportaba diferente; (d) José y Benjamín eran los más chicos de la casa y eran huérfanos de madre. Jacob destacó esa predilección sobre los otros dándole a José una túnica de colores.

**V. 4.** Jacob hizo de José su hijo favorito. Esto causó problemas en las relaciones familiares, pues los otros hijos lo aborrecían y no le hablaban en forma amigable.

## 2 José tuvo unos sueños, Génesis 37:5-8.

**Vv. 5-8.** Las diferencias entre José y sus hermanos se intensificaron cuando él les contó unos sueños que había tenido. En el primero, soñó que unos manojos de espigas que representaban a sus hermanos, se inclinaban hacia otro manojo que representaba a José. Esto fue tomado por sus hermanos como que ellos tendrían que someterse al dominio de José y por eso le aborrecieron todavía más. Ninguno de ellos podía admitir que su hermano menor fuera a constituirse en su jefe, pues no era la costumbre en su tiempo.

## 3 Sus hermanos planean matar a José, Génesis 37:13, 14.

**Vv. 13, 14.** Debido al trabajo como pastores, los hermanos de José se tuvieron que desplazar hasta Siquem, a unos 80 kms. de la casa de Jacob. En razón de los malos recuerdos que Siquem trae a Jacob, éste decide encomendar a José la tarea de ir, ver y traer noticias sobre sus hermanos mayores. Al llamado de Jacob, José responde: *Heme aquí*, dando evidencia del carácter dócil y obediente del muchacho. El encargo de Jacob tiene varias partes: (a) mirar cómo están sus hermanos; (b) cómo están las ovejas y (c) traer la respuesta. José era el apoyo eficiente para Jacob. La confianza de él hacia su hijo era total. A José no le importó la enorme distancia, acató de inmediato el encargo.

## 4 José es vendido y llevado a Egipto, Génesis 37:23-27.

El odio de los hermanos hacia José era tan profundo que no tuvieron ningún reparo en llevarlo hasta las últimas consecuencias. No les importó el dolor que ello causaría a su padre, ni el sentimiento de culpa que los acompañaría. Lo importante era deshacerse del soñador, del preferido de Jacob.

**Vv. 23, 25a.** El primer paso fue despojar a José de la túnica para luego echarlo en un pozo. Fue a pedido de Rubén que desistieron del crimen, pero mostraron su maldad sentándose a comer y poniendo oídos sordos a la angustia de su hermano.

**Vv. 25b-27.** Surge entonces otra alternativa: viene una caravana de mercaderes que se dirige a Egipto. Judá es el que propone la venta de José. Hay algo de consideración hacia el muchacho, después de todo, es hermano de ellos. Todos aceptan la idea y José es trasladado a miles de kilómetros de distancia, despojado de sus privilegios y transformado en un esclavo.

# Aplicaciones del estudio

**1. La obediencia de José.** La obediencia de José para con su padre se destaca por la respuesta pronta y decidida al decir: *Heme aquí.* Nuestro Padre celestial necesita mucha gente con esa disposición. Hay una comisión urgente que cumplir: hacer discípulos a todas las naciones. Con un *Heme aquí* de su pueblo, él puede manifestar todo su poder.

**2. Dios hace que todas las cosas ayuden para bien a los que le aman.** Los planes de los hermanos de José para deshacerse de él fueron utilizados por Dios para cumplir su voluntad. Dios es soberano. Si confiamos en él, nuestras experiencias, buenas o malas, serán utilizadas por él para llevar a feliz término su propósito particular en nuestras vidas.

**3. La difícil tarea de ser padres.** Las familias de Abraham, Isaac y Jacob nos presentan escenas donde las relaciones entre sus miembros pasaron por momentos críticos. Los padres no siempre buscaron la dirección de Dios para actuar. Impusieron sus propios criterios, sus gustos o preferencias. Que no caigamos en el mismo error. Hagamos que la voluntad de Dios ocupe el centro de nuestra vida y también de nuestro hogar.

## Prueba

1. ¿Cree usted que el favoritismo (37:3), el odio (v. 4), la envidia (v. 11), la hipocresía (v. 35) que se dio en la familia de Jacob, se presentan en nuestro tiempo causando tan grandes daños? Sí _____ ¿En qué forma? _____

_____

No _____ ¿Por qué? _____

_____

2. Evalúe su actuación como padre o hijo. Ponga tres actitudes negativas de las anteriores, u otras, que evitará a fin de no perpetuarlas de generación en generación.

a. _____

b. _____

c. _____

### Lecturas bíblicas para el siguiente estudio

**Lunes:** Génesis 39:1-6  **Jueves:** Génesis 40:1-15
**Martes:** Génesis 39:7-18  **Viernes:** Génesis 40:16-19
**Miércoles:** Génesis 39:19-23  **Sábado:** Génesis 40:20-23

**Unidad 6**

# José prospera en la adversidad

**Contexto:** Génesis 39:1 a 40:23
**Texto básico:** Génesis 39:2, 3, 7-12; 40:5-8, 14
**Versículo clave:** Génesis 39:2
**Verdad central:** La manera como Dios estuvo con José y le dio prosperidad en medio de la adversidad, ilustra la importancia de depender de Dios en cualquier situación.
**Metas de enseñanza-aprendizaje:** Que el alumno demuestre su conocimiento de las experiencias adversas de José y como Dios lo prosperó, y su actitud hacia la importancia de depender de Dios en cualquier situación.

## Estudio panorámico del contexto

José es vendido a una persona importante y en un lugar especial. Potifar, un funcionario del faraón es su dueño y vive en la capital egipcia. Jehovah está con José y le prospera en la formación de su carácter. Toma su nuevo puesto de esclavo sin quejas ni reclamos, pero Potifar pronto nota que hay algo especial en este joven. Entonces lo encarga de todos sus asuntos, excepto de lo que tiene que ver con el alimento, por cuestiones rituales. Jehovah prospera la casa del amo a través de José, quien se destaca por su atracción tanto física como de carácter; su testimonio es cabal y logrado con su confianza en el Señor.

Todo parece ir por buen camino, pero José encuentra un escollo en la esposa de Potifar. Ella intenta seducirlo, pero él rehusa dando razones de fidelidad a su amo y a su Dios. La mujer insiste en sus propósitos. Se le presenta una oportunidad cuando se queda sola con José. De las palabras pasa a la acción, pero José huye dejando en las manos de ella su ropa. Enfurecida por el desengaño, toda su pasión la transforma en odio. Calumnia a José ante toda su casa y espera la venida de su esposo para que le castigue. La cárcel es el nuevo destino de José. El nuevo sitio es totalmente diferente del anterior, pero José muestra un comportamiento ejemplar y se gana la confianza del jefe de la cárcel. Dios prospera de nuevo a José. Ahora todo cuanto se hace en la cárcel está al cuidado de José.

El copero y el panadero del faraón cometen un error y son llevados a la cárcel donde está José. Este se encarga de su cuidado y les sirve con esmero. Dios utiliza esta cualidad para cumplir sus planes. Tanto el copero como el panadero tienen sueños cuyo significado los inquieta. José se ofrece para interpretarlos, afirmando antes, que la interpretación pertenece a Dios. La interpretación que hace se cumple en bien para el copero y en fatalidad para el panadero. José solicita intercesión ante el faraón una vez que el copero ocupe su puesto de nuevo, pero éste se olvida del encargo. Para José ese olvido significa dos años más de cárcel y de humillación.

──────────── **Estudio del texto básico** ────────────

### Lea su Biblia y responda

1. Escriba **V** o **F** según sea verdadera o falsa cada afirmación dada.
a. ____ José fue vendido al faraón por los mercaderes.
b. ____ El copero fue ejecutado tres días después de que José le interpretó el sueño.
c. ____ Todas las pertenencias de Potifar fueron bendecidas con la administración de José.
d. ____ José dijo al copero y al panadero que él podía interpretarles los sueños.
2. Conteste brevemente.
a. ¿Cuál fue la razón por la cual José tuvo éxito en casa de Potifar?

_____

b. ¿Cómo le pagó el copero a José la interpretación del sueño?

_____

c. ¿Cuál fue la mentira de la esposa de Potifar?

_____

d. ¿Cómo se evidencia que José temía a Dios?

_____

### Lea su Biblia y piense

# 1 José como administrador de Potifar, Génesis 39:2, 3.

José muestra cualidades especiales que lo hacen escalar importantes posiciones en su nueva ubicación.

**V. 2.** Lo principal es que José cuenta con la presencia de Dios. Su vida está sometida a él, por lo que no hay queja por su situación humillante. Es fácil para José transformar su esclavitud como base de éxito.

**V. 3.** Su amo ve a Jehovah a través de José, quien sabe dar un vivo testimonio de lo que cree a través de lo que hace. Por eso su señor lo nombra sobre todo lo que tiene.

# 2 La mujer de Potifar calumnia a José, Génesis 39:7-12.

**V. 7.** El peligro se asoma en la exitosa labor de José. Una tentación comienza a gestarse a través de la esposa de Potifar, quien pone sus ojos en el apuesto joven a quien todo le sale bien. Prácticamente la mujer le da una orden: *acuéstate conmigo*.

**V. 8.** José no titubea en negarse dando dos razones que reflejan su carácter fiel y temeroso de Dios.

**V. 9.** José admite que tiene gran poder sobre las posesiones de su amo, pero que ella está vedada por ser su mujer. Por otro lado, manifiesta su temor a Dios y

no desea ni siquiera pensar en la maldad y pecado que eso significaría.
**V. 10.** La mujer no cesa en sus insinuaciones. José sigue considerando el acto como inmoral, como un pecado contra su señor, contra su propio cuerpo y en gran manera contra Dios. La decisión es firme y agudiza la tentación, pues la mujer está dispuesta a utilizar cualquier medio disponible.
**V. 11.** Se prepara un ambiente especial para un ataque final. No se sabe si previamente pensado o por casualidad, no se encuentra en la casa ningún hombre. José entra para realizar una labor que le competía y la mujer está al acecho para entrar en acción.
**V. 12.** Lo agarra por su manto y nuevamente ordena: *acuéstate conmigo.* Ya no hay tiempo para razones ni intercambio de ideas. La opción para José es salir lo más rápido posible de la casa. Lo logra, pero ha dejado en manos de la mujer su manto. José ha salido bien librado de tan grave tentación. Sin embargo, la prenda dejada sirve para que la mujer, burlada en sus intentos, torne su pasión en odio y planea toda una estrategia para hacer que José sea duramente castigado.

## 3 José interpreta los sueños de sus compañeros, Génesis 40:5-8, 14.

Cuando el señor de la casa llega, es enterado de la historia inventada por su mujer. José es trasladado a la cárcel donde llegan todos aquellos que han ofendido al faraón. Se repite la frase, *Jehovah estaba con José.* Este es el secreto que hace de él un triunfador en cualquier sitio donde esté.

**Vv. 5-8.** El copero y el panadero del rey han ido a parar a la cárcel y a los pocos días tienen cada uno un sueño. Esto hace que se sientan inquietos por su interpretación. José es una persona atenta a los detalles que manifiestan las personas. Al verlos decaídos pregunta la razón y es enterado de la inquietud. Nuevamente José pone a Dios en su correcto lugar. Da testimonio de su pensamiento en relación con los sueños y les pide a ellos que le cuenten los sueños para enterarse del tema. La relación entre Dios y José es muy fuerte y continua. José no duda ni un instante de que Dios puede usarlo para dar una correcta interpretación a estos personajes tan importantes.

**V. 14.** El copero recibe buenas noticias en relación con su sueño. Luego José le solicita que se acuerde de él en presencia del faraón. Es una gran manifestación de fe la que hace José. Está seguro de que lo dicho al copero se cumplirá, y confía en que el faraón, al enterarse de su situación, mandará a ponerlo en libertad.

# Aplicaciones del estudio

**1. La prosperidad de José.** José supo ganarse el aprecio y la confianza de las personas que entraron en contacto con él, porque todo lo que hacía era ejecutado en la mejor forma posible. El ejemplo es ideal para nosotros. Aunque José vivió muchos años antes que Pablo, él sabía que todo tenía que hacerlo como para el Señor y no para los hombres (Col. 3:23). Allí radicaba la razón de su triunfo.

**2. José esclavo en Egipto.** José fue vendido a Potifar, quien podía disponer de su vida física cuando quisiera. Pero José, antes que esclavo de Potifar era esclavo de Dios. Supo cumplir con su amo con sencillez de corazón, con temor y temblor. Convirtámonos en esclavos del mejor amo. El hará de nosotros el mejor instrumento de servicio.

**3. La mejor forma de vencer las tentaciones.** José actuó con prontitud y resolución. No se detuvo siquiera a mirar ni a conversar con la tentación. Huyó cuan pronto pudo, haciendo todo lo contrario de Eva o Dina. No debemos dar la menor señal de apertura al diablo, porque la aprovechará.

# Prueba

1. Seleccione y explique brevemente la afirmación que le parece correcta.
a. José tuvo éxito como administrador porque confiaba en Dios. _____
b. Dios bendijo a José porque era un buen administrador. _____

2 Comparta con la clase cómo Dios le prosperó en una situación adversa como la de José, porque dependió completamente en él.

3. Comprométase a compartir este testimonio de dependencia con una persona conocida que esté pasando una crisis personal, familiar o laboral.

### Lecturas bíblicas para el siguiente estudio

**Lunes:** Génesis 41:1-8
**Martes:** Génesis 41:9-13
**Miércoles:** Génesis 41:14-32

**Jueves:** Génesis 41:33-36
**Viernes:** Génesis 41:37-45
**Sábado:** Génesis 41:46-57

**Unidad 6**

# José es hecho señor de Egipto

**Contexto:** Génesis 41:1-57
**Texto básico:** Génesis 41:14-16, 28-30, 37-40, 55-57
**Versículo clave:** Génesis 41:38
**Verdad central:** El hecho de que José fue hecho señor de Egipto demuestra como Dios puede actuar en aquellos que confían en él.
**Metas de enseñanza-aprendizaje:** Que el alumno demuestre su conocimiento de cómo Dios condujo a José desde la cárcel hasta ser el señor de todo Egipto, y su actitud hacia las maneras como Dios trabaja por medio oe nuestra vida cuando confiamos en él.

## ——————— Estudio panorámico del contexto ———————

*Faraón* es el título que recibían los reyes de Egipto. El Nilo es el río que ha sido la fuente de vida de ese país. Sus aguas garantizan la existencia de la ganadería y de la agricultura y le dan vida al desierto en que está asentado Egipto. Se puede comprender entonces la gran turbación que experimentó el faraón al tener dos sueños muy relacionados, que tuvieran que ver con el ganado y con los cereales. Al despertar, convocó a todos los magos y a todos los sabios de su reino para contar los sueños. La tensión creció al enterarse de que no había alguno capaz de interpretar esos sueños.

El copero entonces recuerda su experiencia en la cárcel con José, el joven esclavo hebreo. Relata al faraón cómo José dio correcta interpretación a sus sueños y recalca su cabal cumplimiento. El faraón no pierde más tiempo y manda a llamar a José, quien es rápidamente alistado para la importante cita. José nuevamente tiene la oportunidad de dar testimonio de su Dios: atribuye tan sólo a él la posibilidad de hacer una correcta interpretación. El faraón le cuenta los dos sueños a José, quien los interpreta diciendo que los dos corresponden a un mismo tema. Se trata de siete años de abundancia que serán seguidos por siete años de tremenda escasez. El hecho de que el sueño haya sucedido dos veces significa que el evento está próximo y es seguro.

José, voluntariamente, ofrece una solución razonable y efectiva para atacar el problema: nombrar una persona capaz para ponerla a cargo del país; que se recaude la quinta arte de la cosecha durante la época de abundancia y sea reservada para el tiempo de la escasez. En esa forma, Egipto se salvará de la ruina que se avecina. Ante palabras tan sabias, el faraón y su gente reconocen que no hay nadie mejor capacitado que el mismo José para el puesto. Dios ha sido reconocido en la corte a través del testimonio de José, quien es investido de grandes poderes, el segundo después del faraón. El joven esclavo cuenta ahora con 30 años. Tiene la oportunidad de ejercer sus capacidades de excelente administrador. Todo sucede conforme a sus palabras. En los momentos más agudos de la escasez, todo el pueblo egipcio, y aun los países más lejanos, vienen para satisfacer sus necesidades de alimentos bajo el mando de José.

──────────── **Estudio del texto básico** ────────────

### Lea su Biblia y responda

1. Escriba **J**, **F** o **C** delante de cada declaración dada según quien la dijo: José, el faraón o el copero.

a. ____ Tal como él nos lo interpretó, así sucedió.

b. ____ No está en mí. Dios responderá para el bienestar del faraón.

c. ____ Sin tu autorización ninguno alzará su mano ni su pie en toda la tierra de Egipto.

d. ____ Dios me ha hecho olvidar todo mi sufrimiento.

e. ____ Ahora haré mención de una falta mía.

2. Escriba **V** o **F** según sea verdadera o falsa cada afirmación dada a continuación.

a. ____ Los sueños del faraón fueron mal interpretados por sus sabios y magos.

b. ____ José le propuso al faraón la idea de que lo nombrara como administrador.

c. ____ El faraón se quitó su anillo y lo puso en la mano de José.

### Lea su Biblia y piense

## 1 José interpreta los sueños de Faraón, Génesis 41:14-16, 28-30.

La urgencia del faraón por saber la interpretación de sus sueños, hace que en la cárcel se apresuren en dejar al esclavo en condiciones de presentarse ante el rey. Dios intervenía en el momento más oportuno para liberar a José.

**V. 15.** Faraón tiene urgencia. No se preocupa por conocer los antecedentes de José. Simplemente le expone el problema de no tener quién le interprete sus sueños y le dice que ha oído que él puede hacerlo.

**V. 16.** La humildad de José se manifiesta de nuevo. Toda la gloria se la ofrece a su Dios. También manifiesta buena voluntad para el faraón y su reino al presuponer que la interpretación de los sueños ha de resultar en provecho de Egipto.

**Vv. 28-30.** José hace la interpretación de los dos sueños del faraón, pero deja bien claro que es Dios quien ha mostrado al rey lo que debía hacer. Esta declaración es muy arriesgada si consideramos que los faraones se creían dioses. José le recalca que hay un Dios superior que se está revelando al faraón, dictándole lo que va a hacer por su voluntad soberana. Los sueños tienen que ver con siete años de abundancia en todo Egipto, pero que serán olvidados pronto ante la severidad del hambre que luego ha de venir.

## 2 José es hecho señor de Egipto, Génesis 41:37-40.

**V. 37.** José no solamente interpreta los sueños del faraón, sino que se anima a dar unos excelentes consejos administrativos al rey. Estos son muy bien recibidos por el faraón y todos los servidores. Es realmente una magnífica impresión la que José da ante la gente preparada de la gran civilización egipcia.

**V. 38.** El mismo faraón es quien reconoce que no hay otra persona que manifieste mejor el espíritu de Dios en su vida que José. No sabemos qué entendía el faraón por "espíritu de Dios", pero reconocía que el esclavo hebreo tenía algo diferente que lo hacía sobresalir.

**V. 39.** El rey admite que no hay nadie tan entendido y sabio como José, puesto que Dios está en comunicación con él de manera especial.

**V. 40.** José se prepara para recibir abundante compensación por los años de humillación y cárcel que ha sufrido. El mismo faraón, el poderoso rey de Egipto, es quien da a José el puesto de administrador de su casa y gobernador de todo su pueblo. No obstante, Dios es el que ha preparado todo de acuerdo con su sabia voluntad. El dios de Egipto, el faraón, tan sólo tiene que nombrar a quien Dios tenía preparado con mucha anticipación. José es un vaso para honra, consagrado y útil en las manos de Dios, para cumplir sus propósitos.

## 3 José, un sabio administrador, Génesis 41:55-57.

**V. 55.** La interpretación hecha por José se cumple en todos sus detalles. Ya han pasado los siete años de abundancia, y ahora se enfrenta una tremenda hambre que hace clamar al pueblo con todas sus fuerzas. Sus quejas llegan hasta su máximo jefe. Pero todo está previamente planeado en manos de su administrador. No hay nada que temer: José tiene alimento para todo el pueblo. Solamente deben acudir a él para que dé las órdenes pertinentes.

**Vv. 56, 57.** Todo está previsto en sus mínimos detalles. José ha dado muestras de su gran capacidad como previsor de tan grande tragedia. Sus cálculos son exactos. Los graneros se abren y la eficiencia es de tal grado que aun para los pueblos de países vecinos hay grano.

## Aplicaciones del estudio

**1. José, un siervo fiel.** La vida de José es un ejemplo de integridad de carácter. Fue leal a sus amos terrenales, pero aún más a su Amo eterno. Su ánimo en el trabajo nunca decayó. Ya fuera en una rica residencia, en la cárcel o en la corte del rey, mostró firmeza en el desempeño de sus labores. *Bien, buen siervo fiel,* ha de haber declarado Dios con respecto de José, así como lo hará para todos aquellos siervos que en el día de hoy sigan el mismo ejemplo de José.

**2. Confianza en Dios en la adversidad.** José hizo real a Dios en su vida diaria, pero sobre todo en sus días de adversidad. Nunca decayó su ánimo. Nunca mostró desesperación por los días trágicos de cárcel y humillación. Supo decir como el salmista: "aunque ande en valle de sombra de muerte, tú estarás conmigo". Confiemos plenamente en Dios, quien nos dice que no nos dejará ni nos desamparará.

## Prueba

1. Tomando como información Génesis 41:1-44, haga una lista de los pasos cómo Dios condujo a José desde la cárcel hasta ser señor de Egipto.

a. _____

b. _____

c. _____

d. _____

e. _____

f. _____

2. Reflexione en cómo Dios ha trabajado en su vida cuando ha confiado en él. Escriba una oración en la que exprese su compromiso de confiar en él permanentemente. _____

_____

_____

_____

### Lecturas bíblicas para el siguiente estudio

**Lunes:** Génesis 42:1-17
**Martes:** Génesis 42:18-24
**Miércoles:** Génesis 42:26 a 43:15

**Jueves:** Génesis 43:16-34
**Viernes:** Génesis 44:1-34
**Sábado:** Génesis 45:1-15

# José se da a conocer
# a sus hermanos

**Contexto:** Génesis 42:1 a 45:15
**Texto básico:** Génesis 42:7-11, 15, 16; 45:4-10
**Versículo clave:** Génesis 45:5
**Verdad central:** La afirmación de José, de que fue Dios quien le envió a Egipto, nos enseña que Dios guía los eventos de nuestra vida para cumplir sus propósitos.
**Metas de enseñanza-aprendizaje:** Que el alumno demuestre su conocimiento de la explicación que hizo José de la providencia de Dios manifestada en los eventos de su vida, y su actitud hacia las maneras cómo Dios guía los eventos de nuestra vida para llevar a cabo sus propósitos.

## Estudio panorámico del contexto

Se ponen en movimiento circunstancias que llevarán nuevamente al encuentro de José con sus hermanos. El hambre es severa y en la tierra de Canaán se sienten las consecuencias. Jacob le ordena a sus hijos descender a Egipto para comprar alimentos. Son diez los hermanos que hacen el viaje. Jacob no desea que Benjamín vaya por temor a que le suceda algo. Los hermanos llegan a Egipto y se postran ante José sin reconocerlo. José sí los reconoce, pero simula lo contrario y los trata con dureza. Los pone por tres días en la cárcel acusándolos de espías. Pide que uno de ellos vaya a traer a su hermano menor como prueba de la identidad que han declarado. Al tercer día José cambia las órdenes. Sólo uno ha de quedar preso como rehén. Los muchachos atribuyen lo que les ocurre a que habían vendido a su hermano José. El se conmueve al oírles y tiene que salir a llorar. Simeón es el hermano que queda preso. Al llegar a Canaán los hermanos informan a su padre de los sucesos. Encuentran el dinero con que compraron alimentos en Egipto y sienten temor. Jacob piensa que Benjamín no debe ir, pero Judá se ofrece como fiador. Jacob accede y da presentes para el hombre que ha hecho tan rara petición. Al estar de nuevo en Egipto, son invitados a la casa de José a comer. El temor los invade por haber encontrado el dinero en los costales. Hablan con el administrador de José, quien les asegura que no hay problema. Simeón es liberado. José recibe los presentes traídos, conoce a Benjamín y se emociona. Comen guardando las reglas rituales acostumbradas. Benjamín es tratado con preferencia. José hace colocar su copa de plata en el costal de Benjamín antes de que salgan para Canaán. Ordena

103

perseguirlos para reclamar la copa, y todos quedan asombrados de verla en el costal de Benjamín, quien ha de quedar como esclavo. Judá explica con dolor lo que le ocurrirá a su padre si no regresa con su hermano menor. José es conmovido por la actitud de ellos y se da a conocer. El terror que sienten les quita el habla. José los tranquiliza y les propone traer a su padre y familia a Egipto. Luego los abraza a todos y llora. Se inicia una nueva relación con ellos.

─────────── **Estudio del texto básico** ───────────

### Lea su Biblia y responda

1. ¿Quién hizo las siguientes preguntas? (Gén. 42:1 a 43:6).
a. José ____ 1. ¿Por qué me habéis hecho tanto mal?
b. Rubén ____ 2. ¿No os hablé yo, y no me escuchasteis?
c. Israel ____ 3. ¿De dónde habéis venido?
2. Escriba la frase en el texto bíblico que expresa la idea dada.
a. El temor de Jacob por la seguridad de Benjamín.

_____

b. Una acusación fingida.

_____

c. Reconocimiento de culpabilidad.

_____

d. Un compromiso firme.

_____

3. Señale, marcando con una **X**, la razón por la cual los hermanos de José no pudieron reconocerlo.
____ a. José ya tenía 38 años.
____ b. José les hablaba por medio de un intérprete.
____ c. José era el gobernador de Egipto.

### Lea su Biblia y piense

# 1 Los hijos de Jacob acuden a Egipto, Génesis 42:7-11, 15, 16.

El hambre ha llegado hasta Canaán y los hermanos de José tienen que presentarse en Egipto, único lugar para conseguir alimentos. Como el encargado de las ventas era José, ellos tuvieron que presentarse ante él postrándose con el rostro en tierra.

**Vv. 7-9.** Sin darse cuenta los hermanos cumplen así con los sueños de José. El los reconoce inmediatamente, pero disimula el hecho. José tiene un plan, pues quiere averiguar si sus actitudes han cambiado. Entonces, los trata con dureza y los acusa de espías.

**Vv. 10, 11.** La defensa que hacen ellos es humilde pero muy enérgica. Exponen varias razones: (a) sólo han venido a comprar alimentos; (b) tienen un solo padre; (c) son hombres honestos. Nuevamente se llaman a sí mismos siervos de José, condición que muchos años atrás los había enfurecido.

**Vv. 15, 16.** Tratando de justificar su presencia en Egipto, los hermanos ofrecen detalles importantes que le permiten a José tenerlos completamente en su poder. Han hablado de su hermano menor Benjamín, e indirectamente de José. Entonces José solicita la presencia de Benjamín como una prueba de sus palabras. *Uno ha de ir a traerlo y los otros han de quedar presos hasta que se cumpla la orden.*

# 2 José se da a conocer a sus hermanos, Génesis 45:4-10.

Las diferentes pruebas que José ha planeado para conocer las actitudes de sus hermanos han dado buen resultado. José sabe ahora que ellos han mostrado cuidado especial por Benjamín, consideración para su padre Jacob y reconocimiento de culpa en las actuaciones pasadas con José. Ha llegado el momento emocionante de darse a conocer a ellos. El relato de esta identificación es de los más emotivos de la Biblia.

**V. 4.** José les pide que se acerquen a él. Siente el deseo de tenerlos muy cerca, que se vaya disipando el terror que mostraron ante él cuando les dijo: *Yo soy José.* La conversación es a solas con ellos. No hay testigos egipcios, no hay necesidad de intérprete, José conoce la lengua de ellos y sin duda está disfrutando al máximo de poder practicarla de nuevo. Para sus 11 hermanos es increíble que el segundo hombre más poderoso de Egipto esté al frente de ellos. José les recuerda que él es el mismo que ellos vendieron como esclavo. Sus palabras no tienen reproche alguno. Más bien transmiten perdón y reconciliación.

**Vv. 5-8.** Las explicaciones de José no guardan ni el más mínimo rencor. Se esfuerza al máximo por darles confianza y la seguridad de que todo ha ocurrido bajo la mano cuidadosa de Dios para beneficio de todos. Todavía falta mucho por hacer, pues el hambre apenas lleva dos años y quedan cinco más de penurias. Dios le ha colocado en esa posición aprovechando que sus hermanos tomaron la decisión de deshacerse de él. Su poder no se va a utilizar para la venganza. El carácter de José siempre es el mismo, depende de Dios en todas las circunstancias. Dios le ha puesto como protector del faraón y señor de todo Egipto, es decir, como gobernador de todo el país.

**Vv. 9, 10.** Por su importante posición, José puede ofrecerle a toda su familia protección y alimento. Entonces, manda a sus hermanos con un mensaje para su padre. Su deseo es que se trasladen a Egipto. Ha pensado asignarles la tierra de Gosén, que es una de las más ricas y aptas para la ganadería. También era una región aislada de los egipcios, donde los israelitas podrían vivir juntos, multiplicarse, conservar sus hábitos y su idioma. Hacía mucho tiempo había sido dicho a Abraham que tales sucesos se efectuarían. José fue el fiel instrumento usado por Dios para hacerlo cumplir.

## Aplicaciones del estudio

**1. El carácter perdonador de José.** Toda la vida de José está marcada por un carácter íntegro, donde no se dio nunca oportunidad a las actitudes negativas. El perdón fue una fuente inagotable en sus hechos. El Señor desea que forjemos nuestro carácter del mismo modo. "No seas vencido por el mal, sino vence el mal con el bien" (Rom. 12:21).

**2. El resultado del carácter perdonador de José.** Sólo beneficios se obtuvieron de la forma en que José trató a sus hermanos. Hubo paz para ellos, hubo alegría en el corazón de José, hubo nueva fuerza para la vida de Jacob. El carácter perdonador de Cristo Jesús nos ofrece los mismos y más beneficios. No despreciemos su perdón.

**3. José quiso compartir con todos sus bendiciones.** Una vez que se hubo identificado, José no tuvo otro pensamiento que compartir las buenas nuevas con todos los suyos. El Señor desea que nosotros seamos portadores de sus buenas nuevas pues él quiere compartir sus riquezas en gloria con todos sus hermanos.

## Prueba

1. De Génesis 45:4-8 seleccione tres frases que expresan la explicación que José dio a los eventos de su vida.

a. _____

b. _____

c. _____

2. Escriba brevemente una experiencia en su vida que usted interpreta como una acción directa de Dios para guiarlo.

_____

_____

3. Escriba por lo menos dos momentos de su vida en los que el cuidado amoroso y previsor de Dios se manifestaron para lograr el perfeccionamiento de su carácter.

a. _____

b. _____

4. Escriba una actividad personal que desarrolla en su hogar o en su trabajo, y que se compromete a poner delante de Dios para que él la guíe bajo su providencia.

_____

### Lecturas bíblicas para el siguiente estudio

**Lunes:** Génesis 45:16-24
**Martes:** Génesis 45:25 a 46:7
**Miércoles:** Génesis 46:8-27

**Jueves:** Génesis 46:28-34
**Viernes:** Génesis 47:1-12
**Sábado:** Génesis 47:13-31

**Unidad 7**

# José traslada a su familia a Egipto

**Contexto:** Génesis 45:16 a 47:31
**Texto básico:** Génesis 45:25-28; 47:11, 12, 20-25, 27
**Versículo clave:** Génesis 45:12
**Verdad central:** El cuidado que tuvo José para con su familia y el pueblo de Egipto, nos ilustra como usar nuestra posición y oportunidades para servir a las necesidades de otras personas.
**Metas de enseñanza-aprendizaje:** Que el alumno demuestre su conocimiento de como José cuidó de su familia y del pueblo de Egipto, y su actitud hacia las maneras como nosotros podemos usar nuestra posición y oportunidades para servir a las necesidades de otras personas.

--------- **Estudio panorámico del contexto** ---------

El encuentro entre José y sus hermanos es conocido en el palacio del faraón. La emotividad de José al darse a conocer, había atraído la atención de los egipcios. El mismo faraón recibe con agrado la nueva, y autoriza que toda la familia de José venga a Egipto. Entonces José envía provisiones, regalos y medios de transporte para toda su familia. Regaló a sus hermanos vestidos y a Benjamín un presente especial. Así se inicia el regreso a Canaán, con la recomendación de José de no pelear en el camino y que regresen pronto con sus parientes. La llegada a casa es emocionante. Jacob queda pasmado al oír que su hijo José aún vive. Al ver las carretas enviadas por José, su espíritu revive. Su deseo es ir a Egipto y ver a José antes de morir. Jacob inicia el viaje y al pasar por Beerseba ofrece sacrificios a Dios. Dios aconseja a Jacob sobre la ida a Egipto y le promete estar con él, hacer de su familia una gran nación que luego regresará a Canaán y que tendrá la oportunidad de ver a José. Los descendientes directos de Jacob que entran a Egipto son 70. Con ellos formó Dios la nación de Israel. El encuentro de Jacob con su hijo se efectúa en Gosén, pues José ha sido invitado a ir hasta allá. Ambos se abrazan y lloran largamente. Son 22 años de separación, que han causado mucho dolor a ambos. Luego José comunica su plan para lograr la instalación de su familia en Gosén. Por tal razón, deben declarar ante el faraón que son pastores de ovejas. Así lo hacen, y el rey autoriza la posesión de Gosén.

José sigue administrando el país, y motivado por la severidad del hambre, toma nuevas disposiciones. Su política hace que todo Egipto pase a manos del faraón. Mientras tanto, Israel prospera en Gosén conforme a las promesas de Dios. Jacob no olvida las promesas de Dios y le pide a José, bajo juramento, que lo entierre en el sepulcro familiar situado en Canaán, la tierra prometida.

## Lea su Biblia y responda

1. Lea Génesis 47:11, 12 y escriba tres necesidades que José suplió a su familia, usando su posición política en Egipto.

a. _____

b. _____

c. _____

2. El faraón demostró su aprecio hacia José, favoreciendo a su familia al llegar a Egipto. Escriba las disposiciones que tomó el faraón según Génesis 45:17-20; 47:6.

a. _____

b. _____

c. _____

3. Escriba **V** (verdadero) o **F** (falso) según corresponda.

a. _____ José le pidió permiso al faraón para traer a su padre y su familia a Egipto.

b. _____ Al salir para Egipto, la familia de Jacob dejó su ganado en Canaán.

c. _____ En Gosén, los hebreos no iban a tener problemas con los egipcios porque ellos despreciaban a los pastores.

d. _____ José puso en práctica el diezmo en Egipto.

## Lea su Biblia y piense

# 1 Jacob y su familia van a Egipto, Génesis 45:25-28.

**Vv. 25, 26a.** Los hermanos de José llegan a Canaán, a casa de su padre, con grandes noticias que contar: ¡José vive! y es el gobernador de toda la tierra de Egipto, el encargado de administrar en ese país, el segundo en poder después del faraón, ni más ni menos.

**Vv. 26b, 27.** La reacción de Jacob es de gran asombro. No podía creer a sus hijos tan grande y buena noticia. Los mismos que habían entregado la túnica ensangrentada de José ahora son portadores de algo nunca imaginado. Jacob quizá pensó que era otro engaño de los tantos que a él le habían hecho y también padecido. Pero al ver los carros que había enviado el faraón y oído todo cuanto sus hijos cuentan, su espíritu se reanima.

**V. 28.** Israel (hasta se usa su nuevo nombre) se convence y dice: *Basta.* ¡Creo todo cuanto dicen! Voy a ir a Egipto. Necesito verlo antes que yo muera.

# 2 José establece a su familia en Gosén, Génesis 47:11, 12.

**V. 11.** José ha tomado todas las previsiones para dotar a su familia de un territorio en Egipto que reúna inmejorables condiciones. Por una parte, no era un lugar de gran utilidad para los egipcios, pues ellos despreciaban la profesión de pastor. En segundo lugar, la tierra de Gosén era abundante en pastos. Estaba situada en el delta del Nilo, cerca de la frontera con Canaán. Por último, por su ubicación, garantizaba la conservación de la identidad racial y religiosa de la familia de Jacob.

**V. 12.** José también ha pensado en las necesidades a corto plazo. Provee de alimentos a todos los de la casa de su padre. No importaba la severidad del hambre, con los planes de José, se tendría lo suficiente para velar por Egipto y su familia.

## 3 Política administrativa de José, Génesis 47:20-25.

Encontramos a José desempeñando la gran tarea que el faraón le dio. Hubiera sido muy interesante quedarse en Gosén y compartir experiencias. Pero su cargo es de mucha importancia y no debe descuidarlo.

**V. 20.** Las dimensiones de la hambruna predicha al faraón en los sueños es muy grave. Se les agota el dinero y entonces José les da alimento a cambio de sus tierras. Todo Egipto llegó a formar parte del poderoso faraón. Sólo los sacerdotes quedaron libres de esta nueva política, pues recibían de la misma ración del rey. **Vv. 21, 22.** Las tierras que ahora pertenecen al faraón deben ser desocupadas. José les permite quedarse en ellas a cambio de convertirse en esclavos del faraón. **Vv. 23-25.** Para tener el derecho a cultivar la tierra, José estableció un impuesto del 20% sobre los productos de la tierra. Con esta ley, José procuraba asegurar el sustento del rey y del mismo pueblo. José construyó un estado centralizado en la persona del faraón. El pueblo acepta eso a cambio de ver llenas sus necesidades alimenticias. Al margen de lo que las medidas de José puedan significar política y económicamente hablando, lo importante es que sirvieron para salvar al país.

## 4 Israel crece y prospera en Egipto, Génesis 47:27.

Las promesas de Dios se cumplen en todos sus detalles. Israel se establece en Egipto, como lo dijo a Abraham, y también prospera y se multiplica encaminándose a la formación de una nación, cultivando sus rasgos culturales, religiosos y políticos.

# Aplicaciones del estudio

**1 Todas las áreas de la vida han de ser influenciadas por el testimonio cristiano.** José nos da un ejemplo de como hacer todas nuestras actividades diarias, dando evidencia de nuestro andar bajo la voluntad de Dios. José actuó correctamente en sus asuntos administrativos y familiares. Nunca buscó el provecho propio escudándose en su poder. Que todo lo que hagamos sea para la gloria de Dios (1 Cor. 10:31).

**2. El servicio no es una opción para los cristianos.** La transformación que Dios hace de sus hijos, cuando se someten a su voluntad, se traduce en una vida de servicio. José ilustra este principio: sirvió a los egipcios, no importando que fuera un pueblo pagano; sirvió a su familia no teniendo en cuenta el dolor que le causaron. "Que todo hombre nos considere como servidores de Cristo y mayordomos de los misterios de Dios." (1 Cor. 4:1.)

# Prueba

1. Responda brevemente a lo siguiente: ¿Habría José podido ayudar a su familia sin antes ayudar al pueblo de Egipto? Razone su respuesta.

_____   _____   _____

2. Escriba el nombre de dos personas conocidas en su país que, al igual que José, usan su posición para ayudar a la familia y a la comunidad.

a. _____   b. _____

3. Escriba tres maneras en las que podemos suplir las necesidades de otras personas, usando nuestra posición y oportunidades. Compártalas con el grupo si lo desea.

a. _____

b. _____

c. _____

## Lecturas bíblicas para el siguiente estudio

**Lunes:** Génesis 48:1-22
**Martes:** Génesis 49:1-28
**Miércoles:** Génesis 49:29 a 50:3

**Jueves:** Génesis 50:4-13
**Viernes:** Génesis 50:14-21
**Sábado:** Génesis 50:22-26

**Unidad 7**

# José conforta a sus hermanos

**Contexto:** Génesis 48:1 a 50:26
**Texto básico:** Génesis 48:20, 21; 49:33; 50:15-21
**Versículo clave:** Génesis 50:20
**Verdad central:** El generoso perdón que José otorgó a sus hermanos nos demuestra la importancia de saber perdonar.
**Metas de enseñanza-aprendizaje:** Que el alumno demuestre su conocimiento de como José perdonó a sus hermanos, y su actitud hacia el saber perdonar a las personas que nos han ocasionado algún daño.

## Estudio panorámico del contexto

Se acerca el fin de la vida terrenal de Jacob. José es avisado de la enfermedad de su padre y acude a su casa acompañado de sus dos hijos, Manasés y Efraín. Jacob hace un esfuerzo por recibir a su hijo. Le hace un resumen de las promesas que ha recibido de Dios y luego hace el anuncio sorprendente de que considerará como hijos suyos a los dos jóvenes hijos de José. Los bendice colocando la mano derecha sobre el menor de ellos, Efraín. José trata de corregir el error cometido por su padre, pues supone que lo hizo por su falta de vista, pero Jacob le explica que Manasés, como tribu, será menor que Efraín.

Por último, Jacob le recalca a José la presencia de Dios con los hebreos, a los cuales él llevará de nuevo a la tierra de Canaán.

Viendo que falta poco para la partida, Jacob llama a todos sus hijos para bendecirlos. Jacob es el último patriarca. Su familia ya empieza a desarrollarse como nación y es importante que él les diga lo que va a ocurrir en los próximos días. La bendición consiste en un repaso del pasado con miras a predecir lo que ocurrirá en el futuro con base en hechos.

Jacob muere causando gran dolor a José. Es tratado con todos los honores, a la usanza egipcia. Es embalsamado y recordado con muchos días de luto. José pide permiso para cumplir con el deseo de su padre de ser enterrado en Macpela. Una numerosa comitiva lo acompaña hasta Canaán. De regreso a Egipto, José consuela a sus hermanos quienes todavía temen una posible venganza de José. José les da nuevamente muestras de su perdón, asegurando que todo fue sabiamente guiado por Dios para bien de todos. Les promete seguir velando por ellos, les conforta y les habla de corazón. José llega a los 110 años. Ha tenido oportunidad de conocer a sus nietos. Antes de morir recuerda la promesa de Dios de regresar a la tierra prometida. Hace jurar que cuando ello ocurra su cuerpo deben llevarlo con ellos.

# Estudio del texto básico

## Lea su Biblia y responda

1. Relacione el personaje con las características que se dan:

a. José _____ Murió a los 110 años.

b. Jacob _____ Guardaron por su muerte 70 días de luto.

_____ Fue enterrado en Egipto.

_____ Fue enterrado en Canaán.

_____ Hizo duelo por 7 días.

2. Escriba la frase del texto bíblico que expresa lo siguiente.

a. Desconfianza en el perdón de José.

_____

b. Confianza en las promesas de Dios.

_____

c. Dolor por la muerte de un ser querido.

_____

d. Fe en que Dios es el que maneja todas las cosas.

_____

## Lea su Biblia y piense

# 1 Jacob bendice a los hijos de José, Génesis 48:20, 21.

**V. 20.** La bendición que se acostumbraba hacer de parte del padre a sus hijos, sobre todo cuando estaba próxima la muerte del primero, era considerada de gran importancia. Con ella, en el caso de Jacob, se transmitía la identidad de pueblo escogido y se hacían depositarios de las promesas del pacto. Jacob está bendiciendo ahora a los hijos de José. Los ha tomado como hijos suyos y los ha ntegrado como dos de las futuras tribus de Israel. Las bendiciones de Efraín y Manasés han de servir de modelo para las otras tribus.

Jacob a pesar de tener problemas con la vista, pone su mano derecha sobre Efraín que es el menor, declara que no se debe a error alguno, sino a que el menor será más grande que su hermano mayor. Este tipo de inversión ya se ha dado en otras ocasiones, como es el caso de Jacob por Esaú; Isaac por Ismael; Abraham sobre Nacor, etc., en donde el menor tiene más importancia que el primogénito.

**V. 21.** Jacob está en los últimos días de su vida. Sabe que la promesa de Dios de volver a Canaán no se cumplirá en sus días. Pero asegura con toda confianza que Dios va a quedarse con el los y que en un tiempo futuro los hará llegar hasta la tierra de Canaán.

# 2 La muerte de Jacob, Génesis 49:33.

Jacob no teme la muerte, pero sí desea aprovechar sus últimos minutos dando instrucciones precisas a sus hijos. Las bendiciones del pacto no han de seguir bajo la responsabilidad de una sola persona. Ahora está en proceso la formación de una

112

nación cuya base se compone de doce pilares. Es necesario transmitir exactamente la visión del plan de Dios y asegurar su continuidad. Su confianza es total en las promesas de Dios, por eso ha pedido que su cuerpo no sea dejado en Egipto sino llevado a su recordada Canaán.

Jacob recoge sus pies y muere. Es una vida que se apaga con tranquilidad, con la seguridad de una victoria alcanzada a pesar de tantos y tan variados conflictos. A su muerte parte para estar con sus padres. La muerte no es el fin, tenemos la seguridad de un encuentro feliz con otras piezas valiosas en las manos de Dios.

## 3 José consuela a sus hermanos, Génesis 50:15-21.

**Vv. 15-18.** Causa sorpresa que después de tantos años y tantas muestras de la bondad y cuidados de José para con toda su familia, sus hermanos le tengan temor. Aún piensan en una posible venganza que pudiera ser desatada al faltar Jacob. Todavía no tienen noción de la calidad del carácter que tiene José. Lo miden con la misma vara que miden su gran sentimiento de culpabilidad. Buscan el perdón de José apelando a las palabras de su padre. Le ruegan que les perdone. José llora y ellos se postran a tierra. Nunca se imaginaron que la realización del sueño de un muchacho se cumpliera en forma tan dramática.

**Vv. 19-21.** José da una respuesta típica de su forma de ser. Dios es el que ha actuado en todo momento y todo ha sido para bien. El propósito de Dios se ha cumplido: mantener con vida a un pueblo. José seguirá supliéndoles lo necesario y no deben guardar en su corazón ningún miedo. El consuelo que José es capaz de sacar de lo profundo de su ser para compartirlo con sus hermanos, es posible sólo por la transformación que Dios puede realizar en la vida de los seres humanos.

José resalta así, una vez más, como modelo de ser humano guiado por Dios en las más variadas circunstancias. Su nobleza de carácter, su transparencia de vida, su integridad como funcionario público, y como hermano dan un adelanto del ser humano perfecto que encontramos en la persona de Cristo Jesús.

## —————— Aplicaciones del estudio ——————

**1. La calidad de la fe de José.** Ni la fama, la fortuna, su capacidad administrativa o su poder, pudieron hacer que José apartara su vista de las promesas de Dios contenidas en el pacto. *Dios os visitará y os hará subir de esta tierra. . .* Que ningún motivo terrenal pasajero nos aparte de las promesas de Dios contenidas en su Palabra.

**2. La presencia eterna de Dios.** Las vidas de Abraham, Isaac, Jacob y José tienen grandes lecciones para nuestro andar en esta vida. Sin embargo, siempre llegaba el momento de entregar el alma al Creador y decir: *Yo muero, pero Dios estará con vosotros.* En medio de todo lo que pueda ocurrir, bueno o malo en nuestra vida, nuestro corazón puede sentir paz, confianza y seguridad de que Dios permanece, reina, cumple su voluntad, y que los propósitos para nuestra existencia serán una realidad porque él es eterno.

# Prueba

1. Ubíquese en el lugar de José y piense, ¿cuál habría sido para usted la parte más difícil de perdonar a sus hermanos?

_____

_____

2. Haga una lista de por lo menos cuatro mandamientos contenidos en Romanos 12:14-21 que cumplió José al perdonar a sus hermanos en forma auténtica.

a. _____

b. _____

c. _____

d. _____

3. Señale, de la lista anterior, por lo menos dos de esos principios que le son difíciles de aplicar. Comprométase a pedirle al Señor sabiduría y poder para integrarlos a su vida y darles un uso correcto.

**Nota:** Hemos llegado al final del libro de Génesis. Le animamos a tomar unas hojas de papel y lápiz para que haga un resumen de las verdades principales que recuerda haber captado mejor durante estos estudios. También le animamos a apartar un tiempo adecuado para llevar a cabo el plan personal de lecturas bíblicas diarias. Con dedicación, disciplina y empeño usted puede ser un mejor discípulo de Jesucristo. ¡Así sea!

## Lecturas bíblicas para el siguiente estudio:

**Lunes:** Mateo 1:1-17        **Jueves:** Mateo 2:13-15
**Martes:** Mateo 1:18-25      **Viernes:** Mateo 2:16-18
**Miércoles:** Mateo 2:1-12    **Sábado:** 2:19-23

# EL EVANGELIO
# DE MATEO

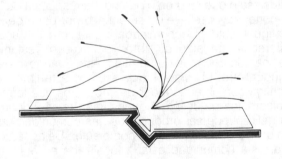

# EL EVANGELIO DE MATEO

## Una Introducción

**El propósito del Evangelio de Mateo.** Mateo tuvo la intención de demostrar a los judíos que Jesús llenaba sus expectaciones. El era el Mesías que por tanto tiempo habían estado esperando. En dieciséis ocasiones el Evangelio dice algo así como: "Todo esto aconteció para que se cumpliese lo que habló el Señor por medio del profeta . . . "

Los líderes judíos eran muy diligentes en el estudio de las Escrituras, pero Mateo creyó que él debía explicarles el verdadero significado de las Escrituras. Quiso que pudieran ver a Jesús como el personaje central alrededor de quien gira todo el Antiguo Testamento. Jesús fue el Rey y Mesías prometido.

Entre otras cosas, Mateo llamó la atención de los judíos al rechazo de que habían hecho víctima a Jesús, señalando que aun en su nacimiento los gentiles (representados por los reyes magos) le recibieron con mayor entusiasmo que su propio pueblo. La respuesta de Jesús al ir a los gentiles pone mayor relieve en el rechazo por parte de los suyos.

**Autor.** Antiguamente se denominaba a este libro "De acuerdo con Mateo." A diferencia de algunos libros del Nuevo Testamento que parecen haber nacido con más de un título, este Evangelio parece que nunca tuvo ningún otro. El "Mateo" que escribió este libro tradicionalmente se identifica con el recaudador de impuestos que formaba parte de los doce discípulos de Jesús. Algunos intérpretes modernos creen que este Evangelio puede ser producto de una comunidad cristiana en particular, con un individuo sin nombre como autor. De acuerdo con este punto de vista, esta comunidad estaría localizada en Siria, tal vez en Antioquía. Mantengamos en mente que el asunto de la paternidad literaria no afecta en ninguna forma la autoridad del libro. Si Dios lo inspiró, ¿qué importa que un ser humano haya escrito las palabras de Dios? El punto de vista tradicional de que Mateo (también llamado Leví según Marcos 2:14) es el autor no puede rechazarse, a pesar de que haya en la actualidad algunos intérpretes que no lo apoyan.

**Fecha.** El Evangelio de Mateo fue escrito alrededor de los años 55 a 100 d. de J.C. Muchos intérpretes modernos dicen que la fecha puede considerarse entre 75 y 90 d. de J.C.

**Temas principales de Mateo.** *Cumplimiento.* El mayor interés de Mateo fue demostrar que Jesús cumplió las profecías del Antiguo Testamento acerca de un Mesías. Sólo en el segundo capítulo usó derivados de la palabra "cumplimiento" tres veces e hizo otras numerosas referencias a las profecías.

*Jesús el rey.* Jesús era el Hijo de David. Este también fue un tema muy importante para Mateo. El quería mostrar la realeza de Jesús, de tal forma que escribió todo el Evangelio en torno a los conceptos de un rey y su reino.

*Rechazo de Israel.* Israel no aceptó su realeza divina. Desde su nacimiento en Belén hasta su muerte como un criminal, Mateo subraya la murmuración, oposición y rechazo de los judíos.

*Autoridad.* Jesús poseía una autoridad poco usual. El nació siendo rey mientras que otros fueron hechos reyes o usurparon un trono. La muchedumbre se maravilló de su tono de autoridad. Les dio autoridad a sus discípulos y reclamó toda autoridad.

*La iglesia.* Mateo también muestra un marcado interés en la iglesia. De hecho es el único evangelista que usa la palabra iglesia.

*Interés apocalíptico.* Maneja la idea de que el presente mundo pecaminoso debe desaparecer antes de que Dios pueda establecer su reino. También se nota este énfasis en el tratamiento que hace de la segunda venida de Cristo y el fin del tiempo.

*Sufrimiento y muerte de Cristo.* El Evangelio no estaría completo si faltara la mención del sufrimiento y la muerte de Cristo, y todo esto de acuerdo con las Escrituras del Antiguo Testamento.

Una tendencia de Mateo es agrupar sus materiales, algunas veces por temas y otras veces por tipos. Algunos ejemplos son: el Sermón del monte, la sección apocalíptica y la sección de las parábolas.

## Panorama del Evangelio de Mateo

**Los inicios del reino** (1:1 a 4:25). El linaje de Jesús y su nacimiento fueron el cumplimiento de las profecías del Antiguo Testamento. Nació de una virgen y creció en Nazaret. El primo de Jesús, Juan el Bautista preparó el camino para el ministerio de Jesús predicando el arrepentimiento. Anunció la cercanía del establecimiento del reino. Juan bautizó a Jesús quien fue tentado por Satanás en el desierto. Cuando Juan fue arrestado, Jesús inició su ministerio en Galilea continuando con el mensaje del reino que Juan estaba predicando y llamando a sus discípulos. Su fama se extendió por toda la región y la gente comenzó a venir a él de todas partes.

**El modo de vida en el reino** (5:1 a 7:29). Jesús pronunció su famoso Sermón del monte. Animó a sus discípulos a extender su influencia en otros para que también reconocieran la soberanía de Dios en su vida. Declaró que las leyes judías no debían ser ignoradas; de hecho, fue más allá pidiendo a sus discípulos vivir la dimensión ética y moral de esas leyes. Interpretó correctamente algunas normas subrayando el espíritu de las mismas por encima de la letra, haciendo de ellas un asunto del corazón.

117

**El reino en acción** (8:1 a 14:36). Mateo registró varios de esos milagros de Jesús para mostrar su autoridad. Jesús sanó a un leproso, calmó la tempestad, echó fuera demonios, restauró a un paralítico y les devolvió la vista a dos ciegos. En esos actos podemos ver su autoridad sobre la enfermedad, la naturaleza y los espíritus inmundos. Siguió llamando más discípulos, asegurándose que estuvieran dispuestos a sacrificarse por él. Jesús los preparó para que predicaran el mensaje del Reino, les dio autoridad y los envió, advirtiéndoles acerca de la persecución y los pecados de las actitudes internas.

Juan preguntó si en realidad Jesús era el Mesías. Jesús le recordó lo que decían las profecías sobre ese particular. Reprendió a los que no se arrepentían y los invitó a confiar en él. Ellos acusaron a Jesús de sanar por el poder de Satanás, lo cual Cristo negó. Les advirtió acerca de pedir señales. Les enseñó en parábolas pero reaccionaron en contra de él. Decapitaron a Juan el Bautista. Jesús alimentó a cinco mil personas con el alimento de un niño. Caminó sobre el agua para ir al encuentro de sus discípulos en medio de sus ansiedades.

**Ministerio de Jesús en Galilea** (15 a 18). Aquí se relata el extenso ministerio desempeñado en Galilea y sus alrededores (Tiro, Sidón y Decápolis). Encontramos los constantes conflictos entre Jesús y los escribas, fariseos y saduceos. Casi todos esos conflictos se originaron cuando Jesús y sus discípulos no observaban algunas de las tradiciones judías (por ejemplo: guardar el sábado y el rito de lavarse las manos antes de comer) o responder a la petición de mostrar señales que justificaran su autoridad. También encontramos en estos capítulos el evento de la transfiguración y dos parábolas: la de la oveja perdida y la del siervo malvado. Se mencionan las únicas dos referencias a la iglesia que se encuentran en los Evangelios (16:18 a 18:17).

**Ministerio de Jesús en Jerusalén** (19 a 20). Entre las más importantes enseñanzas de Jesús se encuentran las del divorcio, la dificultad de un rico para entrar en el reino, la parábola de los labradores malvados, la predicción del sufrimiento y la muerte de Jesús y el cambio de los estándares humanos en el reino de Dios.

**Otros relatos** (21 a 27). La entrada triunfal de Jesús a Jerusalén montado sobre un pollino y la última semana de su ministerio terrenal. La purificación del templo, varias parábolas, una serie de "ayes" contra la hipocresía de los escribas y fariseos, una extensa sección de enseñanzas acerca de su segunda venida, el complot para matar a Jesús y la crucifixión.

**La resurrección y la Gran Comisión** (28). En este último capítulo encontramos la visita de las mujeres a la tumba vacía y su encuentro con el Cristo resucitado. Finalmente, la aparición de Jesús a los once discípulos en Galilea y la encomienda de la Gran Comisión.

Para facilitar el estudio del Evangelio de Mateo lo hemos dividido en 26 estudios agrupados en seis Unidades. Ahora es importante que haga algo: escriba en el espacio en blanco antes del número de cada estudio *la fecha* en que usará el estudio.

**Fecha**

### Unidad 1: Los inicios del reino

_____ 27. El Hijo de Dios y su reino (Introducción general)

_____ 28. Nacimiento y niñez de Jesús, el rey del reino (1:18-25; 2:1-6, 11, 13-15, 19-23)

_____ 29. Ministerio y mensaje de Juan el Bautista (3:1-6; 11:9-14; 3:7-12)

_____ 30. Bautismo y tentaciones de Jesucristo (3:13- 17; 4:1-11)

_____ 31. Lanzamiento del movimiento del reino (4:12-25)

### Unidad 2: El modo de vida en el reino

_____ 32. El camino del discípulo (5:1-16)

_____ 33. El cumplimiento del discipulado (6:1-18)

_____ 34. La conducta del discípulo (7:1-12, 21-27)

### Unidad 3: El Rey demuestra su poder

_____ 35. El poder del Rey (9:1-17)

_____ 36. El Rey comparte su poder y su misión (10:1,7,16-22,26-33)

_____ 37. Reacciones a la autoridad del Rey (11:2-6, 16-19; 12:9-14, 24-28)

_____ 38. El Rey explica su reino (13:10, 11, 18-23, 36-46)

_____ 39. La autoridad milagrosa del Rey (14:13-33)

### Unidad 4: Un reino único

_____ 40. El reino y la religión tradicional (15:10, 11, 15-20; 16:1-12)

_____ 41. Confesión y compromiso en el reino (16:13-19, 24, 25; 17:1-5)

_____ 42. Las relaciones en el reino (18:2-4, 21, 22; 19:3-9)

_____ 43. El servicio en el reino (19:16-23; 20:13-16, 25-28)

### Unidad 5: El anuncio del reino triunfante

_____ 44. Jesús es declarado Rey (21:1-9, 12, 13, 19-22)

_____ 45. Jesús confronta a sus enemigos (21:23, 28- 32; 22:17-21, 36-40)

_____ 46. Jesús denuncia la hipocresía (23:1-7, 13, 15, 23-26, 29-32)

_____ 47. Jesús habla del futuro (24:4-14, 29-35)

_____ 48. Jesús y el juicio final (24:36-42; 25:31-40)

### Unidad 6: El reino y la cruz

_____ 49. Preparativos para la última cena (26:1,2,6-13,17-19,26- 30)

_____ 50. La agonía de Jesús (26:33-35, 40-42, 49-54, 59-65)

_____ 51. El juicio de Jesús (27:3-7, 22-25, 37-44)

_____ 52. La resurrección de Jesús (28:1-10, 16-20)

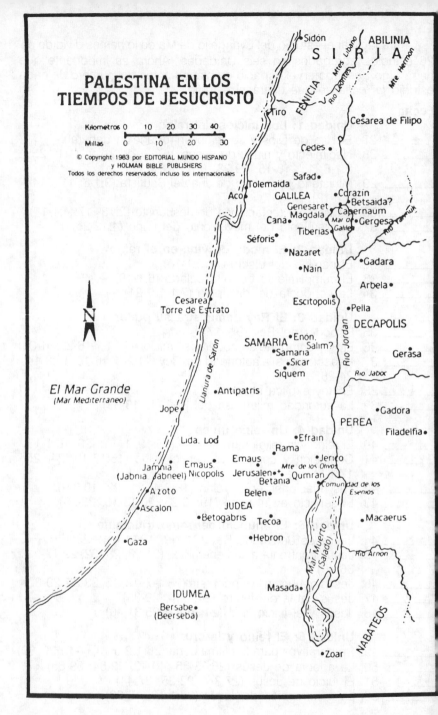

# PALESTINA EN LOS TIEMPOS DE JESUCRISTO

Kilómetros 0   10   20   30   40
Millas    0   10   20   30

© Copyright 1983 por EDITORIAL MUNDO HISPANO
y HOLMAN BIBLE PUBLISHERS
Todos los derechos reservados, incluso los internacionales

Sidón
ABILINIA
SIRIA
FENICIA
Mtes Líbano
Río Leontes
Mte Hermón
Tiro
Cesarea de Filipo
Cedes
Safad
Tolemaida
Aco
GALILEA
Corazín
Betsaida?
Genesaret
Capernaum
Magdala
Cana
Mar de Galilea
Gergesa
Tiberias
Río Yarmuk
Séforis
Nazaret
Gadara
Naín
Arbela
Cesarea
Torre de Estrato
Escitópolis
Pella
DECAPOLIS
Río Jordán
Enon.
Salim?
SAMARIA
Samaria
Sicar
Gerasa
Siquem
Río Jaboc
Llanura de Sarón
Antípatris
El Mar Grande
(Mar Mediterráneo)
Jope
Gadora
PEREA
Filadelfia
Lida. Lod
Efraín
Rama
Jamnia
(Jabnia Jabneel)
Emaus
Emaus
Jerusalén
Jericó
Mte de los Olivos
Nicópolis
Betania
Qumran
Azoto
Belén
Comunidad de los
Esenios
Ascalón
JUDEA
Betogabris
Tecoa
Macaerus
Gaza
Hebrón
Mar Muerto
(Salado)
Río Arnón
IDUMEA
Masada
Bersabé
(Beerseba)
NABATEOS
Zoar

Unidad 1

# El Hijo de Dios y su reino

**Contexto:** Mateo
**Texto básico:** Mateo 28:18-20; 1:1; 7:24-29; 9:4-8; 10:1; 21:23-27
**Versículos clave:** Mateo 16:15, 16
**Verdad central:** El Evangelio de Mateo nos presenta a la persona de Jesús como "El Hijo del Dios viviente" enviado por el Padre con toda autoridad para establecer el reino de los cielos en la tierra.
**Metas de enseñanza-aprendizaje:** Que el alumno demuestre su conocimiento de los aspectos principales que presenta el Evangelio de Mateo y su actitud en relación con el Evangelio de Mateo como el libro que revela que Jesús es el Hijo de Dios y el Rey del reino de Dios.

## Estudio panorámico del contexto

Mateo residía en Capernaum, lugar situado en la orilla noroccidental del mar de Galilea, era un hombre publicano cobrador de impuestos; judío, al servicio de Roma. Era una persona odiada por los judíos puesto que ellos consideraban como traidor de su nación al que estaba en la nómina del servicio civil de sus conquistadores.

En Mateo 9:9 encontramos el llamado que hace Jesús a Mateo para que fuera su discípulo, a lo que obedeció de inmediato, abandonando sus funciones y constituyéndose en uno de los doce aprendices del Señor.

Mateo poseía una habilidad literaria especial, que utilizó para escribir la sustancia de las enseñanzas de Jesús. Después del año 70, d. de J.C., con Jerusalén y el templo destruidos, los fariseos reconstruían el judaísmo con un énfasis sobre la Ley de Moisés, despreciando el ministerio de Jesús. Expresaron que Jesús y sus discípulos no tenían ninguna relación con el judaísmo, por lo que el objetivo primordial de Mateo fue escribir el Evangelio para los judíos. Les demostró que todas las profecías del Antiguo Testamento se cumplieron en Jesús, y que él era el Mesías, el Hijo de David, a quien ellos esperaban.

Mateo escribió con dos propósitos en mente: orientar a la iglesia en Antioquía sobre lo que Jesús dijo e hizo y defender el evangelio de las falsas acusaciones judías que negaban que Jesús fuera el Mesías esperado.

Asimismo, Mateo tenía especial interés en la vida organizada de la Iglesia; en la segunda venida de Jesucristo; en el fin del mundo y el juicio.

La principal característica del Evangelio son las enseñanzas respecto al reino de Dios, las cuales son:

   a) Sobre el discipulado (Sermón del monte) Mateo 5-7
   b) El apostolado (misión de los doce) Mateo 10

c) El reino (parábolas del reino) Mateo 13

d) La iglesia (vida de la iglesia) Mateo 18

e) El futuro (tiempos finales) Mateo 23 a 25

Las enseñanzas sustanciales que presenta Mateo tienen referencia al reino de Dios. Su idea dominante es la de Jesús como Rey, quien tiene toda autoridad tanto en el cielo como en la tierra.

A través de la genealogía, Mateo demuestra que Jesús es Hijo de David; es rey de los judíos; posee un reino que se inicia con los judíos, pero se extiende a todo el mundo.

Con base en su autoridad, Jesús tiene poder para perdonar los pecados del hombre y exige su obediencia absoluta.

La autoridad de Jesús queda bien asentada en el Evangelio de Mateo. Dicha autoridad y poder están estrictamente relacionadas con las demandas del discipulado.

## Estudio del texto básico

### Lea su Biblia y responda

1. Lea Mateo 28:16-20 y escriba las órdenes que Jesús da en demanda del discipulado.

    a. _____

    b. _____

    c. _____

2. Lea Mateo 9:4-8, 10:1 y describa la forma en que Jesús demostró su autoridad.

_____

_____

3. Según Mateo 21:23-27, ¿Cuál era la pregunta que los sacerdotes y ancianos le hicieron a Jesús? ¿Cómo contestó él la pregunta?

_____

_____

_____

### Lea su Biblia y piense

# 1 La Gran Comisión, Mateo 28:18-20.

**V. 18.** Autoridad absoluta de Jesús y autoridad derivada del Padre mismo. Jesús recibió el poder universal como un don de su Padre. Tal poder es absoluto y conlleva todo el poder del amor, sabiduría y fuerza del Padre. Por eso tiene potestad sobre la persona, movimientos, pasiones, principios y el universo en sí; es decir, que su autoridad y poder se manifiestan tanto en el cielo como en la tierra.

**V. 19.** Comisión universal. "Por tanto id", la comisión de Jesús es de acción inmediata, respaldada por su autoridad absoluta la cual debe proyectarse dinámicamente a toda la humanidad.

**V. 20.** Presencia constante. La comisión dada por Jesús es respaldada por su promesa, que consiste en su presencia ininterrumpida. Dicha promesa determina que tanto la presencia como la autoridad de Cristo, darán a sus siervos poder para realizar la tarea asignada.

# 2 La genealogía de Jesucristo, Mateo 1:1.

**V. 1.** Para los judíos era muy importante y significativo el árbol genealógico. Abraham fue el primero de cuya familia se predijo que el Mesías había de nacer; David fue el último. Estos dos puntos son esenciales para conocer la genealogía de Jesús, quien en su obediencia al Padre, cumplió su propósito e inició su reino, en el corazón del hombre por medio del Espíritu Santo.

# 3 Las palabras de Jesucristo, Mateo 7:24-29.

**Vv. 24-27.** Jesús está condenando la práctica de oír sin actuar. Les estimulaba a que escucharan y pusieran por obra lo que él decía.

El conocimiento es efectivo cuando se traduce en acción. La autoridad de Jesús exige obediencia y acción del hombre.

**Vv. 28, 29.** Mientras Jesús hablaba las personas se admiraban, contrastando las formas especiales de enseñanza de Jesús y las interpretaciones de los escribas. Esto se debía a la convicción de Jesús y de su autoridad divina que en ese momento se reflejaban en su enseñanza. La diferencia básica entre las enseñanzas de Jesús y las de los escribas es que el Maestro enseñaba con autoridad.

# 4 El poder de Jesucristo, Mateo 9:4-8; 10:1.

**Vv. 4-6.** La provisión real y efectiva de perdón requería una autoridad aún más grande que la que se necesitaba para curar al paralítico; en este caso, una restauración física fue la señal de una curación espiritual. Jesús hizo que este hombre se levantara y anduviera, ofreciendo una prueba de que sus pecados habían sido perdonados. Eso se logró por la autoridad y poder de Jesús.

**Vv. 7, 8.** Jesús sanó al paralítico demostrando su potestad sobre el pecado y la enfermedad, lo que causó que las personas lo vieran como uno que era capaz de ejercer la autoridad de Dios como el verdadero Hijo del Hombre.

**10:1.** Jesús llama a sus discípulos y por su autoridad derivada del Padre, les da poder para realizar efectivamente la misión encomendada. Dichos hombres deben enfrentar toda enfermedad y dolencia desarrollando ampliamente un ministerio de sanidad física y espiritual.

# 5 La autoridad de Jesucristo, Mateo 21:23-27.

**V. 23.** A lo que se referían los sacerdotes y ancianos principalmente era a la purificación del templo y los eventos asociados con esa acción de Jesús. El había actuado al estilo de los profetas, ya que aquéllos tenían la autoridad tanto de condenar el abuso del templo como la de restaurar su uso correcto. Por eso ellos deseaban conocer el origen de su autoridad.

**Vv. 24, 25.** Jesús contestó con otra pregunta. Esto no fue un acto evasivo, sino una respuesta implícita y al mismo tiempo de desenmascaramiento de la falta de honradez de ellos. Tal situación los colocó frente a un dilema.

**Vv. 26, 27.** Aquí se evidencia la dificultad de ellos en cómo contestar, de tal forma que no se debilitara su decisión de rechazar a Cristo ni dañar su propia reputación con el pueblo.

─────── **Aplicaciones del estudio** ───────

**1. Todo cristiano tiene una comisión que cumplir y ésta es la de hacer discípulos.** Dicha comisión no la podemos cumplir con nuestras propias fuerzas, sino bajo la autoridad de Jesús.

**2. Jesucristo demanda nuestra fidelidad.** Para cumplir con la comisión, nosotros debemos ser discípulos fieles al Señor, reconociendo su autoridad absoluta, y obedeciendo a cada instante las enseñanzas que él nos dejó.

─────────────── **Prueba** ───────────────

1. De acuerdo con el estudio de hoy redacte en sus palabras la comisión que demanda el Señor a cada cristiano:

_____
_____
_____
_____

2. Exponga las formas en que Mateo revela lo que Jesús es:

_____
_____
_____
_____

3. Describa lo que es Jesús para usted:

_____
_____
_____
_____

### Lecturas bíblicas para el siguiente estudio

**Lunes:** Mateo: 1:1-17          **Jueves:** Mateo 2:13-15
**Martes:** Mateo 1:18-25         **Viernes:** Mateo 2:16-18
**Miércoles:** Mateo 2:1-12       **Sábado:** Mateo 2:19-23.

# Nacimiento y niñez de Jesús, el rey del reino

**Contexto:** Mateo 1 a 2:23
**Texto básico:** Mateo 1:18-25; 2:1-6, 11, 13-15, 19-23
**Versículo clave:** Mateo 1:21
**Verdad central:** Con el nacimiento e infancia de Jesús se cumplieron las profecías del Antiguo Testamento acerca del libertador (Mesías) de Israel.
**Metas de enseñanza-aprendizaje:** Que el alumno demuestre su conocimiento de que el nacimiento de Cristo confirma las profecías del Antiguo Testamento en relación con el Mesías prometido y su actitud de la importancia que tiene el nacimiento de Cristo para su vida.

--------- **Estudio panorámico del contexto** ---------

1. Genealogía de Jesucristo, Mateo 1:1-17
2. Nacimiento de Jesucristo, Mateo 1:18-25
3. La adoración de los magos, Mateo 2:13-15
4. La huida a Egipto, Mateo 2:13-15
5. La masacre de los niños, Mateo 2:16-18
6. El regreso de Egipto, Mateo 2:19-23

Para los judíos era muy significativo conocer las genealogías de las personas importantes, pues ellas contenían el registro de la ascendencia de las generaciones. Esto nos ayuda a establecer el historial de la vida de los individuos. Mateo inicia su Evangelio presentando la genealogía de Jesucristo, resaltando su origen divino-humano.

El Señor era conocido durante su vida terrenal como Jesús y su nombre mesiánico era Cristo. Mateo expone la genealogía de Jesucristo cuidadosamente ordenada; establece tres grupos de catorce nombres cada uno, que hacía un total de 42 generaciones, dichos grupos son como sigue:

1. De Abraham a David, catorce generaciones.
2. De David a la deportación, catorce generaciones.
3. De la deportación a Cristo, catorce generaciones.

Las promesas de Dios hechas a Abraham y especialmente a David fueron frustradas por la deportación a Babilonia, pero se cumplieron a través de Cristo, en quien se encuentra un nuevo principio.

Dentro de las costumbres matrimoniales de los judíos se seguía un procedimiento en el que se llenaban tres requisitos que eran:

Primero: El compromiso. Por lo general se efectuaba cuando los contrayentes apenas eran niños por lo que los encargados de hacerlo eran los padres.

Segundo: El desposorio. Antes de entrar en el desposorio propiamente dicho, los comprometidos tenían la opción de aceptar o rechazar la decisión que habían hecho sus padres. El desposorio duraba un año y durante ese tiempo la pareja era conocida como marido y mujer, pero no tenían los derechos de esposos. La única forma de romper esa relación era por medio del divorcio. José y María habían llegado a esta etapa, por lo que si José hubiera querido romper esa relación, lo hubiera podido hacer legítimamente pidiendo un divorcio.

Tercero: El matrimonio. Se realizaba al finalizar el año del desposorio.

Mateo resalta el cumplimiento de las promesas que Dios hizo a su pueblo en Cristo, presentando la genealogía en forma lineal remontándola hasta el patriarca Abraham. Respecto al nacimiento virginal de Jesús, el énfasis está en la intervención divina, de la concepción milagrosa en María, concepción realizada por obra del Espíritu Santo.

Mateo introdujo el papel de José para enfocar el hecho de que Jesús no tenía un padre humano, resaltando de esta manera su origen divino. La visita de los magos del Oriente a Jesús resalta que el nacimiento del Hijo de Dios tuvo repercusión en las creencias y costumbres de otras religiones, alterando inclusive las observaciones astrológicas.

Asimismo, el nacimiento de Jesús era visto como una amenaza para Herodes el Grande, rey de Judá, el cual era astuto pero de una conciencia corrompida e inescrupulosa que lo llevó, inclusive, a asesinar a miembros de su propia familia por la simple sospecha de que quisieran usurpar su trono.

——————— **Estudio del texto básico** ———————

## Lea su Biblia y responda

1. Según Mateo 1:18-25, ¿en qué paso del matrimonio se encontraban José y María cuando sucedió la concepción divina? _____

2. Analizando el mismo pasaje, escriba lo que pensaba hacer José ante la noticia de lo sucedido a María y cómo solucionó su situación:

_____

_____

3. Marque la declaración verdadera con una V y la falsa con una F según Mateo 2:13-23:

_____ José y María huyeron a Egipto por su propia iniciativa.
_____ Herodes amaba tanto al niño, que era incapaz de matarlo.

126

_____ José y María, también el niño, regresaron cuando Herodes aún estaba vivo.

_____ La familia de Jesús al regresar de Egipto, habitó en Nazaret.

**Lea su Biblia y piense**

# 1 Nacimiento de Jesucristo, Mateo 1:18-25.

**V. 18.** María y José estaban comprometidos públicamente, próximos a consumar su matrimonio, se halló que María había concebido del Espíritu Santo.

**V. 19.** Por el compromiso que tenían y por el amor que los unía, José no quiso acusar a María públicamente al descubrir que estaba encinta.

**Vv. 20, 21.** José analizaba la situación buscando las estrategias a seguir, tratando de actuar en forma no ofensiva, cuando un ángel del Señor se le apareció. Por este medio el Señor aclaró la situación de María y le dio a conocer el ministerio salvador de Jesús.

**Vv. 22, 23.** La venida original de Jesús a la tierra fue ordenada por el Padre, lo que se registra en Isaías 7:14 y es el cumplimiento en Emanuel que describe la encarnación de la divinidad.

**Vv. 24, 25.** A través de la exposición del ángel en sueños, José despejó sus temores y en un acto de noble obediencia actuó poniendo fin al período del desposorio llevando a María a vivir a su hogar.

# 2 La adoración de los magos, Mateo 2:1-6, 11.

**V. 1.** Belén fue el lugar donde nació Jesús, Judea era la provincia romana donde se ubica Belén. Su rey era Herodes que estaba al servicio de los romanos. A este lugar llegaron los magos que eran astrólogos pertenecientes, probablemente, a la casta sacerdotal entre los persas y babilonios.

**V. 2.** Jesús era rey por naturaleza y estos personajes vinieron a buscarle, guiados por una manifestación divina para adorarle.

**Vv. 3-5.** Cuando Herodes escuchó que unos gentiles venían a adorar al nuevo rey, se turbó porque sintió su trono amenazado. De inmediato consultó a los principales sacerdotes y escribas, quienes le mostraron claramente la información del nacimiento de Jesús.

**V. 6.** La cita que confirma a Herodes el reinado de Jesús es Miqueas 5:2, la cual menciona a Belén como cuna del Mesías, quien será un rey-pastor que protegerá y alimentará al rebaño de Dios.

**V. 11.** Al llegar al lugar donde se encontraba Jesús, los magos con gozo y reverencia le brindaron adoración acompañada del ofrecimiento de regalos especiales: oro, incienso y mirra. De esta manera ellos anticiparon la autenticidad del Rey, el perfecto sumo Sacerdote y el supremo Salvador de la humanidad.

# 3 La huida y el regreso de Egipto, Mateo 2:13-15, 19-23.

**V. 13.** Dios utiliza nuevamente un sueño para dar un mensaje urgente a José y le advierte del propósito maligno de Herodes contra Jesús, ordenándole que se traslade a Egipto.

**V. 14.** José, mostrando su nobleza y temor al Señor obedeció la orden inmediatamente.

**V. 15.** Ellos estuvieron en egipto hasta que murió Herodes cumpliéndose de esta forma las palabras de Oseas 11:1, que se refieren a Israel como hijo de Dios, en su liberación del cautiverio Egipcio. Ahora para Mateo, esa profecía es símbolo de Jesucristo, porque no sólo es Hijo de Dios, sino que también personifica al pueblo de Dios.

**Vv. 19, 20.** Por tercera vez, Dios se le revela al obediente José comunicándole que debían regresar de Egipto, ya que había muerto Herodes.

**Vv. 21, 22.** José tomó a su familia y emprendió el regreso a Israel, pero ante la noticia de que en lugar de Herodes reinaba Arquelao, José es advertido por revelación en sueños que no se dirija a Belén, sino a Galilea.

**V. 23.** Se establecieron en Nazaret. De esta manera Mateo explica cómo Jesús nació en Belén de Judea, pero vivió durante su niñez en Nazaret; por eso fue llamado, más tarde, nazareno.

## Aplicaciones del estudio

1. **Jesús es totalmente apto para entender nuestras necesidades.** El fue ciento por ciento divino y ciento por ciento humano. Podemos acercarnos a él con la plena certidumbre de que sabrá comprender nuestras necesidades.

2. **Tenemos una comisión para hablar de Jesús a todos.** Jesús fue rechazado por su propio pueblo, pero aceptado por otras naciones. El vino para salvar a la humanidad de la perdición a causa de sus pecados. Al proveer la salvación, Jesucristo nos comisiona a proclamar su plan redentor a todos y promete estar perpetuamente con nosotros.

## Prueba

1. Escriba las citas del Antiguo Testamento donde se encuentran las profecías cumplidas con relación al Mesías prometido según Mateo 1:18 a 2:23.

_____

_____

_____

2. En tres líneas explique lo que representa para usted el nacimiento de Jesucristo:

_____

_____

### Lecturas bíblicas para el siguiente estudio

**Lunes:** Mateo 3:1-6        **Jueves:** Mateo 3:10-12
**Martes:** Mateo 11:7-15     **Viernes:** Mateo 14:1-8
**Miércoles:** Mateo 3:7-9    **Sábado:** Mateo 14:9-12

# Ministerio y mensaje de Juan el Bautista

**Contexto:** Mateo 3:1-12; 11:7-15; 14:1-12
**Texto básico:** Mateo 3:1-6; 11:9-14; 3:7-12
**Versículo clave:** Mateo 3:2
**Verdad central:** El ministerio y el mensaje de Juan el Bautista prepararon el camino para el establecimiento del reino de los cielos en la tierra, por medio del ministerio de Jesucristo.
**Metas de enseñanza-aprendizaje:** Que el alumno demuestre su conocimiento de los preparativos que se hicieron para el principio del ministerio de Jesús y su actitud de prepararse a sí mismo para ser partícipe en el reino de Jesús hoy en día.

―――――――― **Estudio panorámico del contexto** ――――――――

Juan el Bautista fue precursor inmediato de Jesús. Su misión era preparar el camino al Señor. Sus padres fueron Zacarías y Elizabet, personas piadosas, descendientes de Aarón. La familia de Juan vivía en una localidad de la zona montañosa de Judá. Su nacimiento y ministerio fueron anunciados por el ángel Gabriel a su padre Zacarías. Pasó su juventud en una región desértica al oeste del mar Muerto. Aproximadamente en el año 29 d. de J.C. inició su predicación en el desierto alrededor del río Jordán.

El objetivo de la predicación de Juan era revelar al Mesías en la persona de Jesús. Asimismo, persuadir a las personas al arrepentimiento inmediato, ya que el reino de los cielos se había acercado. Juan bautizaba a las personas que confesaban sus pecados, simbolizando la purificación de sus pecados. Por su tarea de bautizar le dieron el título de "el Bautista". Juan tenía mucha similitud con Elías, respecto a su vestuario, comportamiento y acciones.

Preparó al pueblo para la venida de Cristo y lo reveló como el Cordero de Dios. Tenía influencia sobre el pueblo y denunciaba sus males, incluso hasta al rey Herodes le reprochaba su pecado. Esto le provocó enemigos, encontrándose entre ellos a Herodía, la princesa adúltera que planeó la muerte de Juan, utilizando a su hija, que había impresionado a Herodes con sus danzas, para que pidiera al rey la cabeza de Juan.

El énfasis que presenta Mateo, es que Juan era el profeta en palabra y práctica, resalta la función de precursor enviado por el Padre para que preparara el camino al

Mesías. Juan fue obediente a la profecía y se constituyó como el último profeta. Los ministerios de Juan y Jesús fueron entrelazados en la cadena del propósito del Padre en la historia salvadora. El arrepentimiento y la venida del reino son los puntos esenciales en la proclamación de Juan. Juan fue obediente y dedicado a la proclamación exigente, pese a las circunstancias que estaban en su contra, lo cual le llevó a la muerte.

## Estudio del texto básico

### Lea su Biblia y responda

1. De acuerdo con Mateo 3:1-6, marque con una V la oración verdadera y con una F la oración falsa:

_____ Juan decía que no debían arrepentirse aún.

_____ Juan hacía hincapié en el arrepentimiento inmediato porque el reino se había acercado.

_____ Juan bautizaba en el río Jordán.

_____ Juan se vestía con piel de camello y comía miel silvestre.

2. Según Mateo 11:9-14, ¿Qué decía Jesús respecto de la persona de Juan?

_____

3. Resuma el contenido principal del Mensaje de Juan, según Mateo 3:1-12.

_____

_____

_____

### Lea su Biblia y piense

## 1 El Ministerio de Juan el Bautista, Mateo 3:1-6; 11:9-14.

**V. 1.** La expresión *En aquellos días* se refiere al versículo anterior que da a conocer la residencia de Jesús en Nazaret. Después de más de 20 años Juan aparece predicando cerca del Jordán, en la parte norte del desierto de Judea.

**V. 2.** El contenido de la predicación de Juan se resume en la frase *Arrepentíos porque el reino de los cielos se ha acercado.* Esto implica un cambio radical del pecado a Dios.

**V. 3.** Mateo hace referencia a Isaías 10:3, verificando el ministerio de Juan. Juan era la voz de proclamación y preparación del camino del Señor Jesús.

**V. 4.** La forma de vestir de Juan, el alimento y su forma de actuar lo identificaban con Elías.

**Vv. 5, 6.** La predicación de Juan causó un gran impacto. Atrajo gran cantidad de personas que oían su mensaje aunque algunas especulaban acerca de él. Los que se arrepentían y confesaban sus pecados eran bautizados en el Jordán. El bautismo representaba públicamente la necesidad de ser librados del pecado. El ministerio de Juan era respaldado por la autoridad divina. Su función específica era preparar a las personas como participantes en el reino de los cielos, que ya se acercaba. Juan fue encarcelado por declarar el pecado a todos, incluso el de los de la casa de Herodes. Estando preso envió a sus discípulos a Jesús para confirmar el mensaje mesiánico que él había predicado. Jesús resaltó el papel profético de Juan en el reino.

**11:9, 10.** En su papel profético, Juan fue un mensajero que preparó el camino al Señor. Tuvo la oportunidad de preparar el camino y ver el cumplimiento de lo que había anunciado.

**V. 11.** La grandeza de Juan era incomparable con la de otros profetas, pero eso no le hacía ser el mayor en el reino.

**Vv. 12-14.** Alrededor de Jesús y de Juan se movían personas con intereses negativos. Manipulaban agresivamente las situaciones para tratar de cambiar la dirección del reino hacia una línea política. Jesús aun ensalzando la misión de Juan, les aclara que Juan no es Elías sino que es como Elías.

## 2 El mensaje de Juan el Bautista, Mateo 3:7-12.

**V. 7.** Juan reprende rigurosamente a los saduceos y a los fariseos comparándolos con las serpientes que huyen de los incendios para salvarse.

**V. 8.** Todo arrepentimiento conlleva resultados. Juan les demanda acciones positivas de la confesión de pecados. Las evidencias consisten en llevar buenos frutos.

**V. 9.** Por su tradición judía, los fariseos y saduceos se jactaban de su descendencia abrahámica. Juan les advierte del peligro de depender de su linaje en lugar de su condición espiritual. Asimismo, les previene de que si continúan con su orgullo judío, Dios les excluirá de su reino, e incluirá en su lugar a los gentiles.

**V. 10.** La tradición judía por su legalismo y costumbrismo daba como resultado que se sintieran orgullosos por sus méritos; Juan les advierte que por eso, y por no llevar buen fruto serían cortados.

**V. 11.** Juan llamaba al arrepentimiento exigiendo la limpieza interna de las vidas, por la confesión de los pecados, para que Jesús viniera con el poder del Espíritu Santo, a operar así un verdadero cambio. Juan reconoce la omnipotencia del Señor y se identifica en su relación con él como un siervo indigno.

**V. 12.** En el día del juicio Jesús separará a las personas en dos grupos, los justos de los injustos. Los injustos irán al fuego eterno. El juicio será de acuerdo con su relación con Jesucristo. Los que le aceptaron irán eternamente con él, y los que le rechazaron serán condenados al fuego eterno.

──────────── **Aplicaciones del estudio** ────────────

**1. Nuestra predicación debe llamar a las personas al arrepentimiento.**
La predicación de Juan era concreta, verdadera y directa. Su mensaje llegaba a las personas con efectividad porque estaba respaldado por Dios. En la actualidad

podemos caer en el peligro de presentar el mensaje de salvación en una forma muy superficial, rodeada de aspectos generales que únicamente satisfacen a los oyentes. Se utilizan formas sofisticadas para una presentación positiva del evangelio, y esto no es malo, pero debemos tener cuidado de no presentar entretenimiento a la gente en lugar de persuadirles al verdadero arrepentimiento como lo hacía Juan. El arrepentimiento, la confesión de pecados y la inminencia del reino eran el contenido de la predicación de Juan y debe ser el nuestro en la actualidad, desarrollándolo en forma agresiva y constante.

**2. Debemos mostrar en nuestra vida los frutos del arrepentimiento.** El bautismo de Juan, no era un acto salvador, sino que simbolizaba el arrepentimiento y la confesión de pecados. Nosotros debemos tener claro que nuestro bautismo representa una nueva experiencia con Cristo. Es importante que esa experiencia, sea evidenciada positivamente, de tal forma que motive a otros al arrepentimiento.

**3. En el momento en que aceptamos al Señor Jesucristo como nuestro único Salvador, recibimos el bautismo del Espíritu Santo.** Su presencia nos capacita para desarrollar una vida cristiana victoriosa y nos guía a testificar del cambio operado en nuestra vida. Nuestra relación con Cristo será más estrecha en la medida que dejemos al Espíritu Santo controlar nuestra vida.

## Prueba

1. Escriba en sus palabras lo que dicen los siguientes versículos de Mateo 3:9-12.

v. 9 _____

v. 10 _____

v. 11 _____

v. 12 _____

2. Escriba la letra correspondiente en orden alfabético, los pasos para que una persona llegue a formar parte del reino.

a) _____ Bautizándose     d) _____ Recibiendo a Cristo

b) _____ Confesando sus pecados     e) _____ Predicando a otros

c) _____ Llevando una vida ejemplar     f) _____ Arrepintiéndose

3. Escriba cuatro actividades en que usted participará en el reino.

a) _____

b) _____

b) _____

c) _____

### Lecturas bíblicas para el siguiente estudio

**Lunes:** Mateo 3:13-17        **Jueves:** Mateo 16:24-28

**Martes:** Mateo 4:1-11        **Viernes:** Mateo 17:1-8

**Miércoles:** Mateo 16:21-23        **Sábado:** Mateo 17:9-13

Unidad 1

# Bautismo y tentaciones
# de Jesucristo

**Contexto:** Mateo 3:13 a 4:11
**Texto básico:** Mateo 3:13-17; 4:1-11
**Versículo clave:** Mateo 4:4
**Verdad central:** Por medio del poder del Espíritu Santo, Jesús triunfó sobre las tentaciones en su ministerio.
**Metas de enseñanza-aprendizaje:** Que el alumno demuestre su conocimiento de la naturaleza del bautismo y las tentaciones de Jesús y su actitud de ser inspirado por el Espíritu Santo para encarar hoy las tentaciones en la vida cristiana.

## Estudio panorámico del contexto

1. El bautismo de Jesús, Mateo 3:13-17
2. La tentación de Jesús, Mateo 4:1-11
3. Las tentaciones de Jesús repetidas más tarde, Mateo 16:21 a 17:13

El Jordán es el río más importante de Palestina. En sus corrientes era donde Juan bautizaba. Su bautismo era una representación del arrepentimiento de los pecados y el inicio de una nueva condición espiritual.

Los judíos bautizaban solamente a los prosélitos, personas de origen pagano que ingresaban al judaísmo. Estos debían bautizarse, según porque sus vidas eran inmundas a causa del pecado. Ningún judío se consideraba pecador, porque, según ellos, su linaje abrahámico los libraba de esa condición. Con la predicación de Juan el Bautista, respaldada por Dios, los judíos comenzaron a reconocer sus pecados y la necesidad de Dios.

Durante treinta años Jesús había pasado su vida privada en Nazaret. En ese período había madurado gradualmente para la realización de su obra pública y estaba a la espera del tiempo señalado por el Padre.

Llegada la hora indicada, Jesús se dirigió al Jordán, para ser bautizado por Juan, confirmando e iniciando así su ministerio. Inmediatamente después de su bautismo, Mateo presenta la tentación de Jesús, que se inicia encontrándose él en el desierto.

Mateo presenta el bautismo de Jesús resaltando el acercamiento del reino, y la confirmación mesiánica acerca de Jesús. Jesús resistió las tres tentaciones por su absoluta obediencia y fidelidad a Dios, él se encontraba ya capacitado por el poder

133

del Espíritu Santo.

Lo que quería Satanás al tentar a Jesús, era que:

a. Usara el poder otorgado, satisfaciendo necesidades físicas.
b. Realizara manifestaciones espectaculares, demostrando su papel mesiánico.
c. Que obtuviera el gobierno de un reino temporal.

## Estudio del texto básico

**Lea su Biblia y responda**

1. Analice Mateo 3:13-17, y conteste lo siguiente:

a. ¿Por qué Juan no quería bautizar a Jesús?

b. Según Jesús, ¿por qué Juan debía bautizarlo?

2. Lea Mateo 4:1-11 y escriba las tres tentaciones de Jesús:

a. _____

b. _____

c. _____

**Lea su Biblia y piense**

# 1 El bautismo de Jesús, Mateo 3:13-17.

**V. 13.** Jesús se identificó con la predicación y el bautismo que realizaba Juan. Se presentó no como un pecador, sino en un acto de obediencia para confirmar el mensaje de Juan.

**V. 14.** Juan reconoció la superioridad de Jesús; identificó su perfección por lo que sabía que no necesitaba de ninguna purificación, más bien Juan necesitaba ser bautizado por él para entrar en el reino.

**V. 15.** En cumplimiento de su ministerio, respecto al plan divino, era necesario que Jesús se sometiera a la justicia y cumplimiento de la ley, identificándose así con aquellos que venía a salvar. Jesús le explica esto a Juan, quien al fin le obedeció en humildad y le bautizó.

**V. 16.** Jesús se entregó en obediencia al bautismo de Juan, e inmediatamente se confirmó su misión salvadora. Juan esperaba la señal que se le había predicho como prueba de que Jesús era el Mesías. Ahora, dicha señal se cumplía.

**V. 17.** Además del cumplimiento de la señal de que Jesús era el Mesías, Dios proclamó la autenticidad del Salvador, testificando la relación íntima entre el Padre y su Hijo amado. Dios encontró complacencia en Jesús por su obediencia absoluta, hasta el punto de ser el medio por el cual se desarrollaría el plan de salvación. La voz de Dios confirmó el contenido de Isaías 42:1 y Salmo 2:7, que indican que Jesucristo reinaría como el siervo sufriente.

# 2 La tentación de Jesús, Mateo 4:1-11.

**V. 1.** Jesús fue llevado por el Espíritu al desierto, porque le era necesario enfrentar y vencer la tentación. El Espíritu Santo lo guió para probar su fe, pero el maligno aprovechó la situación insinuándole a hacer mal uso del poder recibido y desobedecer a Dios. La palabra "tentación" puede entenderse de dos maneras: una positiva que es para probar, con referencia a Dios en su trato con las personas; y otra negativa en relación con la maldad, que implica inducir al pecado.

**Vv. 2, 3.** El diablo actuó con base en las debilidades del ser humano. Jesús se había abstenido absolutamente del alimento, durante cuarenta días y cuarenta noches. Esto lo había hecho como parte de su preparación. En su naturaleza humana tuvo hambre y ante dicha necesidad Satanás le tienta sutilmente. Esta tentación se relaciona con los deseos del cuerpo físico.

**V. 4.** Satanás no dudó de la divinidad de Jesús, pero la mencionó para que el Hijo hiciera uso de su poder divino en beneficio propio. Jesús experimentó la necesidad física, pero tenía como prioridad la necesidad espiritual. Asimismo, la victoria sobre la tentación reveló la dependencia, obediencia y fidelidad de Jesús a Dios. Elureino no satisfaría solamente las necesidades físicas, sino que lo haría también con las espirituales.

**V. 5.** La segunda tentación se verificó en la parte más alta del templo de Jerusalén. Los judíos con su culto y adoración en el templo, esperaban la venida del Mesías prometido.

**Vv. 6, 7.** El diablo tentó a Jesús a descender físicamente sobre el templo. Le cita, fuera de contexto las palabras del Salmo 91:11, 12. El propósito de Satanás era que Jesús dudara de las promesas divinas. Pero Jesús confiaba plenamente en la fidelidad del Padre. En lugar de complacer al enemigo, Jesús le reprendió, citándole Deuteronomio 6:16, para exigir que no tentara a Dios Padre. Esta tentación está dirigida a la mente que se aflige dudando de la fidelidad de Dios.

**Vv. 8, 9.** En su condición de príncipe de este mundo, Satanás ofreció a Jesús todos los reinos políticos. Le solicitó que a cambio le reconociera su señorío satánico. De esta forma sugirió a Jesús a violar el primer mandamiento de Moisés. Esta tentación está dirigida al alma, refiriéndose al peligro de la vanagloria y el egoísmo.

**V. 10.** Ante la situación extremada de Satanás, Jesús, con su autoridad divina le reprendió y le ordenó que se fuera. Es interesante señalar que Jesús utilizó correctamente las Escrituras, resaltando que la adoración y el servicio deben ser sólo para Dios.

**V. 11.** Jesús venció las tentaciones de Satanás utilizando con autoridad y sabiduría del Espíritu Santo la Palabra de Dios. El Padre le confirmó su fidelidad y obediencia, enviándole ángeles inmediatamente para que le sirvieran. Satanás le dejó en ese momento, pero no en forma permanente, pues le tentó en otras ocasiones durante su ministerio terrenal. El diablo tenía como fin obstaculizar la misión de Jesucristo.

──────────── **Aplicaciones del estudio** ────────────

**1. El Espíritu Santo nos capacita para desarrollar un nuevo estilo de vida.** Como cristianos sabemos que al aceptar a Jesucristo como nuestro Salvador, somos capacitados por el Espíritu Santo, a iniciar y desarrollar un nuevo estilo de vida. A través del bautismo, realizamos un acto de obediencia que representa nuestro arrepentimiento al pecado. Simboliza que hemos renunciado a nuestra vieja manera de vivir, y que a través de Cristo iniciamos una nueva condición espiritual.

**2. En la medida que nos sometamos al señorío de Cristo podremos vencer las tentaciones.** Es necesario que con la dirección del Espíritu Santo nos identifiquemos con otros cristianos, reflejando un crecimiento espiritual constante y una dependencia absoluta del Señor. El hecho de que el Espíritu Santo habita en nosotros, no significa que las tentaciones no se presenten en nuestra vida. La actividad maléfica del diablo continuará, mientras estemos en esta tierra, su propósito es obstaculizar nuestra relación con Dios y evitar nuestra participación en el reino.

**3. Las necesidades espirituales tienen prioridad.** Cuando no dejamos actuar plenamente al Espíritu Santo en nuestra vida, caemos fácilmente en las trampas del diablo, ya que con nuestro propio esfuerzo es imposible rechazarlo. Bajo la dirección del Espíritu Santo podemos dar prioridad a nuestras necesidades espirituales para salir triunfantes y victoriosos ante las tentaciones.

## Prueba

1. Mencione y escriba una breve explicación de las tentaciones de Jesús, según Mateo 4:1-11.

a) Tentación: _____
   Explicación _____
b) Tentación: _____
   Explicación _____
b) Tentación: _____
   Explicación _____

2. En forma lógica y concreta escriba dos maneras como podemos hacer frente a las tentaciones hoy:

_____
_____

3. Redacte una meta personal que le ayude a encarar las tentaciones.

_____
_____

### Lecturas bíblicas para el siguiente estudio

**Lunes:** Mateo 13:53-58          **Jueves:** Mateo 4:23-25; 5:1, 2
**Martes:** Mateo 4:12-17          **Viernes:** Mateo 7:28, 29
**Miércoles:** Mateo 4:18-22       **Sábado:** Mateo 9:32-38

**Unidad 1**

# Lanzamiento del movimiento

# del reino

**Contexto:** Mateo 4:12-25; 5:1, 2; 7:28, 29; 9:32-38; 13:53-58
**Texto básico:** Mateo 4:12-25
**Versículo clave:** Mateo 4:23
**Verdad central:** En cumplimiento fiel de la profecía y en obediencia al Padre tocante al reino, Jesús inicia su ministerio en Galilea.
**Metas de enseñanza-aprendizaje:** Que el alumno demuestre su conocimiento de los factores envueltos en el principio del ministerio de Jesús en Galilea y su actitud de enseñar, predicar y sanar el día de hoy.

## ———— Estudio panorámico del contexto ————

1. Jesús es rechazado en Nazaret, Mateo 13:53-58
2. Jesús inicia su ministerio en Galilea, Mateo 4:12-17
3. Jesús llama a los primeros discípulos, Mateo 4:18-22
4. Jesús enseña, predica y sana en Galilea, Mateo 4:23-25; 5:1, 2; 7:28, 29; 9:32-38.

Capernaúm era una ciudad de Galilea que se encontraba situada en la región de Zabulón y Neftalí, sobre la ribera noroeste del mar de Galilea. En este lugar Jesús residió al venir de Nazaret.

Galilea era la región más fértil y septentrional de Palestina, estaba en el norte desde el río Letania hasta el sur en la llanura de Esdraelón, limitaba al noroeste con Siria y al oeste con el mar de Galilea. La región de Galilea no era extensa, su extensión era más de 96 kilómetros de longitud norte sur y 40 kilómetros de anchura.

Históricamente Galilea fue conquistada varias veces. Una cantidad considerable de sus pobladores habían sido deportados por los asirios. La mayor parte de sus habitantes no eran judíos, por lo que contaba en su seno con una mezcla de razas. Por su ubicación geográfica, Galilea estaba atravesada por las grandes rutas del mundo, recibiendo de esa forma influencias de todo tipo.

A pesar de que Galilea ocupaba un territorio escaso, se encontraba superpoblada por distintos grupos de personas. Las características generales de Galilea le hacían ser el lugar idóneo para que Jesús iniciara allí su ministerio, ya que sus habitantes eran accesibles a nuevas ideas.

Mateo presenta el inicio del reino de Dios en la tierra a través del ministerio de Jesús. Jesús principia proclamando el arrepentimiento por la inminencia de la venida del reino.

Jesús llamó y capacitó a sus discípulos para que desarrollaran una efectiva participación en el reino. Asimismo, Mateo resalta las acciones que desarrolló Jesús como parte de su ministerio. Dichas acciones fueron enseñar en las sinagogas, a pesar de que los judíos lo rechazaban; proclamar las buenas nuevas, satisfaciendo las necesidades espirituales; y sanar a los enfermos atendiendo los problemas físicos. El reino incluía a todas las personas y estaba destinado a satisfacer las necesidades espirituales y materiales del ser humano.

## Estudio del texto básico

**Lea su Biblia y responda**

1. Relacione los sucesos descritos en Mateo 4:12-16 y escriba la parte de la profecía que se estaba cumpliendo:

_____

2. Escriba la cita correcta de Isaías donde se encuentra la profecía antes mencionada:

_____

3. Escriba el nombre de los discípulos que llamó Jesús según Mateo 4:18-22 y la ocupación de cada uno de ellos.

a. Nombre _____ Ocupación _____
b. Nombre _____ Ocupación _____
c. Nombre _____ Ocupación _____
d. Nombre _____ Ocupación _____

4. Escriba brevemente la relación de pescadores respecto al reino.

_____

**Lea su Biblia y piense**

## 1 Jesús inicia su ministerio en Galilea, Mateo 4:12-17.

**Vv. 12, 13.** La actividad divina asignada a Juan había llegado a su fin, Herodes Antipas lo encarceló y ante esta situación Jesús abandona Nazaret por lo que regresa a Galilea ubicándose en Capernaum.

**V. 14.** Mateo resalta el cumplimiento de la profecía de Isaías 9:1, la referencia al cumplimiento no es tanto por el lugar geográfico sino por el advenimiento de la luz de Cristo a la humanidad que andaba en tinieblas espirituales, las cuales en ese momento eran representadas por los pobladores de Galilea.

**V. 15.** Por circunstancias políticas, Galilea era habitada por diferentes grupos raciales, los cuales en su mayoría no eran judíos. Por su tradición legalista, los judíos excluían a dichas personas, pero ahora Jesús incluiría a todos en su reino.

**V. 16.** Jesús traía la luz de la salvación, rescatando a los que andaban en tinieblas. A los que moraban en sombra de muerte les impartía la vida eterna.

**V. 17.** Jesús inicia su predicación exponiendo el mensaje de Juan, su precursor. El énfasis principal de Jesús era persuadir a las personas al arrepentimiento, comunicándoles a la vez el establecimiento del reino.

## 2 Jesús llama a los primeros discípulos, Mateo 4:18-22.

**V. 18.** El mar de Galilea era un sitio populoso de la región de Galilea; allí zarpaban y anclaban barcos pesqueros. Las actividades laborales consistían en su mayoría en la pesca. Los pescadores se caracterizaban por ser personas que no habían recibido una gran instrucción académica ni constituían un grupo socioeconómico elevado. Dentro de esta clase de personas excluidas por los judíos Jesús llama a Pedro y Andrés, quienes respondieron inmediatamente a su llamado. Es probable que su respuesta fue así porque ya tenían previo conocimiento de Jesús pues en Juan 1:32-42 son mencionados como discípulos de Juan.

**V. 19.** La invitación que Jesús les hacía era para que ellos le hicieran una entrega total de sus vidas, lo que requería una lealtad absoluta de su parte. Asimismo, Jesús se ofreció como una promesa para que unidos a él alcanzaran a otros hombres para traerlos al reino.

**Vv. 20-22.** Mateo enfatiza la respuesta inmediata de los discípulos en seguir a Jesús. Pedro y Andrés abandonaron sus redes, Jacobo y Juan dejaron la barca y a su padre. Las cosas a que ellos renunciaron eran diferentes, pero la demanda y condiciones eran las mismas para los cuatro.

## 3 Jesús enseña, predica y sana en Galilea, Mateo 4:23-25.

**V. 23.** En Galilea existían las sinagogas que eran los lugares donde se llevaba a cabo el culto local de los judíos. La sinagoga fue uno de los lugares donde Jesús predicó enseñando las buenas nuevas del reino, pero los judíos rechazaron su predicación. A pesar de eso, Jesús reveló la naturaleza del reino a través de sus ministerios de enseñanza, predicación y sanidad, satisfaciendo toda necesidad mental, espiritual y corporal.

**Vv. 24, 25.** Los hechos de Jesús impactaron en alto nivel, atrajeron tanto a los incluidos como a los excluidos. La mayoría de las personas que venían a él eran gentiles que deseaban llenar toda clase de necesidades. El reino incluía a todas las personas y satisfacía toda necesidad humana.

# Aplicaciones del estudio

**1. Jesús incluye en su reino a toda clase de personas.** El Señor llama a sus discípulos con el propósito de extender su reino. El llamado del Señor al discipulado es también para nosotros. Demanda una entrega absoluta de nuestro ser; de su parte, él promete estar con nosotros en las acciones que realicemos en pro del reino. De esta manera el evangelio estará accesible a todas las personas en todo lugar.

**2. Muchos cristianos no reconocen la importancia de una entrega total.** Dicha ignorancia propicia que se desarrollen actividades de compromiso que sólo los satisfacen a ellos mismos, pero no cumplen con el propósito de extender el reino. Al mismo tiempo, la calidad del crecimiento y su permanencia deben ser la obra del Espíritu Santo y no de nosotros en lo particular.

**3. Debemos responder decididamente.** La respuesta dinámica e inmediata que dieron los primeros discípulos debe ser nuestro reto para que de igual manera dejemos en último término las cosas materiales y pongamos en primer lugar el quehacer espiritual.

**4. Nuestro compromiso con el reino debe ocupar el primer lugar de nuestra vida.** En la actualidad algunas personas quieren pertenecer al reino, pero se rehúsan a participar activamente en él. Para ellos el materialismo es la prioridad en su vida, dejando el aspecto espiritual en último lugar.

**5. Jesús demanda una entrega total y no parcial.** Debemos preocuparnos cada día por cumplir con fidelidad dicha demanda, recordando que no estamos solos sino que el Espíritu Santo nos capacita para lograrlo otorgándonos dones.

# Prueba

1. Según las características de los habitantes de Galilea (casi nadie era judío) explique lo que representa esto en el reino:

_____

_____

2. Explique en qué forma los cristianos pueden enseñar, predicar y sanar en la actualidad:

_____

_____

### Lecturas bíblicas para el siguiente estudio

**Lunes:** Mateo 5:1, 2
**Martes:** Mateo 5:3-7
**Miércoles:** Mateo 5:8-12

**Jueves:** Mateo 5:13-16
**Viernes:** Mateo 5:17-32
**Sábado:** Mateo 5:33-48

**Unidad 2**

# El camino del discípulo

**Contexto:** Mateo 5:1-48
**Texto básico:** Mateo 5:1-16
**Versículo clave:** Mateo 5:16
**Verdad central:** Jesús enseñó que una vida feliz y de influencia sólo es posible por la práctica de los principios del reino.
**Metas de enseñanza-aprendizaje:** Que el alumno demuestre su conocimiento del significado de una vida feliz y de influencia en Jesucristo y su actitud de mejorar un área específica de su vida de acuerdo con las enseñanzas del Señor.

## ——— Estudio panorámico del contexto ———

1. El Sermón del monte, Mateo 5:1, 2
2. El camino de la felicidad en el reino, Mateo 5:3-12
3. El camino de la influencia en el reino, Mateo 5:13-16
4. El camino del privilegio y la responsabilidad, Mateo 5:17, 18

Mateo se caracteriza por ser un excelente coleccionista y ordenador sistemático de las enseñanzas de Jesús. En el capítulo cinco presenta las enseñanzas que Jesús impartió a muchas personas, pero específicamente a sus discípulos, en su etapa de preparación.

El método que utilizó Jesús en esta enseñanza es especial. Para los judíos, un maestro profesional que enseñaba con autoridad aspectos de suma importancia, debía estar sentado. Por esa razón Jesús enseña así, tomando la postura de un rabino.

El contenido de estas enseñanzas es la esencia de la doctrina de Jesús respecto a las demandas del discipulado en el reino. Jesús inicia su enseñanza *abriendo su boca*, dicha expresión significa que es usada como prefacio de una declaración específicamente importante, que se refiere a lo expresado por alguien que ha abierto su corazón y muestra los contenidos más íntimos de su ser.

La expresión *les enseñaba diciendo*, literalmente significa "esto es lo que acostumbraba enseñarles", de esta forma comprendemos que el Sermón del monte no es una exposición evangelística, ni la presentación de leyes para la iglesia cristiana, sino una presentación de los principios que habrían de caracterizar el reino mesiánico de Cristo.

En el Sermón del monte, Jesús enfatiza en la felicidad que se obtiene al participar en el reino.

**Lea su Biblia y responda**

1. Analice Mateo 5:1-11 y escriba las características de los súbditos del reino, que reciben felicitación de Jesús.

_____

_____

_____

_____

_____

_____

2. Lea Mateo 5:13-16 y escriba las dos comparaciones que hace Jesús respecto a cómo deben ser las personas que participan en el reino:

_____

_____

**Lea su Biblia y piense**

# 1 El Sermón del monte, Mateo 5:1, 2.

**V. 1.** Los montes simbolizaban un lugar de autoridad, por lo que en este caso es el sitio donde se impartiría con autoridad la enseñanza trascendental de Jesús a los súbditos del reino. El discurso de Jesús estaba dirigido específicamente a sus discípulos, y su fin era capacitarlos en el quehacer asignado. Esto, sin embargo, no significaba que se excluía a la multitud, ya que ellos también escuchaban las enseñanzas y aprendían acerca del reino.

**V. 2.** Les enseñaba para que conocieran las demandas y características que debían llenar los participantes en el reino, así como la felicidad que obtendrían como resultado de su participación.

# 2 El camino de la felicidad en el reino, Mateo 5:3-12.

**V. 3.** La palabra _bienaventurado_ se refiere a una felicitación de parte de Jesús, por llenar alguna característica especial, que hace a una persona apta para el servicio activo del reino. La palabra "pobreza" no se refiere a la escasez de bienes materiales, sino a una actitud espiritual que reconoce la incapacidad de resolver por sí solo las situaciones de la vida, que se satisfacen únicamente a través de la intervención de Dios. Este aspecto previene el concepto intelectual de autosuficiencia del hombre.

**V. 4.** El llorar se refiere al aspecto emotivo del ser humano. Es un sentimiento que se produce como resultado de la pobreza espiritual. La persona que se apena desesperadamente por su propio pecado, experimenta dolor por su situación y llega al arrepentimiento.

**V. 5.** La palabra _mansos_ destaca una actitud de sumisión absoluta que proyecta un servicio leal. En este sentido el discípulo debe estar gobernado completamente por Dios, para así desempeñar un servicio eficaz en su reino. La sumisión no se puede alcanzar sin una auténtica humildad que destrone el orgullo humano. Esta forma de vida hace que los mansos sean influyentes en donde quiera que estén.

**V. 6.** La frase: *hambre y sed de justicia,* significa un anhelo intenso de rectitud personal y por consiguiente de justicia y equidad en todos los aspectos de la humanidad. Estas personas quieren alcanzar la victoria de la justicia en la tierra, el triunfo del bien sobre el mal. Todo esto es como una necesidad de hambre que debe ser satisfecha, la cual será saciada en el reino.

**V. 7.** Los *misericordiosos,* identifican la importancia de obrar el bien, porque ya recibieron la misericordia de Dios. La misericordia tiene dos vías, una es abrirse para recibir y la otra para dar, tanto para Dios como para el prójimo.

**V. 8.** *Corazón limpio,* se refiere al aspecto interno, el cual es reflejado por las actitudes externas. Los de limpio corazón se deleitan desde aquí en la tierra en su comunión con Dios y le verán inmediatamente un día en la hermosura suprema de su perfección, cuando Cristo regrese por sus fieles servidores. Los de limpio corazón gozan de la integridad de Dios, en contra de la duplicidad de intereses y lealtades pasajeros.

**V. 9.** *Los que hacen la paz,* se refiere al desarrollo de acciones por el bienestar del hombre. No es una actitud pasiva, de evadir los conflictos, sino que es una actitud decidida a enfrentarlos y vencerlos, con el fin de que las personas alcancen felicidad en todos sus aspectos. Los que hacen paz, velan por restaurar orden, reconcilian y encauzan el amor en las relaciones humanas.

**Vv. 10-12.** Los discípulos al ingresar al reino, habían experimentado un cambio radical en su vida, provocando diferencias positivas en sus relaciones familiares, sociales, laborales y políticas, ya que ahora tenían un nuevo estilo de vida. Todo esto les causaba crítica, rechazo e incluso persecución pero a través de enfrentar dichas situaciones demostraban su lealtad al Señor, enriqueciendo su unión en Cristo. Jesús felicita a los que son perseguidos por causa de él.

# 3 El camino de la influencia en el reino, Mateo 5:13-16.

**13.** Pureza, preservación y sabor, eran las cualidades que se le daba a la sal en el tiempo de Jesús. Cuando la sal era adulterada, perdía completamente su valor y utilidad, así que debía ser íntegra o no era sal. Jesús utiliza la sal como ejemplo, enfatizando la pureza e integridad que deben tener sus discípulos con relación a su vida espiritual y por consiguiente en relación con los demás. De esa manera podían ser influyentes en la tierra. También les advirtió del peligro de ser algo solamente en apariencia.

**V. 14.** La razón de algo que brilla o sobresale es que se vea. El cristianismo sin evidencias positivas no es efectivo.

En el discipulado no hay lugar para alguien que quiera ser participante secreto.

**V. 15.** La luz sirve de guía, por eso se compara al cristianismo con ella. Por lo tanto debe mantener una influencia que oriente a los demás a llegar a formar parte del reino.

**V. 16.** Jesús demanda que el discípulo sea influyente en todas partes, evidenciando la naturaleza del reino.

## Aplicaciones del estudio

**1. El discipulado demanda servicio.** Algunos que se hacen llamar cristianos, consideran que el contenido del Sermón del monte, fue sólo una enseñanza para los primeros discípulos. Estas personas quieren recibir los privilegios del reino, como son la felicidad y bendiciones de Dios, pero rehúsan participar activamente en el servicio del reino.

**2. Necesitamos someternos al señorío de Cristo.** El discipulado no sólo ofrece promesas, también incluye condiciones. Como discípulos debemos asumir una actitud de negarnos a nosotros mismos, evitando nuestra autosuficiencia y sometiéndonos absolutamente al Señor. Asimismo, es importante caracterizarnos por ser verdaderamente humildes sinceramente que nos lleve a una entrega completa en servicio fiel y disciplinado al Señor.

**3. El cristiano es promotor de la justicia y la paz.** En las relaciones sociales y laborales hay peligro de caer en injusticia y ser causantes de conflictos. Es necesario y urgente que en una dependencia del Espíritu Santo en nuestra vida, propiciemos la justicia y reconciliación por la paz en las personas que están a nuestro alrededor.

## Prueba

1. Lea Mateo 5:3-12 y escriba el título y explicación de cada Bienaventuranza:

|  | TITULO | EXPLICACION |
|---|---|---|
| a) | | |
| b) | | |
| c) | | |
| d) | | |
| e) | | |
| f) | | |
| g) | | |
| h) | | |
| i) | | |

2. Formule una meta personal que le ayude a ser como luz y sal en la tierra:

## Lecturas bíblicas para el siguiente estudio

**Lunes:** Mateo 6:1-4
**Martes:** Mateo 6:5-15
**Miércoles:** Mateo 6:16-18

**Jueves:** Mateo 6:19-21
**Viernes:** Mateo 6:22-24
**Sábado:** Mateo 6:25-34

**Unidad 2**

# El cumplimiento del discipulado

**Contexto:** Mateo 6:1-34
**Texto básico:** Mateo 6:1-18
**Versículo clave:** Mateo 6:1
**Verdad central:** Jesús desafió a sus seguidores a practicar un nuevo estilo de vida al aplicar sus enseñanzas a sus motivaciones y prioridades.
**Metas de enseñanza-aprendizaje:** Que el alumno demuestre su conocimiento de las enseñanzas de Jesús para la vida en el reino y su actitud de evaluar sus motivaciones y prioridades personales.

--- **Estudio panorámico del contexto** ---

1. Las motivaciones en la vida religiosa, Mateo 6:1-18
   a. La actitud al dar, Mateo 6:1-4
   b. La actitud al orar, Mateo 6:5-15
   c. La actitud al ayunar, Mateo 6:16-18

2. Las prioridades frente a las posesiones materiales, Mateo 6:19-34
   a. La acumulación de posesiones, Mateo 6:19-21
   b. Las alternativas de posesiones, Mateo 6:22-24
   c. Las ansiedades de posesiones, Mateo 6:25-34

La tradición judía observaba tres actos en su religión, a saber: la limosna, la oración y el ayuno. El legalismo y tradicionalismo que caracterizaba la religión judía hacía que estas acciones tuvieran como fin resaltar a la persona y no para glorificar a Dios cumpliendo su justicia.

Dar limosna significaba un acto de benevolencia, dirigido a los desposeídos, esto formaba parte de la justicia del verdadero judío.

El medio por el cual los judíos se comunicaban con Dios era a través de la oración. Por lo general oraban de pie, aunque también lo hacían de rodillas, lo cual, señalaba una mayor devoción. Como señal de humillación oraban postrándose con el rostro hacia el suelo y mostraban su arrepentimiento al golpearse el pecho acusándose ante Dios.

El ayuno era un período determinado de tiempo en que se abstenían de tomar alimentos. La ley judía había establecido el ayuno una vez al año en el día de expiación. Pero los fariseos lo hacían dos veces por semana como muestra de que ellos querían ser más piadosos. El ayuno en el Antiguo Testamento era proclamado en tiempos de calamidad y su objetivo era el de afligir el alma y dar fuerza a la oración.

La auténtica justicia podía ser expresada por las limosnas, la oración y el ayuno; pero con el fin de engrandecer el nombre de Dios, y nunca como una satisfacción egocéntrica de la persona que lo practicaba.

Anteriormente Jesús les había advertido sobre la importancia de seguir una justicia verdadera que se distinguiera de la aparente justicia que guardaban los fariseos y los escribas.

La justicia es el tema que Jesús resalta en el contenido del capítulo seis de Mateo, advirtiendo el peligro de la ostentación del ser humano al practicar la justicia.

Cuando alguien practica las obras de justicia con intención de ser ensalzado pierde el verdadero valor y significado de su acción. Jesús recalca que la persona que actúa así, realmente recibirá su recompensa al ser admirada por sus semejantes, pero perderá la recompensa de Dios.

## ———— Estudio del texto básico ————

### Lea su Biblia y responda

1. Según Mateo 6:1-15, ¿cuál es la advertencia principal de Jesús?

_____

_____

2. Analizando el mismo pasaje anote las tres acciones que estaban realizando en mala forma los judíos:

a) _____  b) _____

c) _____

### Lea su Biblia y piense

## 1 Motivaciones en la vida religiosa, Mateo 6:1-8.

**V. 1.** La tradición judía es condenada por hacer la justicia con el único fin de impresionar y ser glorificados por los hombres. La justicia exhibicionista trae consigo su propia paga, la cual es momentánea y pasajera, por lo que Dios no interviene ni reconoce nada en ella.

**Vv. 2-4.** Todo discípulo debe brindar misericordia a los demás, pero no buscando ser honrado por los que reciben la misericordia, cuando se ofrenda no debe hacerse pensando en recibir, sino en una actitud de compartir con otros por el agradecimiento a Dios de lo que hemos recibido de él.

La frase: *tocar trompeta*, se refiere a la actitud hipócrita de dar limosna públicamente con el fin de ser vistos por las personas y por consiguiente ser ensalzados, situación que por el egocentrismo de la naturaleza humana se convierte en tentación. Ante dicha situación Jesús orienta a sus discípulos a realizar las obras de misericordia en secreto, es decir que se hagan con una actitud sincera y personal que se caracterice por una auténtica discreción. El servicio genuino lleva en sí su recompensa, y la recompensa se proporcionará con base a la actitud de no esperar la recompensa.

146

Jesús exhorta a que el discipulado brinde misericordia en una actitud sincera glorificando únicamente a Dios.

**Vv. 5, 6.** Jesús no estaba condenando la oración pública, sino el exhibicionismo vanidoso. El sistema de oración judía motivaba fácilmente a ser ostentoso, para ser vistos por los demás. Jesús les está previniendo nuevamente del peligro de actuar para satisfacerse ellos mismos, alcanzando ensalzamiento por los hombres que les veían y escuchaban. Ellos habían dejado a un lado el objetivo principal de la oración que es una comunicación estrecha entre criatura y creador. Ante la pérdida del fin principal de la oración Jesús les recomienda que asuman una actitud diferente, caracterizada por la autenticidad en la oración dirigida exclusivamente a Dios, y que la mejor forma para hacerlo es en secreto.

**Vv. 7, 8.** Los judíos utilizaban muchas repeticiones en la oración. Las adornaban con expresiones especiales aprendidas que, según ellos, no sólo impresionaban a las personas que les escuchaban, sino que también influían hasta el punto de que Dios se satisficiera y cambiara su voluntad. Todo esto se convertía en una saturación de palabras. Para ellos era más importante la forma de su oración que la actitud con que se oraba. La oración debe ser un acto que surge de una relación personal con el Padre, y debe ser espontánea, natural y nunca repetida.

## 2 El Padre nuestro, Mateo 6:9-18.

**V. 9.** Jesús enseña a orar correctamente, eliminando el individualismo; reemplazando el singular por el plural; en lugar de mío usa nuestro, lo que demuestra que la oración también es un modelo de unidad. Jesús muestra la importancia de reconocer la santidad de Dios, y dirigirse a él con una actitud reverente. Asimismo, resalta la trascendencia e inmanencia de Dios en relación con los hombres: a la vez que está en el cielo, está cerca de las personas.

**V. 10.** La venida del reino, ilustra la verdad de que la humanidad llegará a alcanzar el reino de Dios. Este ya se había acercado con el principio del ministerio de Jesús y cada suceso en su carrera era un adelanto en su venida hasta la consumación total. Jesús resalta la importancia de pedir a Dios que su reino siga llengando a todas las personas. Asimismo, enseña a solicitar el cumplimiento de su voluntad en la historia humana, armonizando así la realidad celestial con la terrenal.

**V. 11.** Después de buscar la respuesta a las necesidades de carácter espiritual, viene la súplica por la provisión física. Aquí se evidencia el reconocimiento de que es únicamente Dios el que provee los medios para alcanzar la alimentación del ser humano día a día. En el reino son saciadas toda clase de necesidades humanas, porque Dios se interesa en el bienestar integral de la humanidad.

**V. 12.** El perdón de Dios canaliza el perdón a otros. El no perdonar, impide ser perdonado. El perdón es indispensable en el discipulado, ya que si se desea obtener el perdón de Dios, dicho perdón debe ser reflejado previamente a los demás. Para proyectar el perdón hacia los demás el discípulo debe comprender, olvidar y amar.

**V. 13.** Sin el poder divino el discípulo es incapaz de hacer frente y salir victorioso ante las tentaciones del diablo. Es necesario solicitar la intervención divina para desechar el mal. La oración finaliza resaltando la omnipotencia, omnisciencia y omnipresencia de Dios.

**Vv. 14, 15.** El perdón es esencial en el compañerismo de los que están dentro del reino, así como en su proyección con los de afuera. El perdón divino enseña al discípulo a perdonar a otros, y ese perdón otorgado a otros refleja el perdón de Dios.

**Vv. 16-18.** Jesús nuevamente pone énfasis en el principio de reserva y recompensa espiritual. El no está anulando el ayuno, sino que instruye que éste se haga con una actitud sincera como reflejo de la necesidad espiritual y comunión con el Señor y no como una muestra de aparente piedad para que los hombres se ensalcen.

## Aplicaciones del estudio

**1. Nuestro servicio en el reino debe ser espontáneo y sincero.** La tendencia natural del ser humano es sentir satisfacción cuando es admirado por los demás, ya que esto le hace sobresalir en el campo donde se desenvuelve. Esto suele suceder también con los cristianos cuando pierden de vista el sentido real del servicio. Dios demanda de nosotros un servicio espontáneo, sincero y natural.

**2. El perdón es un aspecto importante que debe caracterizar a los participantes en el reino.** Este perdón debe ser proyectado en amor sincero como muestra del perdón de Dios en nuestras vidas. A través del perdón se enriquecen las relaciones interpersonales entre los cristianos y por ende reflejan amor mutuo que influye en los que aún no son cristianos.

## Prueba

1. Escriba una explicación acerca de las enseñanzas principales de Jesús a sus discípulos aplicándolo a nuestra época, según Mateo 6:1-18:

_____

_____

_____

2. Haga una lista de tres personas que lo hayan ofendido en alguna ocasión. Escriba el daño que le causaron, y en actitud de oración, exponga cómo les demostrará su perdón:

|  | Nombre | Daño | Forma en que perdonará |
|---|---|---|---|
| a) | | | |
| b) | | | |
| c) | | | |

### Lecturas bíblicas para el siguiente estudio

**Lunes:** Mateo 7:1-6
**Martes:** Mateo 7:7-11
**Miércoles:** Mateo 7:12

**Jueves:** Mateo 7:13, 14
**Viernes:** Mateo 7:15-20
**Sábado:** Mateo 7:21-27

**Unidad 2**

# La conducta del discípulo

**Contexto:** Mateo 7:1-27
**Texto básico:** Mateo 7:1-12, 21-27
**Versículo clave:** Mateo 7:12
**Verdad central:** Jesús demanda que sus discípulos apliquen sus enseñanzas en sus actividades y relaciones personales.
**Metas de enseñanza-aprendizaje:** Que el alumno demuestre su conocimiento de las enseñanzas de Jesús para su conducta en el reino y su actitud de evaluar sus actividades y relaciones personales.

## Estudio panorámico del contexto

Cuando Jesús se dirigía a las personas, utilizaba un vocabulario acorde con las costumbres de las personas que le escuchaban; esto lo hacía con el fin de que sus enseñanzas recibieran la debida atención.

Algunas veces los rabinos prevenían a sus oyentes sobre el tema de enjuiciar a los demás. Sus expresiones eran: "El que juzga favorablemente a su prójimo, será juzgado favorablemente por Dios." Ellos creían que había seis acciones que beneficiaban al judío en esta vida y que le aprovecharían aun en la vida venidera. Dichas acciones eran: estudiar, visitar enfermos, practicar hospitalidad, orar apasionadamente, estudiar la ley y pensar positivamente de los demás. También enseñaban que la bondad al tener un juicio de otra persona era una obligación sagrada.

El contenido de la enseñanza de los rabinos era muy correcta, pero lamentablemente se quedaba en teoría, pues sus acciones mostraban todo lo contrario. Algunos miraban desfavorablemente el carácter y las acciones de otras personas y les reprochaban expresando juicios temerarios, desagradables e injustos.

Cuando alguien juzga severamente sin el propósito de restaurar a la persona, está violando la ley del amor.

Aparentemente la demanda de obedecer es fácil, pero la realidad es que es difícil cumplirla a cabalidad.

Mateo pone énfasis en la enseñanza de Jesús respecto a la conducta que debe observar el discípulo del reino.

Dentro de esa forma de conducirse está el peligro de juzgar a los demás. El hombre no puede juzgar a los demás porque está imposibilitado para conocer realmente a una persona. En el momento de juicio, desconoce la totalidad de los hechos o motivos de la persona juzgada.

Es difícil juzgar de manera absolutamente imparcial. Nadie es lo suficientemente bueno y perfecto como para juzgar a los demás.

# Estudio del texto básico

**Lea su Biblia y responda**

1. Según Mateo 7:21-29, escriba uno de los propósitos de Jesús al hacer la comparación de los dos cimientos.

_____

_____

2. En sus palabras explique, la regla de oro, que se encuentra en Mateo 7:12:

_____

_____

**Lea su Biblia y piense**

# 1 Juzgando a otros, Mateo 7:1-6.

**V. 1.** Lo que se condena aquí es el hábito de juzgar a los demás. En nuestras relaciones con los demás es imposible no llegar a conclusiones acerca de las acciones que observamos. El error radica en asumir una actitud de jueces y condenar a las personas evidenciando públicamente sus características negativas. Por eso, Jesús enfatiza que no hay que hacer juicio contra los demás para que no lo hagan contra nosotros. El juzgar es papel divino solamente, por lo que no le corresponde al hombre condenar a los demás.

**V. 2.** Es inevitable formar opiniones con respecto a otros, pero se debe cuidar la forma en que se expresan esas opiniones. El juicio a otros otorga el derecho y la medida para que seamos juzgados por los demás y principalmente por Dios.

**Vv. 3-5.** El juzgar a los demás implica acusar severamente el error cometido, pero lamentablemente casi siempre se realiza con el fin de hacer sentir mal a la persona involucrada, sin antes hacer un autoanálisis de la situación pecaminosa en que se encuentra el que está juzgando. Dicho juez puede estar en peores circunstancias que el condenado. Jesús utiliza una hipérbole muy exagerada con el fin de que sus oyentes identifiquen la equivocación de juzgar a otros sin antes determinar su situación espiritual. Lo malo en evaluar a otros es sobreponer nuestro propio juicio. Los participantes en el reino deben reconocer primeramente sus debilidades y, en base a ellas, orientar a otros para superar sus aspectos negativos.

**V. 6.** Jesús señala la importancia de ser sabios y prudentes al momento de evaluar y orientar a las personas. El enseña que si no se consideran las situaciones donde se actuará, puede ser que en lugar de brindar un beneficio se convierta en tragedia. Es interesante señalar que este versículo advierte especialmente sobre tres peligros respecto al evangelismo, y estos son:

1 Se puede provocar más daño que bien.

2. Sobreponer sus propias opiniones a las de otros.

3. Provocar una reacción peligrosa.

El evangelio contiene una riqueza incomparable, la cual debe ser compartida con todos, pero con prudencia.

150

## 2 Orando por otros, Mateo 7:7-11.

**V. 7.** Para desarrollar un discipulado eficaz se requiere estar equipado con los recursos necesarios. Estos recursos deben ser solicitados a Dios en actitud de oración. No se refieren especialmente a las cosas materiales que satisfacen el bienestar común de los hombres, sino que se relacionan específicamente con la capacidad que otorga el Señor a través del Espíritu Santo para realizar la obra.

**V. 8.** Pedir, buscar y llamar, es lo necesario para estar atentos a él. No siempre hay seguridad de recibir lo que pedimos, pero que recibiremos algo sí es seguro. El que solicita al Padre, indica que está dispuesto a recibir la dirección y la instrucción divina, por lo que recibirá todos los recursos necesarios para desarrollar su ministerio.

**Vv. 9-11.** Dios demanda el discipulado, por lo tanto él mismo proveerá los recursos para efectuarlo, si lo solicitamos en oración. Es necesario recordar constantemente que a quien se está presentando la solicitud es al único ser divino digno de confianza y tan lleno de amor, que en ningún momento nos dejará a la deriva.

## 3 Sirviendo a otros, Mateo 7:12.

**V. 12.** El contenido de este versículo es llamado "La Regla de Oro". Esta se incluía en el judaísmo, pero expresada en forma negativa, que subrayaba solamente el no hacer. Pero Jesús la transforma en positiva. Es fácil evitar hacer daño a los demás, pero es difícil actuar en favor de ellos, de manera como quisiéramos que ellos nos trataran a nosotros. La Regla de Oro presupone el servicio a los demás en el nombre del Señor. Es necesario tratar al prójimo de acuerdo con la forma que queremos que nos traten. La relación con Dios es la base de la relación con las personas.

## 4 Construyendo sobre el cimiento verdadero, Mateo 7:21-27.

**Vv. 21-23.** Jesús está advirtiendo a sus discípulos que desarrollen su servicio en obediencia a la voluntad divina, ya que en el día del juicio serán rechazados todos aquellos que sirvieron con ostentación humana y buscaron únicamente la satisfacción de sus propios intereses. Aunque estas personas hayan actuado en el nombre del Señor no serán reconocidas como propiedad de él.

**Vv. 24, 25.** La conducta del discípulo requiere una congruencia entre el decir y el hacer, así como entre el oír y el hacer. Jesús exigía que las personas le escucharan, pero que pusieran en práctica lo que él decía. La relación entre escuchar y actuar se manifiesta en una obediencia absoluta al Señor. Jesús demanda una obediencia ilimitada a él, y afirma que esa obediencia es el único fundamento firme para la vida. A la vez, promete que las personas que tengan su obediencia cimentada en él estarán seguras, aunque les ataquen fuertes tormentas en la vida.

**Vv. 26, 27.** Así como la obediencia trae como resultado seguridad en Jesucristo, la desobediencia acarrea tragedia. El hombre insensato es aquel que escucha la advertencia pero no la practica, sino que actúa bajo su propio criterio provocando destrucción, que conlleva a un estado de inseguridad e incertidumbre.

# Aplicaciones del estudio

**1. Cristo demanda obediencia total.** La conducta del discípulo requiere una entrega de obediencia total a él. Esto es difícil pero no imposible.

**2. Demostramos nuestra obediencia al cumplir sus demandas.** Obedecer a Cristo significa realizar sus demandas con efectividad. Esto se logra únicamente a través de nuestro sometimiento a su voluntad.

**3. No es nuestro papel censurar las acciones ajenas.** En nuestra relación con los demás debemos tener cuidado de no caer en el error de criticar y censurar las debilidades de otros. Jesús no aprueba dicha situación, sino que nos insta a apoyar a nuestros semejantes reconociendo primeramente nuestros propios errores, ya que de esta manera no juzgaremos anteponiendo nuestro juicio. El objetivo de la disciplina hacia otros debe ser restaurar y redimir.

**4. Antes de juzgar a alguien debemos analizar nuestra conducta.** Sin un autojuicio es imposible tratar constructivamente el problema de otro, y más bien se cae en el error de juzgar con hipocresía nuestros propios pecados, culpando escandalosamente a otros.

**5. Podemos orar pidiendo los recursos necesarios para cumplir nuestra tarea.** Para poder desarrollar una conducta satisfactoria en el reino, es necesario solicitar los recursos al Padre, quien nos capacitará a través del Espíritu Santo, guiándonos a cumplir su voluntad, y proporcionándonos los medios necesarios para el cumplimiento de nuestro servicio en el reino.

# Prueba

1. Según Mateo 7:1-27, enliste las enseñanzas de Jesús, respecto a la conducta del discípulo:

_____

_____

_____

2. Analice sus relaciones interpersonales a nivel comunal y laboral. Escriba una meta por cada nivel, indicando las formas de mejorar o enriquecer su relación con los demás.

_____

_____

### Lecturas bíblicas para el siguiente estudio

**Lunes:** Mateo 8:1-17
**Martes:** Mateo 9:1-8
**Miércoles:** Mateo 9:18-31

**Jueves:** Mateo 8:23-27
**Viernes:** Mateo 8:28-34 ; 9:32-34
**Sábado:** Mateo 8:18-22
9:9-17, 35-38

**Unidad 3**

# El poder del Rey

**Contexto:** Mateo 8:1 a 9:38
**Texto básico:** Mateo 9:1-17
**Versículo clave:** Mateo 9:6
**Verdad central:** Jesús demostró su autoridad a través de su poder divino como el Hijo del Hombre.
**Metas de enseñanza-aprendizaje:** Que el alumno demuestre su conocimiento de algunas maneras en que Jesús demostró su autoridad a través del poder divino, y su actitud de comprometerse a confiar personalmente en el poder divino de Jesús en una o más áreas discutidas en el estudio.

## Estudio panorámico del contexto

Después de concluir la colección sistemática de las enseñanzas de Jesús, Mateo presenta ordenadamente una serie de acciones de Jesucristo, que manifestarán su poder absoluto y su amor divino en acción.

Desde el capítulo 8:1 hasta el 9:38, Mateo expone nueve milagros de Jesús, en tres grupos de tres, bosquejados de la siguiente manera.

1. Las curaciones del leproso, del siervo del centurión y de la suegra de Pedro, seguidas por la promesa del escriba de seguir al Señor.
2. La calma de la tempestad, las curaciones de los endemoniados y el paralítico, son seguidas por el llamamiento de Mateo y la enseñanza sobre el ayuno.
3. La resurrección de la hija de Jairo, las curaciones de la mujer del flujo sanguíneo, los ciegos y el mudo endemoniado, culminan con el padecimiento de Jesús por las personas y un reto a servir en el reino.

A Jesús se le formulan cuatro cargos en su contra, los cuales son: Blasfemia, inmoralidad, incumplimiento en la práctica piadosa y estar aliado con el diablo. De esa forma se inicia el principio de la campaña en su contra.

La primera narración milagrosa que presenta Mateo es la curación de un leproso, y el tiempo de este suceso parece ser inmediato a la enseñanza del Sermón del monte.

El lugar donde realiza los milagros es Capernaum, la ciudad que Jesús había escogido para residir a su regreso de Nazaret, donde había sido rechazado.

Mateo presenta los hechos milagrosos de Jesús resaltando el poder absoluto del Señor, así como su amor en acción.

Este poder podrá clasificarse según su género de la siguiente forma:

1. Poder para curar la enfermedad.
2. Poder para controlar la naturaleza.
3. Poder para sacar los demonios.
4. Poder para llamar a los hombres.

———————————— **Estudio del texto básico** ————————————

**Lea su Biblia y responda.**

1. Escriba una lista de las enfermedades que sanó Jesús según el contenido de Mateo 8:1 a 9:38:

_____
_____
_____
_____
_____

2. ¿Qué género de poder es manifestado en Mateo 8:27?

_____

**Lea su Biblia y piense**

## 1 Poder para curar la enfermedad. Mateo 9:1-8

**Vv. 1,2** Jesús había adoptado como ciudad a Capernaúm, y es allí donde a su llegada le presentan a un paralítico transportado en una camilla por amigos suyos. Jesús identifica la fe del paralítico y la de sus amigos, y determina la situación pecaminosa del paciente, por lo que lo sana espiritualmente antes que sanarlo físicamente.

**V. 3.** El perdonar pecados causó conmoción entre los escribas, acusando a Jesús de blasfemar. El perdón es una prerrogativa divina y ellos no reconocían la autoridad y poder divinos de Jesús.

**V. 4.** Jesús entendió inmediatamente el pensamiento acusador de los escribas, por lo que les reprende con énfasis en su condición espiritual.

**V. 5.** Para que ellos comprendieran su equivocación, Jesús los cuestiona: ¿Qué es más fácil, perdonar o sanar? Era imposible dar una respuesta concreta de inmediato.

**V. 6.** Previamente el paralítico había sido sanado de su condición espiritual, y ahora se complementa su salud, recibiendo la sanidad física. Jesús demostró que era el Hijo del Hombre, que llevaba en sí la autoridad del Padre y el poder divino para vencer al pecado y las enfermedades.

**Vv. 7, 8.** La evidencia del poder de Jesús se dio en la curación del paralítico, a pesar de ello los escribas no lo reconocieron, pero las multitudes sí, y como muestra de ello las personas temieron y glorificaron a Dios, quien había otorgado su autoridad a su Hijo.

# 2 Poder para llamar a los hombres, Mateo 9:9-17

1) Un llamamiento que abarca a todos Mateo 9:9-13.

**V. 9.** Mateo era odiado por los judíos, porque su trabajo era cobrar impuestos en nombre del imperio romano. Estando sentado en el lugar donde cobraba los impuestos, recibe el llamado por Cristo a ser discípulo. Mateo abandonó inmediatamente sus actividades y posesiones, obedeciendo a la orden de Jesús, o le siguió.

**V. 10.** Mateo reunió en su casa a sus amigos anteriores. Estos eran publicanos y pecadores, los cuales vivían un estilo de vida contrario a la voluntad divina. Su objetivo principal, pudo haber sido que ellos también conocieran a Jesús.

**V. 11.** El hecho de que Jesús participara con personas excluidas por el judaísmo, provocó que los fariseos que lo observaban lo criticaran severamente. Para los fariseos, esto era un escándalo, y no se atrevieron a preguntarle directamente a él, sino que se dirigieron a sus discípulos, solicitándoles una explicación de la actitud de Jesús.

**Vv. 12, 13.** A pesar de que la pregunta no fue dirigida a él, Jesús les responde que el médico no es para los sanos, sino para los enfermos. Esta expresión señalaba que su ministerio estaba encaminado a la salvación de los pecadores.

Por ser descendientes de Abraham, los judíos se consideraban sanos espiritualmente, mientras que los que no pertenecían al judaísmo eran considerados pecadores. Jesús hace referencia de Oseas 6:6, enseñándoles que la actitud de misericordia dirigida a quien tiene enfermedad es mucho mejor que el cumplimiento de los deberes religiosos.

2) Un llamamiento que incluye libertad, Mateo 9:14-17.

**V. 14.** El día de expiación era el único ayuno que estaba establecido en las prácticas religiosas judías, pero los fariseos y otras personas lo hacían con más frecuencia, incluso hasta dos veces por semana con el fin de demostrar mayor piedad, reduciendo esta práctica al nivel de un rito superficial.

Esto se había convertido en una costumbre tradicional, por esto los discípulos de Juan al observar que los seguidores de Jesús no ayunaban le preguntaron a él la razón.

**V. 15.** El ayuno era una manifestación de dolor y tristeza. Jesús les responde con la ilustración de la boda, donde se experimenta un ambiente de alegría; es absurdo que el esposo y sus amigos estén tristes en una fiesta, pero si el esposo no estuviera presente, entonces hay tristeza. Esta comparación se refiere al gozo de los discípulos de participar en el reino, a la vez anuncia su crucifixión y muerte, donde el ayuno y la oración de sus discípulos iba a resultar en una acción necesaria por la ausencia de su Maestro.

**V. 16.** Al señalar el error de coser un pedazo de tela nueva como remiendo en un vestido viejo, está enseñándoles que su misión no estaría limitada por la tradición judía. El mensaje de Jesús no venía a ser una añadidura a las leyes levíticas, sino que traía la esperanza de una vida completamente nueva.

**V. 17.** El peligro de vaciar el vino nuevo en recipientes viejos, estaba en que tanto los recipientes como el vino se podían perder. Se nota en esta parábola un contraste entre las instituciones legales del Antiguo Testamento defendidas por los fariseos, y la verdad nueva traída por Jesucristo. La respuesta de Jesús a la pregunta de los discípulos de Juan se concreta así: "Mis discípulos no ayunan porque no pueden encerrar el espíritu nuevo del reino en las formas usadas del judaísmo."

―――――――――― Aplicaciones del estudio ――――――――――

1. **Agradezcamos a Dios, que por su justicia, amor y misericordia, nos ha otorgado la salvación.** El proceso de salvación no significa solamente recibirle en nuestra vida, sino seguirle sin limitación. Seguir a Cristo, es renunciar a nosotros mismos. Esto no quiere decir que debemos abandonar nuestro trabajo, rechazar a nuestras familias y olvidarnos del mundo exterior, sino que a través de nuestra entrega total al Señor y nuestro deseo de seguirle, dejar que él ordene todos los aspectos de nuestra vida y guíe nuestras acciones, para que seamos encaminados a su servicio.

2. **El seguir a Jesús no es esclavitud, sino libertad de la esclavitud del pecado.** En la nueva vida que él nos da iremos creciendo paso a paso; ya el pecado no es una práctica regular del cristiano. Ahora podemos confesar nuestras faltas en oración, siempre con la intención de no reincidir en el pecado que estamos confesando. Ese es un proceso de santificación que se logra en la libertad de la vida en Cristo.

3. **Jesús manifestó su poder sobre el pecado, la enfermedad, los demonios, el control de la naturaleza, etc.** Nosotros debemos reconocer y confiar plenamente en el poder de Dios en todas las circunstancias de nuestra vida.

―――――――――――――― Prueba ――――――――――――――

1. Escriba las clases de poder que Jesús manifestó en sus acciones milagrosas, según el estudio de hoy:

a) _____

b) _____

c) _____

d) _____

2. Revise su condición espiritual y determine una necesidad urgente. Escríbala confiando en el poder de Dios, solicitando su ayuda de acuerdo con su voluntad.

_____

_____

**Lecturas bíblicas para el siguiente estudio**

**Lunes:** Mateo 10:1-4          **Jueves:** Mateo 10:16-20
**Martes:** Mateo 10:5-10        **Viernes:** Mateo 10:21-33
**Miércoles:** Mateo 10:11-15    **Sábado:** Mateo 10:34-42

# El Rey comparte
# su poder y su misión

**Contexto:** Mateo 10:1-42
**Texto básico:** Mateo 10:1, 7, 16-22, 26-33
**Versículos clave:** Mateo 10:32, 33
**Verdad central:** Jesús llamó a doce embajadores para encargarles urgentes tareas del reino, les dio poder, los instruyó y los envió.
**Metas de enseñanza-aprendizaje:** Que el alumno demuestre su conocimiento de la comisión de Jesús a sus discípulos y su actitud de ser fiel embajador de Jesús esta semana.

—————— **Estudio panorámico del contexto** ——————

Los últimos tres versículos del capítulo nueve de Mateo, establecen la introducción propia a la misión de los doce apóstoles.

Entre los judíos se daba el nombre de apóstol a los hombres que llevaban las circulares de los jefes de las sinagogas y recogían las ofrendas en el templo. En el Nuevo Testamento, los hermanos encargados de levantar la colecta para las iglesias de judea son llamados apóstoles y Pablo llama así a Epafrodito de los filipenses.

Los apóstoles ocuparon un lugar muy importante en la iglesia, ejerciendo en el nombre del Señor una autoridad universalmente reconocida.

La comisión dada a los doce debe haber sido poco antes de la Pascua. Según lo relata Lucas 9:10-17 y Juan 6:4, los apóstoles regresaron al tiempo de la Pascua inmediatamente antes de la alimentación de los cinco mil.

En el ministerio de Jesús era de suma importancia la elección y preparación de las personas a quienes les confiaría su obra. En ese tiempo no existían los medios de comunicación con que contamos ahora; el único medio para difundir el mensaje era a través de la palabra hablada; por eso Jesús preparó a los doce por medio de experiencias prácticas, a fin de que realizaran una obra efectiva.

Los apóstoles anunciaban las buenas nuevas y autenticaban su mensaje mediante milagros especiales; no solamente atraían la atención de las personas, sino que también les daban a conocer el carácter extraordinario de Aquel a quien anunciaban.

Mateo presenta la compasión del Rey por los pecadores, a quienes los fariseos veían como paja que había que quemar. Jesús los veía como una buena cosecha que debía atesorarse y, por su amor, misericordia y justicia, murió por ellos.

Mateo enfatiza la misión de los doce, que se dio en el siguiente proceso:

a. La elección. b. La capacitación otorgándoles autoridad. c. La asignación de una tarea misionera. d. Advertencias y motivación para desarrollar una función efectiva y de fidelidad a él.

───────────── **Estudio del texto básico** ─────────────

**Lea su Biblia y responda**

1. De acuerdo con su lectura en Mateo 10:5-15 haga un listado de los verbos imperativos que encuentre.
Ejemplo: Id _____

_____

2. Escriba dos promesas que se encuentran en Mateo 10:16-24, dadas al creyente cuando sea perseguido por causa de su fe.
   a. Os será dado. . . _____
   b. El Espíritu. . . _____

**Lea su Biblia y piense**

## 1 El misionero y su misión, Mateo 10:1, 7.

**V. 1.** Aquí es la primera vez que se menciona a los doce apóstoles. Es importante notar que Jesús llamó a una variedad de personas con distintas características. Los doce habían sido elegidos por Jesús para conformar un equipo misionero, al cual le encomendaría su obra. Para ejecutar la misión asignada, Jesús les capacita y autoriza para sacar espíritus inmundos y sanar toda enfermedad y dolencia. Dicha autoridad es confiada a ellos, pero ésta proviene de la promesa divina de dar poder a los suyos para establecer el reino en la tierra.

Jesús ya se había identificado a través de su enseñanza, predicación y milagros, pero había llegado la hora de persuadir a los judíos a seguirle, como un Mesías de servicio y sufrimiento. La verificación de la autoridad de los doce fue confirmada por el poder espiritual sobre los espíritus inmundos y el poder físico sobre toda enfermedad.

**V. 7.** Jesús les recomienda que no vayan a los gentiles, no porque los excluyera, sino que los judíos ocupaban un lugar especial en los planes de Dios. Sabemos que ellos le rechazaron, pero por ser el pueblo escogido la historia obligaba, con toda justicia, a que ellos fueran los primeros en recibir el evangelio. Además, los doce, que iniciaban su ministerio, aún no estaban capacitados para trabajar con los gentiles. Por esta razón, fue importante que iniciaran la obra entre su pueblo. Jesús les ordenó que la esencia de su predicación debía ser la misma del mensaje de Juan y de Jesús. Su predicación debía anunciar que "el reino de los cielos se había acercado", para persuadir a sus oyentes al arrepentimiento de sus pecados.

## 2 El misionero y su martirio, Mateo 10:16-22, 26-33.
### 1) Su comisión, Mateo 10:16-22.
**V. 16.** Al capacitar a los doce, Jesús les advierte de los peligros que enfrentarían al realizar su ministerio. La prudencia de la serpiente no es más que astucia y la

inocencia de la paloma es mejor que la debilidad, pero combinadas entre sí, la prudencia los salvaría de exponerse innecesariamente al peligro y la inocencia los libraría de hacer uso de los recursos divinos de una manera maliciosa para escapar del peligro.

**Vv. 17, 18.** Jesús les comunica a los discípulos que serían acosados por las reacciones de la raza humana, el Estado los perseguiría, serían llevados a los tribunales ante reyes y gobernadores. También la religión organizada los perseguiría, pues serían expulsados de las sinagogas. Pero todo este sufrimiento tendría un propósito: testificar a los perseguidores y a los gentiles. Aquí se insinúa que su mensaje no sería sólo para Israel, sino que incluiría a toda la humanidad.

**Vv. 19, 20.** Jesús hace énfasis en la necesidad de evitar la ansiedad, tanto en relación con las cosas materiales como de las palabras. Asimismo les promete que si ellos se entregan a la voluntad divina, gozarán de los recursos del Espíritu del Padre, para permanecer fieles ante toda situación. Esta hermosa promesa se ha comprobado maravillosa y conmovedoramente en toda la historia de las persecuciones, desde los inicios de la iglesia hasta nuestros días.

**V. 21.** Parece contradictorio, pero es cierto, que las mismas familias desecharían y acusarían a los apóstoles. La hostilidad maligna e intensa entre la naturaleza de la vida vieja y la nueva, así como la lucha entre el diablo y Cristo, había de resultar en fuertes deterioros de los vínculos más tiernos para el individuo, como lo es su familia. Jesús les advierte y prepara para enfrentar toda clase de obstáculos y así estar listos para iniciar su misión.

**V. 22.** Jesús motiva a sus discípulos a perseverar en la lucha dependiendo del poder y la fuerza del Espíritu. El odio universal experimentado por aquellos que llevaron un mensaje de amor al mundo era particularmente duro de soportar. Debían recordar que si todo esto era por obedecerle, significaba que ellos pertenecían a él, por lo tanto no estarían solos.

## 2) Su confianza, Mateo 10:26-33.

**Vv. 26, 27.** No temer a los conflictos y rechazos que resultarían al predicar abiertamente el mensaje era una consigna para los enviados. A pesar de los peligros debían proclamar lo que habían visto y oído de él. Los apóstoles tendrían un ministerio público importante que debían realizar con valor y fidelidad.

**V. 28.** Jesús orienta a sus discípulos a temer a Dios en lugar de temer a Satanás. Esto no es miedo o terror, sino un respeto y reconocimiento supremo a él. Asimismo, les dio a conocer que Dios es el único que puede destruir tanto el alma como el cuerpo, pero él también les aseguró que el Padre cuidaría también el cuerpo y el alma de sus enviados.

**Vv. 29-31.** Dios es un juez terrible con los injustos y los que le rechazan, pero también es un Padre amoroso con aquellos que confían en él. El ejemplo del cuidado de los pajaritos, en comparación con el cuidado por las personas, es una evidencia hermosa del cuidado amoroso del Padre.

**Vv. 32, 33.** La confesión abierta es una característica del discipulado. Aquí, los discípulos están recibiendo una promesa y una advertencia. Ellos debían proclamar al mundo el mensaje de Jesús, a pesar de persecuciones y martirios.

1. **A todo cristiano se le ha asignado una misión.** No sólo a los doce apóstoles, sino a cada cristiano. Somos embajadores de Cristo ante el mundo, para representar el mensaje que lleva a la salvación y un nuevo estilo de vida en Jesucristo.

2. **Debemos hacer frente a los problemas que surgen en la obra misionera.** El cristiano es capacitado a través del Espíritu Santo, para realizar una obra evangelizadora efectiva. Jesús nos enseña a ser prudentes y sencillos en la tarea misionera, a la vez nos advierte que habrá problemas a los que debemos hacer frente en su nombre en lugar de huir de ellos.

3. **El Señor nos acompaña a cada momento al estar haciendo su obra.** El criatiano encontrará diversos obstáculos y circunstancias que tratarán de estorbar su tarea, pero debe ser fiel y perseverar en la lucha con la seguridad de que el Señor no le abandonará en ningún instante. El verdadero discípulo debe renunciar a sí mismo y dejar que Cristo actúe plenamente en su vida, debe tomar su cruz cada día y seguirle paso a paso, para ser digno de él.

—————— **Prueba** ——————

1. Explique en sus palabras lo que significa "tomar su cruz" _____

_____

2. Analice su vida cristiana, y escriba cuatro obstáculos que ha encontrado en su discipulado, asimismo explique cómo ha reaccionado ante ellos y cómo debería reaccionar:

| OBSTACULO | REACCION | ACCION QUE DEBE TOMAR |
|-----------|----------|------------------------|
|           |          |                        |
|           |          |                        |
|           |          |                        |
|           |          |                        |

**Lecturas bíblicas para el siguiente estudio**

**Lunes:** Mateo 11:1-15  
**Martes:** Mateo 11:16-24  
**Miércoles:** Mateo 11:25-30  

**Jueves:** Mateo 12:1-21  
**Viernes:** Mateo 12:22-45  
**Sábado:** Mateo 12:46-50

**Unidad 3**

# Reacciones a la autoridad del Rey

**Contexto:** Mateo 11:1 a 12:50
**Texto básico:** Mateo 11:2-6, 16-19; 12:9-14, 24-28
**Versículo clave:** Mateo 12:28
**Verdad central:** Las reacciones al mensaje de Jesús proceden de la comprensión de su autoridad, sean positivas o negativas.
**Metas de enseñanza-aprendizaje:** Que el alumno demuestre su conocimiento de las razones de la incomprensión del mensaje de Jesús y su actitud de disposición para comprender mejor el mensaje de Jesús hoy.

―――――――― **Estudio panorámico del contexto** ――――――――

1. Juan el Bautista duda, Mateo 11:1-15
2. El pueblo critica, Mateo 11:16-24
3. Los niños entienden, Mateo 11:25-30
4. Los fariseos rechazan, Mateo 12:1-45
5. La familia de Jesús busca, Mateo 12:46-50

Juan realizaba su ministerio persuadiendo a las personas al arrepentimiento. Su hábito no era suavizar la verdad, sino declarar abiertamente las realidades de pecado fuese quien fuese el que lo cometiera. No podía ver el mal sin condenarlo. Juan hablaba con autoridad y se dirigía valientemente a las personas involucradas en el pecado. Esto era riesgoso para su seguridad personal, hasta el punto de que le encarcelaron.

Herodes Antipas, hijo del rey Herodes el Grande, era gobernador de una cuarta parte de Galilea y Perea, que estaban bajo el dominio de Roma. Herodía era hija de Aristóbulo, medio hermano de Antipas. Ella se había casado con el medio hermano de Antipas que se llamaba Herodes Felipe. Antipas persuadió a su sobrina Herodía, a abandonar a su esposo para vivir con él, bajo la promesa de que él despediría a su propia esposa.

Juan había reprendido y condenado varias veces a Antipas por su unión con Herodía y por esta causa lo arrojaron a la cárcel. El lugar de la prisión de Juan era Maqueronte, una fortaleza compuesta de palacio y prisión en la región montañosa del mar Muerto. Juan se encontraba en un calabozo subterráneo de reducidas dimensiones.

Los judíos guardaban con especial cuidado el día sábado. El decálogo prohibía de manera general llevar a cabo alguna actividad durante ese día. El sábado debía ser dedicado exclusivamente a Dios. El pueblo de Israel era bendecido, santificado por su búsqueda de Dios y proclamado feliz (Isa. 56:2).

Es especialmente después del cautiverio que la observancia del sábado cayó en un legalismo extremado.

En la época de Jesús, los fariseos habían dispuesto normas ridículas acerca de ese día, prohibiendo incluso acciones de misericordia y atacando a Jesús porque sanaba sin importarle cuál día lo hacía.

Mateo narra en los capítulos 11 y 12 una variedad de enseñanzas. Los relatos coleccionados muestran la naturaleza del mesianismo de Jesús y el hecho de la incredulidad de Israel. El reino había sido anunciado a Israel por Juan el Bautista y confirmado por las palabras y los hechos de Jesús y de los apóstoles.

Israel es representado por los fariseos quienes rechazaron al Mesías, dándose así el primer paso a la presentación del evangelio a los gentiles.

## Estudio del texto básico

**Lea su Bibliba y responda**

1. Según Mateo 11:2-6, ¿por qué Juan mandó a sus discípulos a entrevistar a Jesús?

_____

_____

2. De acuerdo con Mateo 12:9-14; escriba las causas por las que los fariseos atacaron a Jesús.

a. _____

b. _____

**Lea su Biblia y piense**

## 1 Juan el Bautista duda, Mateo 11:2-6.

**Vv. 2, 3.** Juan había preparado el camino a Jesús. En su predicación había hablado de una persona que vendría a ejecutar un juicio y quizá esperaba que el Mesías iniciara su tarea poniendo en efecto ese juicio en forma inmediata, e incluso que lo libertara de la prisión. Estando encarcelado, Juan analizaba la popularidad de Jesús; no entendía por qué él no daba los pasos apropiados para establecer un reino mesiánico de juicio inmediato. Todo esto provocó preguntas, por lo que envió a sus discípulos a entrevistar a Jesús con el fin de que le confirmara si él era el que había de venir.

**Vv. 4-6.** La respuesta de Jesús en un acento de confianza indica que sus milagros y su evangelio eran una evidencia suficiente de que él era el Mesías. Las acciones de Jesús debían ser un recordatorio para Juan. El ministerio de Juan enfatizaba el juicio, mientras que el de Jesús incluía la misericordia. Jesús enfatiza que su reino se mostraba no sólo en juzgar, sino también en servir y amar a los pecadores.

**Vv. 7, 11.** Las dudas de Juan no cambiaron el concepto que Jesús tenía de él, al contrario, reconoció y resaltó su función como su precursor. Jesús dijo que no se había levantado otro mayor que Juan.

# 2 El pueblo critica, Mateo 11:16-19.

**Vv. 16, 17.** Jesús se conmovía al contemplar las reacciones negativas de las personas. Los hombres por su perversidad empedernida de la naturaleza humana, se negaban a comprender los aspectos espirituales del reino. Jesús los compara con los muchachos que juegan en la plaza del pueblo, pero que siempre están en contra del otro grupo de compañeros. No importa si los otros les sugieren y ofrecen jugar a algo agradable o desagradable se manifiestan siempre en contra. Los judíos criticaban y señalaban a los demás, como los muchachos del ejemplo, pues siempre se manifestaron en contra del ministerio de Jesús rehusando tomar parte en las actividades propias del reino.

**Vv. 18, 19.** Juan había recibido muchos señalamientos por su forma de comportarse y por su predicación. Decían de él que era un loco ascético. Al otro extremo acusaron a Jesús de ser muy libertino e inmoral por relacionarse con toda clase de personas, y demostrarles su amor. Los judíos criticaban y señalaban marcadamente el ministerio de Jesús, demostrando siempre una actitud contraria.

# 3 Los fariseos rechazan, Mateo 12:9-14, 24-28.

## (1) Por causa del conflicto sobre el sábado (12:9-14)

**Vv. 9, 10.** Entrando Jesús en la sinagoga un día sábado, se encontró a un hombre con una mano paralizada. Jesús tenía fama de hacer una nueva interpretación de la ley y los eternos enemigos de él aprovecharon la presencia del hombre minusválido para hacerle preguntas capciosas. Con el fin de reunir elementos para acusarle de impiedad, los fariseos prepararon un ataque contra él, lanzándole la pregunta de que si era correcto sanar a alguien en día sábado.

**Vv. 11, 12.** Jesús les responde haciendo uso de la ley que permitía salvar a un animal en el día de reposo. Así mismo les persuade a comprender que si estaba permitido hacer el bien a un animal cuánto más debía hacerse por una persona. El hombre para Jesucristo es de valor especial, que es mayor que el de un animal. Jesús puso énfasis en hacer el bien incluso en el día de reposo.

**Vv. 13, 14.** Jesús no sólo habló, sino que actuó curando al hombre, esto provocó que los fariseos sumergidos en su grave legalismo iniciaran el plan para la muerte de Jesús.

## (2) Por causa del conflicto sobre el poder de Jesús (12:24-28).

**V. 24.** Jesús había sanado a un endemoniado que además era ciego y sordomudo. Los fariseos a pesar de que odiaban y rechazaban a Jesús reconocían los milagros que él hacía.

**Vv. 25, 26.** Jesús conocía perfectamente la intención acusadora y destructiva de los fariseos en su contra, por lo que procede a señalarles lo ilógico de su acusación. Si Satanás luchara contra sí mismo, él mismo se destruiría.

**V. 27.** Otra fuerte acusación se debía al hecho de que los discípulos de los fariseos también practicaban el exorcismo. Esto los llevó a una relación de que si los discípulos fariseos exorcizaban los demonios por Beelzebul y también eran apoderados por el príncipe de los demonios, entonces estos serían los jueces de sus propios maestros por servir a Satanás.

**V. 28.** Después de hacerles notar su error, Jesús les afirma que es por el Espíritu de Dios que él echa fuera los demonios. Asimismo, les declara que el reino de los cielos se ha acercado a ellos. La victoria de Jesús sobre Satanás, se ve en el hecho de que Jesús estaba sacando los demonios.

## Aplicaciones del estudio

**1. Todo cristiano recibe diferente ministerio.** Cada creyente recibe uno o más dones espirituales para desarrollar una tarea eficaz encaminada al engrandecimiento del reino. Cuando nos asalta la duda sobre cuál es ese ministerio y cuáles los recursos disponibles debemos recordar que el Espíritu Santo ya ha repartido los dones. Nuestra tarea es investigar cuál o cuáles son esas capacidades y ponerlas a funcionar.

**2. Evitemos caer en el legalismo y tradicionalismo.** Otro error en que puede caer el cristiano es el legalismo y tradicionalismo de las congregaciones. Algunas actividades se convierten en costumbre, al punto de que es pecado no desarrollarlas o intentar realizar nuevas acciones. Esto es muy peligroso porque las iglesias pueden caer en un fariseísmo como el que enfrentó Jesús.

**3. Es necesario que los cristianos reconozcamos el poder y el señorío del Espíritu Santo en nuestra vida.** Desarrollemos nuestras acciones conscientes de todo lo que tenemos al alcance cuando somos dirigidos por él.

## Prueba

1. De acuerdo con el estudio de hoy, ¿cuál era la razón principal que impedía a los fariseos comprender el mensaje y autoridad de Jesús?

_____

_____

_____

2. Describa lo que es Jesús para usted:

_____

_____

_____

### Lecturas bíblicas para el siguiente estudio

**Lunes:** Mateo 13:1-23       **Jueves:** Mateo 13:34-43
**Martes:** Mateo 13:24-30     **Viernes:** Mateo 13:44-46
**Miércoles:** Mateo 13:31-33  **Sábado:** Mateo 13:47-50

**Unidad 3**

# El Rey explica su reino

**Contexto:** Mateo 13:1-50
**Texto básico:** Mateo 13:10, 11, 18-23, 36-46
**Versículos clave:** Mateo 13:10, 11
**Verdad central:** Jesús explicó algunas características del reino a través de parábolas.
**Metas de enseñanza-aprendizaje:** Que el alumno demuestre su conocimieno de algunas características del reino y su actitud de su propio entendimiento y compromiso en el reino.

─────── **Estudio panorámico del contexto** ───────

Mateo nos presenta una escena efectuada el mismo día en que Jesús dirigió el discurso del capítulo anterior y en que había sido interrumpido por la visita de su familia. La casa era aquella donde se encontraba cuando sus parientes vinieron a él. Jesús sale dirigiéndose a la ribera del mar y sentándose, tal vez para recibir la frescura de la playa y descansar, cuando se le acercaron las personas, pero ante la evidente ansiedad de las multitudes que le rodeaban, sube al barco para brindarles nuevas enseñanzas.

La actividad sucede en un ambiente agradable y natural, con enseñanzas comprensibles a través del uso de parábolas. En ningún idioma hay algo comparable a las parábolas de Jesús, las cuales son únicas por su sencillez, abundancia y variedad de enseñanza. Una parábola es un relato comparativo para ilustrar una verdad espiritual o moral.

Jesús presenta cuatro clases de terrenos que ilustran las reacciones de las personas ante el anuncio del reino de Dios, resaltando la buena tierra que representa aquel quien oye la palabra y la entiende, trayendo como resultado una persona que lleva mucho fruto. También enfatiza la importancia de que los siervos del dueño del campo tengan paciencia para dejar crecer el trigo y la cizaña juntos, esperando el tiempo de la siega que representa el juicio de Dios, donde será juzgado el diablo, que es el que siembra lo ajeno dentro del reino de Dios. Asimismo, hace hincapié en el crecimiento del reino, desde los comienzos más pequeños hasta la universalidad final, el reino se manifiesta por un poder escondido y silencioso, que transforma la sociedad hasta que todo queda leudado. Jesús resalta el valor inestimable de las bendiciones del reino, representándose el reino como algo valioso que se busca y se encuentra con regocijo, el gozo de poseer y participar en un reino único. El reino es como una red, que junta toda clase de personas, pero cuando llegue el juicio final serán separados.

165

# Estudio del texto básico

## Lea su Biblia y responda

1. Lea Mateo 13:1-9 y escriba los lugares donde cayó la semilla:

_____

_____     _____

_____

2. Explique las razones para dejar crecer la cizaña junto con el trigo, según Mateo 13:24-30.

_____

_____

3. ¿Cuál es el énfasis que encontramos en Mateo 13:44-46?

_____

4. De acuerdo con la lectura de Mateo 13:10, 11, explique el propósito de las parábolas:

_____

_____

## Lea su Biblia y piense

## 1 El propósito de las parábolas, Mateo 13:10, 11.

**Vv. 10, 11.** Los discípulos tenían la oportunidad de conocer los misterios del reino de los cielos que se refieren a aspectos de revelación puramente divinos. Las parábolas tienen el propósito de revelar y esconder, presentando las verdades del reino en una nueva y atrayente luz a aquellos que las conocen y aprecian, pero a los que no les interesan las cosas espirituales no se les proporcionarán.

## 2 El sembrador y la semilla, Mateo 13:18-23.

**V. 18.** *Oíd...*, aquí encontramos una orden que implica la acción inmediata de escuchar atentamente la parábola del sembrador que se refiere a las diferentes tierras donde caerá la semilla.

**V. 19.** *Junto al camino*, este terreno representa a la persona que tiene la oportunidad de oír, pero su mente y sus ojos están cerrados, por lo que no entiende la palabra, y esto da lugar a que venga el maligno y arrebate la semilla que ha caído en un lugar casual, perdiendo la oportunidad de obtener la salvación.

**Vv. 20, 21.** *Recibe con gozo*, este oyente escucha la palabra y la recibe con entusiasmo, pero esas manifestaciones son superficiales, porque no tienen raíz profunda en la conciencia. De modo que todo es aparente y sólo quiere aprovechar los beneficios del reino sin aceptar las exigencias, por eso, cuando viene la aflicción por causa de la palabra, se retira.

**V. 22.** *Sembrado en espinos*, el materialismo afecta a muchas personas de forma tal que dependen de las cosas y cuando escuchan la palabra ésta queda sin fruto a causa de las preocupaciones y el engaño de las riquezas. El amor al dinero, el brillo de las diversiones mundanas, las ofertas para el progreso económico, los compromisos sociales, etc., son las espinas que dificultan y aun impiden el nacimiento de una nueva vida en Cristo.

**V. 23.** *Sembrado en buena tierra.* Esta tierra ilustra a las personas que escucharon la palabra y la entendieron, dando como resultado una buena producción, contribuyendo de esta forma al engrandecimiento del reino. Los siervos del sembrador deben tener la seguridad de que aunque buena parte de su semilla se pierde, también es cierto que habrá una abundante cosecha.

## 3 El trigo y la cizaña, Mateo 13:36-43.

**V. 36.** Los discípulos desean encontrar una explicación de la parábola, por lo que solicitan a Jesús que la exponga. Felizmente ésta es analizada explicativamente con una sencillez y claridad encantadoras.

**Vv. 37-43.** Es importante observar el significado espiritual de cada elemento que se presenta: el sembrador es Jesús, y su campo el mundo; la buena semilla son los hijos del reino y la cizaña los hijos del maligno; el enemigo es el diablo y la siega el fin del mundo; el enfoque principal es que el juicio final, aunque tardío, es verdadero. Aunque siempre hay que buscar la enseñanza central en las parábolas, también es útil observar los detalles que hacen más comprensible aquella enseñanza central.

## 4 El tesoro escondido y la perla de gran precio, Mateo 13:44-46.

**V. 44.** Jesús resalta la alegría incomparable del descubrimiento de la belleza del reino y de tener el privilegio de vivir abundantemente bajo el señorío divino. El valor del reino es infinito y cada uno es responsable de apropiarse y dedicarse a él completamente.

**Vv. 45, 46.** El reino vale más que la vida con sus posesiones, la perla de gran precio no se halla por casualidad, sino que es hallada por uno cuyo negocio es el de buscar tesoros, pero que sacrifica todo por obtenerla. Aquí está la paradoja: la salvación es gratuita pero cuesta todo, por lo que el reino de Dios debe ser lo de mayor valor en nuestra vida.

─────────────── **Aplicaciones del estudio** ───────────────

1. **¿Sembrador o sembrado?** Antes de sembrar debemos partir de la premisa de que somos tierras sembradas, y autoexaminarnos para determinar si nuestra vida es buena tierra. ¿Está dando abundantes frutos o estamos siendo caminos duros en nuestra mente? Nuestra vida espiritual, ¿crece entre pedregales, en donde hay mucha tierra, o estamos dejando que nuestros afanes terrenales y/o quehaceres sirvan como espinos que ahogan la voluntad de Dios?

**2. El buen fruto en nuestra vida depende de nuestro corazón.** Comúnmente nos preocupamos por aplicar las tierras de las parábolas a nuestros hermanos espirituales y a los inconversos, dejando por un lado nuestras propias vidas; recordemos que el buen fruto en nuestra vida depende de la tierra de nuestro propio corazón.

**3. Cada cristiano es un sembrador.** Cada uno somos comisionados a sembrar, por lo que es necesario que asumamos con responsabilidad y fidelidad la tarea de sembrar la semilla. La tierra es el corazón de las personas que aún no pertenecen al reino de Dios. Hagamos la acción con gozo y alegría, dependiendo directamente del dueño del campo.

**4. Debemos evitar juicios condenatorios en la iglesia.** Cuando el discípulo es fiel y responsable en su tarea de sembrar el evangelio verdadero, y observa que alguien siembra semillas ajenas al reino de Dios, su tendencia natural es arrancar la semilla mala para que no crezca y dé lugar sólo a la siembra buena. Jesús nos enseña que debemos tener paciencia y que el juicio pertenece sólo al dueño de la mies.

**5. La iglesia está formada por personas perfectibles, no perfectas.** No debemos esperar ver manifestadas todas las virtudes cristianas en cada miembro de la congregación. Cada día estamos creciendo a la semejanza de Cristo, en el proceso de la santificación.

---

## Prueba

1. ¿Qué actitud debemos tener para ser importantes en el reino de los cielos?

_____

_____

2. ¿Qué significado tiene el hecho de sacar el ojo y quitárselo?

_____

_____

3. ¿Qué cualidades deben caracterizar al cristiano?

_____

_____

_____

### Lecturas bíblicas para el siguiente estudio

**Lunes:** Mateo 14:1-5          **Jueves:** Mateo 14:22-27
**Martes:** Mateo 14:6-12        **Viernes:** Mateo 14:28-33
**Miércoles:** Mateo 14:13-21    **Sábado:** Mateo 14:34-36

**Unidad 3**

# La autoridad milagrosa del Rey

**Contexto:** Mateo 14:1-36
**Texto básico:** Mateo 14:13-33
**Versículo clave:** Mateo 14:33
**Verdad central:** Los milagros de Jesús satisfacen las necesidades humanas y dan a conocer que él, siendo el Hijo de Dios, tiene la autoridad como el Rey del reino de los cielos.
**Metas de enseñanza-aprendizaje:** Que el alumno demuestre su conocimiento de que los milagros de Jesús revelan su divinidad y su actitud de compartir por lo menos con una persona que Jesucristo es el Hijo de Dios.

## ———— Estudio panorámico del contexto ————

Juan era un hombre que señalaba el mal dondequiera que lo viera. En Oriente era peligroso acusar a un tirano; al señalar el pecado de Herodes, Juan había firmado su propia sentencia de muerte.

Herodes Antipas se había divorciado de su mujer para casarse con Herodía su cuñada, quitándole de esta forma a su propio hermano Felipe la esposa. Estos actos eran repudiados por la ley judía, porque era una relación prohibida e ilícita.

Antipas y Felipe eran hijos de Herodes el Grande quien años antes había ordenado la muerte de los niños, con el fin de matar a Jesús.

Antipas gobernaba como tetrarca en Galilea y Perea durante el ministerio de Jesús. Según Flavio Josefo, la muchacha que danzó para Herodes y quien pidió la decapitación de Juan el Bautista se llamaba Salomé, quien era la única hija conocida de Herodía, y que fue inducida por su madre, a eliminar a Juan.

En los tiempos del ministerio terrenal de Jesús, la noche se dividía en cuatro vigilias: de dieciocho a veintiuna horas, de veintiuna a veinticuatro horas, de cero a tres horas, y de tres a seis horas. El momento cuando Jesús caminó sobre el mar, fue la cuarta vigilia, o sea entre las tres y seis de la mañana.

Un milagro es una intervención sobrenatural en el mundo externo que revela específicamente la presencia y el poder de Dios. Esta intervención sobrenatural no se da por casualidad, sino que es una prueba clara de la omnipotencia de Dios. El propósito de los milagros era dar a conocer la intervención poderosa de Dios y fortalecer la fe de los seguidores del Señor.

Mateo subraya el hecho de que los milagros de Jesús eran notorios por toda Galilea y Perea.

Herodes Antipas consideraba que Juan el Bautista a quien él había mandado a dar muerte, habría resucitado, y que su poder era manifestado en Jesús.

169

En los milagros presentados en el capítulo catorce, Jesús manifestó su comprensión y poder en proveer alimento y sanidad. Asimismo, evidenció su divinidad y omnipotencia al caminar sobre el mar.

―――――――――― **Estudio del texto básico** ――――――――――

## Lea su Biblia y responda

1. Lea Mateo 14:1-12 y complete los siguientes ejercicios:
    a) Escriba la razón por la que encarcelaron y dieron muerte a Juan el Bautista._____
    b) Escriba la cita exacta donde se encuentra la razón:_____
2. Escriba los milagros que se describen en Mateo 14:13-36.
    a) _____
    b) _____
    c) _____

## Lea su Biblia y piense

# 1 Jesús alimenta a cinco mil, Mateo 14:13-21.

**V. 13.** Oyendo Jesús del asesinato de su fiel precursor se alejó de allí para estar solo por tres posibles razones:

a) Como humano deseaba descansar.

b) Sabía que era necesario alejarse no por miedo, sino que aún no había llegado el momento de correr la misma suerte de Juan.

c) Necesitaba momentos de soledad para comunicarse con el Padre celestial.

Jesús buscaba descanso para su cuerpo y vigor para su alma en lugares apartados, pero las multitudes que le seguían no le permitían estar solo.

**V. 14.** Jesús anhelaba silencio, paz y quietud y en lugar de ello encontró una gran multitud solicitando con ansiedad solución a sus necesidades. Ante tal situación, Jesús, por su amor a la humanidad, se compadeció de ellos y les atendió en las necesidades que le presentaron.

**Vv. 15, 16.** Los discípulos, preocupados porque las horas iban avanzando y en vista de que las personas necesitaban satisfacer su necesidad alimenticia, le sugieren a Jesús que despida a la multitud para que fuese a buscar sus propios alimentos. Con el fin de fortalecer la fe de sus discípulos, satisfacer la necesidad física de la muchedumbre y demostrar su poder divino, ordena a los apóstoles que no despidan a las personas, sino que ellos les den de comer.

**Vv. 17, 18.** La falta de fe de los discípulos fue evidenciada al mostrar a Jesús la limitación de alimentos. Ante esta necesidad, Jesús les ordena que le traigan los panes y los peces para demostrarles que con pocos recursos el Hijo de Dios podía alimentar a todos.

**V. 19.** En actitud de obediencia y posiblemente a la expectativa, los discípulos dan a Jesús los pocos alimentos con que contaban, y siguiendo las instrucciones del

Señor ordenan a las personas recostarse en el llano esperando la obra milagrosa. Tomando, bendiciendo y partiendo los alimentos Jesús multiplica los panes y los peces, con lo que satisfizo el hambre de toda la multitud.

**Vv. 20, 21.** ¡Qué milagro tan maravilloso! Comieron satisfactoriamente aproximadamente cinco mil personas sin contar las mujeres ni los niños y sobraron doce canastas llenas de alimento. Este milagro no sólo atendió las necesidades de los hambrientos, sino que mostró el ejercicio del poder del Creador por parte de Jesús.

## 2 Jesús camina sobre el agua, Mateo 14:22-33.

**Vv. 22, 23.** El milagro de la multiplicación de los alimentos tuvo un efecto notable. La multitud, incluyendo los discípulos estaba impresionada, y todo esto estaba sucediendo durante el tiempo de la Pascua. Jesús envió a sus discípulos delante de él, a la otra orilla del mar mientras despedía a las personas. Después, quedándose solo subió a un monte a orar.

**Vv. 24, 25.** Los discípulos estaban navegando cuando repentinamente se levantó una tormenta impidiéndoles avanzar porque luchaban contra el viento y las olas. Jesús conocía su situación pero no quiso ir en su auxilio mientras no llegara el momento propicio. Su propósito era probar y alimentar la fe de sus discípulos. Fue hasta la cuarta vigilia, comprendida entre las tres y las seis de la mañana, que Jesús se dirigió a ellos caminando sobre el mar.

**Vv. 26, 27.** En la oscura atmósfera tempestuosa que experimentaron, los discípulos observaron temerosos una figura humana que se movía sobre el agua y que se acercaba a ellos. Su reacción humana fue dudar de la protección del Señor y pensaron que estaban solos y abandonados. Consideraron que lo que se acercaba era un fantasma. ¡Qué maravilloso escuchar en los últimos momentos de aflicción las palabras alentadoras de Jesús, dándoles ánimo y seguridad!

**V. 28.** Pedro, el impetuoso, con una fe superficial, cuando vio que Jesús andaba sobre el agua quiso hacer lo mismo él también. Pedro había olvidado sus limitaciones y quería realizar algo más allá de lo que era capaz de lograr.

**Vv. 29, 30.** Jesús accede a la petición de Pedro, él conocía que la fe de este discípulo no era confiable, pero esta era una oportunidad para hacerlo notar. Pedro caminó sobre las aguas yendo a Jesús, pero al percatarse del viento fuerte empezó a hundirse pidiendo auxilio desesperadamente.

**V. 31.** Jesús salvó a Pedro y le reprochó su falta de fe, enfatizando la importancia de confiar plenamente en el cuidado y protección del Señor.

**Vv. 32, 33.** Además de dar auxilio a Pedro, ocurre otro hermoso milagro: Jesús calmó el viento fuerte que atemorizó al discípulo. Ante tales portentos, los discípulos estaban admirados y reconocían su divinidad, le adoraron exclamando: *Verdaderamente eres Hijo de Dios.*

## Aplicaciones del estudio

**1. Jesucristo hace milagros hoy en día.** El poder divino de Jesucristo en operar milagros, es el mismo de ayer, hoy y mañana. En nuestra época él realiza diariamente milagros alrededor de nosotros.

**2. El nuevo nacimiento es un milagro.** Un milagro será efectuado cuando su propósito sea de acuerdo con la voluntad de Dios y nunca al interés egoísta de la humanidad. Los individuos que tienen un encuentro personal con Jesucristo experimentan el milagro de la regeneración espiritual.

**3. Dios multiplica los recursos de sus siervos.** Aunque sean pocos los recursos, Dios los multiplicará y utilizará abundantemente en su obra. Para que el ministerio cristiano siempre esté firme, es necesario que dependa plenamente del Señor, contando con una fe estable.

**4. Para poder adelantar el reino en la tierra tenemos que aumentar nuestra fe.** A pesar de que se presenten circunstancias adversas que le tienten a claudicar, la fe del cristiano no debe tambalearse.

**5. Jesucristo es suficiente para darnos victoria en la adversidad.** En la vida se presentan situaciones desesperantes que ningún hombre es capaz de enfrentarlas por sí solo. Cuando le dejamos actuar a él en una absoluta fidelidad, nos rescata del peligro, calma la tormenta de nuestra vida y nos da confianza.

## Prueba

1. Con base en el estudio de hoy explique en qué se manifestó la divinidad de Jesús, en los tres milagros operados:

| MILAGRO | MANIFESTACION DIVINA |
|---------|----------------------|
| a) _____ | _____ |
| b) _____ | _____ |
| c) _____ | _____ |

2. Escriba el nombre y la estrategia que seguirá para compartir con una persona no cristiana que Jesucristo es el Hijo de Dios.

_____

_____

_____

_____

### Lecturas bíblicas para el siguiente estudio

**Lunes:** Mateo 15:1-9             **Jueves:** Mateo 15:29-31
**Martes:** Mateo 15:10-20          **Viernes:** Mateo 15:32-39
**Miércoles:** Mateo 15:21-28       **Sábado:** Mateo 16:1-12

**Unidad 4**

# El reino y la religión tradicional

**Contexto:** Mateo 15:1 a 16:12
**Texto básico:** Mateo 15:10, 11, 15-20; 16:1-12
**Versículos clave:** Mateo 15:18, 19
**Verdad central:** Dios tiene mayor interés en las personas que en las instituciones y en las cualidades internas que en la observancia de reglas establecidas por los hombres.
**Metas de enseñanza-aprendizaje:** Que el alumno demuestre su conocimiento del interés que Dios tiene en las personas y sus cualidades internas y su actitud frente a la disposición de Jesús para satisfacer sus necesidades espirituales.

———— **Estudio panorámico del contexto** ————

1. Lo que contamina al hombre, Mateo 15:1-20
2. La fe de una mujer extranjera, Mateo 15:21-28
3. Ministrando a las multitudes, Mateo 15:29-31
4. Jesús alimenta a cuatro mil, Mateo 15:32-39
5. Jesús rehúsa dar una señal, Mateo 16:1-4
6. Levadura de los fariseos y saduceos, Mateo 16:5-12

Los fariseos formaban una secta judía que llegó a ser un partido poderoso. Centraban la religión judía en la observancia de la ley, vivían según los detalles de la ley oral y la de los escribas. También enseñaban que Dios solamente otorgaba su gracia a aquellos que se ajustaban a sus preceptos. La piedad la hicieron formalista, desvalorizaron la actitud interna y dieron mayor valor a la expresión externa.

Los saduceos eran menos numerosos que los fariseos, pero eran personas instruidas, influyentes y colocadas en las altas esferas de las funciones públicas. Para ellos sólo la ley escrita era determinante, aunque luchaban por el derecho de interpretarla a su manera. Los saduceos se limitaban a los escritos de la ley de Moisés, se aferraban a la letra de las Escrituras y rechazaban la ley oral.

La religión de los fariseos y los saduceos era legalista, externa, ritual y ceremonial. La ley de Moisés era aplicada en la vida religiosa de esos días. Esta era obtenida a través de la "tradición de los ancianos".

La tradición de los ancianos se refería a la tradición oral judía que, según algunos, se remontaba hasta Moisés. Esta era transmitida por los grandes rabinos y considerada suplemento, y a menudo como interpretación de las Escrituras. Era transmitida oralmente de generación en generación y al final tomó forma escrita en el llamado Talmud, que se componía de la Mishna y la Gemara. El Talmud era considerado con igual autoridad que la ley.

La ley establecía que los sacerdotes debían limpiarse de contaminación, pero los fariseos habían convertido esto en un legalismo extremo en el que sobresalían las acciones externas. La idea de pureza e impureza no tenía nada que ver con la higiene física, sino que se trataba de que el individuo tuviera una limpieza espiritual interna para adorar y acercarse a Dios. Estar impuro significaba no estar en condiciones de adorar a Dios. Esta impureza se contraía, según ellos, al tocar a ciertas personas, o al tocar o comer ciertos alimentos. Jesús censuró severamente el hecho de haber invalidado la Palabra de Dios mediante algunas de las tradiciones de origen humano.

Jesús señala a los fariseos el error del legalismo que practicaban y enseña enfáticamente que lo que verdaderamente contamina al hombre es lo que está en su corazón. Les señala que las ceremonias no tienen valor alguno y que la verdadera contaminación es la que se anida en el corazón.

Jesús realizó una variedad de milagros de tipo físico con su poder divino, demostrando de esta manera su compasión y amor por las personas.

Los fariseos y saduceos pidieron a Jesús una señal pero él se negó a darla, pues sabía que dándola satisfaría el interés egoísta de ellos. Jesús advirtió a sus discípulos que se cuidaran de la falsa doctrina de los fariseos y saduceos.

───────── **Estudio del texto básico** ─────────

## Lea su Biblia y responda

1. Lea Mateo 15:1-20 y escriba las tres citas del Antiguo Testamento que usó Jesús.

    a. _____ b. _____ c. _____

2. ¿En qué aspecto compara Jesús a los fariseos y saduceos con la levadura?

_____

## Lea su Biblia y piense

# 1 Lo que contamina al hombre, Mateo 15:10, 11, 15-20.

**V. 10.** Jesús había participado en un diálogo fuerte con los fariseos. Estos lo habían iniciado con el propósito de desprestigiar al Señor ante el pueblo. Habiéndolos humillado, Jesús se dirigió a la multitud para exponerle con claridad y sencillez el gran principio de la verdadera contaminación, por el cual serían librados de la esclavitud moral a la que estaban sujetos.

**V. 11.** Jesús determina que lo más importante y de valor no es lo externo de la observancia ritual de la persona, sino el estado interno de su corazón. Las leyes ceremoniales concernientes a los alimentos puros e impuros no tenían una validez moral absoluta. Jesús no definió el mal espiritual en términos rituales porque la pureza e impureza proceden de la condición interna del ser humano y se manifiestan en sus actitudes.

**Vv. 15, 16.** Los discípulos aún no captaban claramente las nuevas revelaciones de Jesús; esto se evidenció en la actitud de Pedro, quien pidió una explicación de la parábola.

**Vv. 17, 18.** Jesús menciona la boca, relacionándola con la contaminación espiritual, no como una entrada para el alimento físico, sino como órgano de expresión de los pensamientos y actitudes del corazón del individuo.

**Vv. 19, 20.** El mal proviene del corazón humano; éste se inicia conformando consideraciones y razonamientos sobre ciertas acciones ofensivas y dañinas dirigidas contra Dios, contra el prójimo y contra él mismo. Los deseos malignos del corazón se pueden expresar a través de malos pensamientos, homicidios, adulterio, inmoralidades sexuales, robos, falsos testimonios, blasfemias, etc. Jesús les advirtió que estos actos egoístas son los que contaminan al hombre y por consiguiente afectan sus relaciones con Dios y con sus prójimos.

## 2 Levadura de los fariseos y saduceos, Mateo 16:1-12.

**Vv. 1, 2.** Jesús acababa de regresar a Galilea y ya se le aparecen nuevamente sus enemigos con el fin de desacreditarlo ante los demás. En esta ocasión no son sólo los fariseos, sino que se unen a ellos los saduceos. La estrategia que usan es pedir a Jesús una señal, no para convencerse sino para afectar al Señor. Durante dos años ellos habían sido testigos de muchos milagros efectuados por el poder divino de Jesús, pero ahora exigían una señal espectacular.

**Vv. 3, 4.** Jesús les responde utilizando como ilustración los fenómenos climatológicos. Les expresó que pedir otra señal además de las que él ya había hecho, les hacía ser "una generación malvada y adúltera", es decir, de corazones hechos para Dios pero entregados a las cosas de este mundo. Lo que a ellos les faltaba era la señal de Jonás, que consistía en una fe plena.

**Vv. 5-7.** Jesús y sus discípulos fueron hacia el otro lado del lago y no llevaron pan, razón que a sus seguidores les preocupó extremadamente. Para los judíos, comprar pan al otro lado del lago significaba adquirir pan impuro, ya que el mismo era elaborado por los gentiles. Jesús les advirtió que se guardaran de la levadura de los fariseos y saduceos, es decir, de la influencia corrupta que éstos ejercían. En ese momento los discípulos no entendieron, y pensaron que al referirse a la "levadura" se trataba del pan material.

**Vv. 8-12.** Jesús pregunta a sus discípulos por qué no entendían de qué levadura les prevenía; les hizo comprender claramente que debían guardarse de la hipocresía religiosa de los fariseos y de los saduceos. Les advirtió de la importancia de no seguir una religión externa y legalista, sino observar una doctrina sana, basada únicamente en sus enseñanzas.

## ─────── Aplicaciones del estudio ───────

**1. Es más importante la relación personal con Jesucristo que una religión superficial.** La vida cristiana no es en sí una religión, es más bien una comunión estrecha con Jesucristo. El cristiano debe mantener una constante relación con Dios a través de la orientación del Espíritu Santo en su vida. Para alcanzar una relación estrecha con Dios es necesaria la confesión de pecados y pureza de corazón.

**2. La condición y disposición del corazón es lo que vale, no así las costumbres legalistas.** Lo que contamina al hombre en sí es lo que sale de su boca, lo que proviene de su corazón corrompido. La conducta externa se mueve por la intención del corazón, ya sea para bien o para condenación.

**3. Lo que anidamos en nuestro corazón afecta nuestras relaciones.** Una acción que es movida por rencor, envidia o amargura, afecta gravemente tanto al receptor como al transmisor. Pero si una acción proviene de un corazón limpio, consiguientemente traerá buenos resultados.

**4. Es de suma importancia vivir limpia y puramente.** La iglesia debe preocuparse por enfatizar la importancia de que los cristianos lleven una vida transparente, de corazón puro y limpio. Es necesario no entretenerse en las costumbres y tradiciones eclesiásticas que conllevan muchas veces a aparentar una vida espiritual externa. En lugar de ello deben promoverse actividades formativas que tengan como fin alcanzar el ciento por ciento de espiritualidad verdadera incluyendo a todo aquel que quiera participar.

**5. La vida nueva en Cristo debe ser vista por los hombres.** Los cristianos debemos reflejar constantemente una vida nueva, transformada por Jesucristo, y debemos ser de testimonio fiel para el mundo que nos rodea. Solos no lo podemos lograr, únicamente lo alcanzaremos a través del Espíritu Santo.

## Prueba

1. De acuerdo con el estudio de hoy escriba dos ejemplos de lo que contamina al hombre:

a) _____

b) _____

2. Analice la situación espiritual de su congregación y escriba dos peligros que les pueden llevar a practicar una religión tradicional:

_____
_____
_____
_____

### Lecturas bíblicas para el siguiente estudio

**Lunes:** Mateo 16:13-20          **Jueves:** Mateo 17:1-13
**Martes:** Mateo 16:21-23; 17:22, 23     **Viernes:** Mateo 17:14-21
**Miércoles:** Mateo 16:24-28        **Sábado:** Mateo 17:24-27

**Unidad 4**

# Confesión y compromiso en el reino

**Contexto:** Mateo 16:13 a 17:27
**Texto básico:** Mateo 16:13-19, 24, 25; 17:1-5
**Versículo clave:** Mateo 16:24
**Verdad central:** Jesús desafía a todas las personas a confesarle como Salvador y seguirle como Señor.
**Metas de enseñanza-aprendizaje:** Que el alumno demuestre su conocimiento del llamamiento de Jesús a la confesión y al compromiso y su actitud de confesar a Cristo como Salvador y seguirle como Señor.

─────── **Estudio panorámico del contexto** ───────

1. La confesión de Pedro, Mateo 16:13-20
2. Condiciones para seguir a Jesús, Mateo 16:24-28
3. La transfiguración, Mateo 17:1-8
4. Jesús sana a un muchacho, Mateo 17:14-21
5. Jesús vuelve a anunciar su muerte, Mateo 17:22, 23
6. Jesús paga el impuesto del templo, Mateo 17:24-27

La confesión verdadera de que Jesús era el Mesías fue expresada por Pedro en la región de Filipo, llamada anteriormente Paneas en honor del Dios griego Pan.

Cesarea de Filipo está situada al pie del monte Líbano cerca de las fuentes del Jordán, en el territorio de Dan al extremo noroeste de Palestina. Originalmente se llamaba Panium y Paneas. Allí se adoraba al dios cananeo Baal.

Felipe, el tetrarca, único hijo bueno de Herodes el Grande, la reedificó. Le cambió el nombre de Cesarea, llamada así en honor del emperador romano César Augusto y le agregó "de Filipo" por su propio nombre para distinguirla de la otra Cesarea (Hch. 10:1) que se encontraba sobre la costa noroeste del Mediterráneo. En Cesarea de Filipo había un gran templo de mármol blanco construido por Herodes el Grande, dedicado a la divinidad del César.

Jesús se retiró a Cesarea de Filipo, buscando un lugar distante y tranquilo con el fin de estar a solas con sus discípulos para enseñarles sobre sus últimas acciones. Filipo estaba a unos cuarenta y seis kilómetros al noroeste de Galilea y la mayor parte de su población era gentil. Ese lugar fue escogido por Jesús para enseñar a sus apóstoles y exigirles una decisión que determinara su compromiso y lealtad en el reino.

La transfiguración se desarrolló en algún lugar de las laderas del majestuoso monte Hermón. Hermón es una montaña muy alta por encima del nivel del valle del Jordán.

Lo que resalta en este pasaje es la reacción de Pedro ante la pregunta: *Pero vosotros, ¿quién decís que soy yo?* Pedro confiesa que Jesús es el Cristo, el Hijo del Dios viviente. Jesús les anuncia por primera vez su crucifixión, muerte y resurrección victoriosa. Asimismo, les señala las condiciones para seguirle fielmente.

Mateo describe el hecho de la transfiguración, la cual se dio con el fin de fortalecer la fe de los tres discípulos que la observaron. En este acontecimiento se confirmó la naturaleza divina de Jesucristo.

──────────── **Estudio del texto básico** ────────────

## Lea su Biblia y responda

1. Lea Mateo 16:13-20 y escriba las preguntas allí planteadas con su respectiva respuesta.

|   | PREGUNTA | RESPUESTA |
|---|---|---|
| a. | | |
| b. | | |

2. Según Mateo 17:1-13,

    a. ¿Quiénes son los discípulos que Jesús llevó consigo a un monte alto?

    b. ¿Qué representaban Moisés y Elías en el monte de la transfiguración?

## Lea su Biblia y piense

# 1 La confesión de Pedro, Mateo 16:13-19.

**Vv. 13, 14.** Con el fin de exigir una decisión firme de sus discípulos, Jesús inicia su enseñanza con un cuestionamiento. Primero les pregunta la opinión de la gente sobre su persona y obra. Los discípulos responden lo que han oído. "Unos dicen que eres Juan el Bautista, otros que Elías, otros dicen que eres Jeremías o alguno de los profetas." Es decir, su concepto acerca de Jesús siempre giró en torno a la labor de un profeta.

**Vv. 15, 16.** Inmediatamente después les preguntó su propia opinión como discípulos. Pedro, sin vacilar, tomó la palabra y afirmó: *¡Tú eres el Cristo, el Hijo del Dios viviente!* Pedro pudo reconocer la divinidad sublime de Jesucristo y lo declaró abiertamente.

**V. 17.** ¿Cómo pudo responder Pedro tan atinadamente? El identificó la divinidad de Jesucristo no por su propio criterio, sino por la revelación de Dios. Jesús le felicita por haber recibido la revelación del Padre celestial.

**Vv. 18, 19.** Después de la confesión de Pedro, Jesús le hace una promesa, *A ti te daré las llaves. . . ,* es decir, la potestad de que su mensaje abrira las puertas de la predicación a los gentiles. En esa promesa estaba garantizada la expansión misionera del mensaje a todas las naciones. Esto no significaba que Jesús diera esa oportunidad sólo a Pedro, ya que confesar a Cristo como el Hijo del Dios viviente y contribuir al extendimiento del reino es responsabilidad de todo cristiano. Jesús estaba anunciando el establecimiento de su iglesia, detallando que la base de ella sería él mismo. Los discípulos y todos los que pertenecerían más tarde a la iglesia serían los colaboradores, "piedras vivas" edificadas sobre Cristo la "roca".

## 2 Condiciones para seguir a Jesús, Mateo 16:24, 25.

**V. 24.** Jesús indica que una de las condiciones para seguirle es renunciar a uno mismo, no en forma parcial sino total. Esto significa que debemos destronar nuestro yo, y dejar que Cristo sea glorificado en nuestra vida. Llevar la cruz cada día habla de una vida de servicio hasta el sacrificio mismo. El seguir a Jesús implica abandonar la ambición personal y estar dispuesto a obedecer al Padre aunque haya que padecer.

**V. 25.** Si el hombre busca salvar su vida por sus propios medios, la perderá. Pero el que está dispuesto a renunciar a él mismo, para prestar un servicio absoluto al Señor, aunque pierda su vida por él, se salvará. Los que son fieles cristianos y enfrentan penalidades graves, saben que están perdiendo aspectos materiales pero enriqueciendo su vida espiritual en Cristo Jesús.

## 3 La transfiguración, Mateo 17:1-5.

**V. 1.** Pedro, Jacobo y Juan formaban el círculo íntimo de Jesús. Ellos son llevados por el Maestro a un monte alto, que posiblemente era el monte Hermón.

**V. 2.** Estando en el monte ocurrió un evento espectacular. Delante de sus amigos, Jesús sufrió una transfiguración; sus vestiduras se volvieron blancas y su rostro tan resplandeciente reflejaba su divinidad y majestad.

**V. 3.** Moisés y Elías, aparecieron hablando con Jesús. Como lo expresa Lucas "hablaban de su partida y lo que él iba a cumplir en Jerusalén" (Luc. 9:31). De esta forma como representantes de la ley y los profetas estaban apoyando el plan redentor de Dios que incluía la muerte y resurrección de Jesús.

**V. 4.** Pedro parece haber querido seguir observando la majestuosa escena. Interrumpe, sugiriendo a Jesús que le permita levantar tres enramadas, una para el Señor, otra para Moisés y la otra para Elías. Según comenta Marcos, los tres discípulos estaban asombrados y tenían temor, por eso Pedro no sabía lo que decía.

**V. 5.** La nube de luz era un símbolo de la presencia divina. Dios reafirma que Jesús era su Hijo y que en él encontraba complacencia. El Padre celestial expresó las mismas palabras durante el bautismo de Jesús, y en esta ocasión, además de confirmar la divinidad de Jesús, ordena que le escuchen.     **V. 6.** La revelación de la gloria de Jesús, inspiró en los discípulos un temor reverente. Ellos identificaron plenamente la divinidad de Jesús, por lo que debían estar preparados para comprometerse a una entrega total a él, a pesar de las circunstancias adversas que de allí en adelante tenían que enfrentar.

# Aplicaciones del estudio

**1. El verdadero cristiano debe reconocer la grandeza y divinidad de Jesucristo.** Asimismo, debe confesar dondequiera que esté que Jesús es el Cristo, el Hijo del Dios viviente. Para ello es necesario dejar que el Espíritu Santo guíe nuestra vida. Así como a Pedro le fue revelada por Dios dicha verdad, hoy en día, es el Consolador quien nos convencerá de ello.

**2. Jesucristo tiene demandas para nosotros.** Para poder decir que somos fieles seguidores de Cristo debemos cumplir con sus exigencias. Negarnos a nosotros mismos es renunciar a que nuestro yo controle nuestra vida y permitir al Espíritu Santo guiarnos y controlarnos en forma total.

**3. El servicio fiel demanda una renuncia total a la vida vieja.** Muchas personas renuncian en forma parcial a su yo, pero Jesús ordena que nuestra entrega debe ser completa. Llevar su cruz implica que le sirvamos sin límite, no importando el esfuerzo y obstáculos que haya que enfrentar. Recordemos que él llevó consigo aquella pesada cruz, por causa de su amor por nosotros. Por lo tanto, en un acto de gratitud y lealtad a él, sirvámosle de todo corazón.

En la vida cristiana encontraremos graves situaciones que aparentemente nos pueden detener. Es necesario enfrentarlas, arriesgando incluso nuestra seguridad física. Las condiciones para seguir a Jesús son difíciles pero no imposibles de cumplir si estamos dispuestos a depender absolutamente de él.

# Prueba

1. ¿Cuáles son los pasos del compromiso de todo cristiano que quiere ser fiel al Señor?
   a) _____
   b) _____
   c) _____
   d) _____
   e) _____

2. Analice su condición espiritual y escriba una meta para demostrar que confiesa a Jesucristo como su Salvador y está dispuesto a seguirle como Señor.

_____
_____

### Lecturas bíblicas para el siguiente estudio

**Lunes:** Mateo 18:1-4; 19:13-15
**Martes:** Mateo 18:5-9
**Miércoles:** Mateo 18:10-14

**Jueves:** Mateo 18:15-20
**Viernes:** Mateo 18:21-35
**Sábado:** Mateo 19:1-12

**Unidad 4**

# Las relaciones en el reino

**Contexto:** Mateo 18:1 a 19:15
**Texto básico:** Mateo 18:1-6, 21, 22; 19:3-9
**Versículos clave:** Mateo 18:2, 3
**Verdad central:** Las enseñanzas de Jesús demandan que sus seguidores se relacionen con los demás con sensibilidad y disposición a perdonar, incluyendo el matrimonio.
**Metas de enseñanza-aprendizaje:** Que el alumno demuestre su conocimiento de las enseñanzas de Jesús acerca de las correctas relaciones y la permanencia del matrimonio y su actitud frente a los pasos que tiene que dar para restaurar o enriquecer una relación.

## ——————— Estudio panorámico del contexto ———————

1. La grandeza en el reino, Mateo 18:1-4
2. Advertencia contra las ofensas a los "pequeños", Mateo 18:5-9
3. El cuidado de Dios para los "pequeños", Mateo 18:10-14
4. Acerca del perdón al hermano, Mateo 18:15-20
5. Perdón sin límites, Mateo 18:21-35
6. Las enseñanzas de Jesús sobre el matrimonio, Mateo 19:1-12

La ley del divorcio, según su escrupulosidad o laxitud, tiene íntima relación con la pureza en la vida matrimonial. Las únicas bases legítimas para el divorcio de la ley rabínica eran "alguna forma de impureza", es decir, infidelidad conyugal y en caso de esterilidad. Los rabinos estaban divididos en cuanto a la legislación del divorcio.

Una escuela de intérpretes llamada de Shammai explicaba con claridad que la impureza significaba fornicación, prohibiendo el divorcio en cualquier otro caso excepto por adulterio.

Otra escuela, la de Hillel, ampliaba la expresión hasta incluir cualquier cosa en la esposa, que resultase ofensiva o desagradable para el marido. Esta forma de interpretar daba lugar a cualquier capricho y propiciaba serias depravaciones en el matrimonio.

El extremo era tal que si la esposa no encontraba gracia ante los ojos del marido, éste la podía repudiar si encontraba otra más agradable que ella. En el ambiente prevalecían las enseñanzas de la escuela de Hillel. El matrimonio era considerado con ligereza y el divorcio era un acto común y corriente. Los fariseos, con el fin de atacar a Jesús, le preguntaron su opinión acerca del divorcio. Ellos querían que él se ubicara en alguna posición de las escuelas existentes. La de Shammai o la de Hillel.

Jesús les respondió con firmeza y claridad, recordándoles el plan original de Dios en la constitución del hombre. El matrimonio como tal es una institución de carácter divino que no debe ser anulada por el divorcio.

Mateo presenta en el capítulo 18 la ética cristiana que Jesús demanda; estas son las cualidades que deben caracterizar las relaciones interpersonales del pueblo cristiano. Sobresalen siete cualidades que son: Humildad, responsabilidad, renunciamiento, preocupación individual, disciplina, comunión y espíritu de perdón.

## Estudio del texto básico

### Lea su Biblia y responda

1. Según Mateo 18:6-11, ¿cuál es la advertencia y enseñanza que hace Jesús?
    a. _____
    b. _____

2. ¿Sobre qué punto enfatiza Jesús, según Mateo 18:15-22?
    _____

### Lea su Biblia y piense

# 1 La grandeza en el reino, Mateo 18:1-4.

**Vv. 1, 2.** Una de las dudas que tenían los discípulos era sobre quién sería el más importante en el reino de los cielos. Esto evidenciaba que aun ellos no tenían claridad exacta del significado del reino. Jesús, con el fin de que ellos lo entendieran, ejemplificó su respuesta llamando a un niño.

**Vv. 3, 4.** Les recalcó sobre la importancia de dejar a un lado la grandeza personal y la necesidad de volverse y hacerse como un niño. Esto significaba que debían dejar el orgullo y asumir una actitud de humildad. Los niños son humildes por su propia inocencia; por consiguiente, el mayor en el reino de los cielos sería el que tuviera una humildad verdadera.

# 2 Advertencia contra las ofensas a los "pequeños", Mateo 18:5, 6.

**V. 5.** Los judíos empleaban la palabra *niño* en dos sentidos, una para referirse a un niño pequeño y otra para denominar a los discípulos de un maestro. Jesús enfatiza que la persona que recibe a sus seguidores en su nombre, sería como si le estuvieran recibiendo a él. De esta manera demuestra la relación estrecha que existe entre sus discípulos humildes y él.

**V. 6.** Jesús enseña que el hecho de servir de tropiezo y/o hacer caer a un seguidor de él es grave. Subraya el terror del castigo de aquellos que guían a otros a pecar. Las personas no estan libres de pecar, pero lo terrible radica en ser la causa de pecado para otros. El que haga tropezar a alguno, es digno de muerte.

## 3 El perdón sin límites, Mateo 18:21, 22.

**V. 21.** Pedro conocía la importancia de practicar el perdón, pero lo limitaba al aspecto cuantitativo, dejando a un lado el aspecto cualitativo. Su preocupación era cuantificar las veces que debía perdonar, limitando así la actitud de perdonar.

**V. 22.** Jesús le muestra que el perdón es ilimitado. Este debe ser una continua disposición del corazón; debe ser cualitativo y tener su raíz en una disposición sincera del corazón.

## 4 Las enseñanzas de Jesús sobre el matrimonio, Mateo 19:3-9.

**V. 3.** Con el afán de atacar a Jesús, los fariseos le hacen una pregunta respecto al divorcio. Los fariseos llevaban consigo la ley de Moisés. En ese momento el concepto de divorcio se encontraba degradado; algunos seguían la interpretación de la escuela de Shammai y otros la de Hillel. Una era conservadora y la otra extremadamente liberal. Los fariseos quisieron poner a Jesús en una situación difícil, en la que él se identificara con uno de los debatidos conceptos del divorcio.

**Vv. 4, 5.** Jesús les respondió sabiamente, citando referencias del Antiguo Testamento. Enfatizó el verdadero objetivo de Dios, al establecer el matrimonio, recordando que tanto el hombre como la mujer fueron creados por Dios, y se unirían para ser una sola carne.

**V. 6.** Jesús señala que el matrimonio fue instituido por Dios. Recalca la indivisibilidad del mismo. El hombre no debe deshacer la obra de Dios. El divorcio no es el plan divino, sino que es un deseo eminentemente humano.

**V. 7.** La carta de divorcio de Moisés fue usada con abuso por los judíos del tiempo de Jesús. La declaración de Jesús ponía en evidencia esa realidad y eso provocó que lo acusaran de estar en contra de la ley. Por esa razón le preguntan, por qué la ley mosaica contemplaba el divorcio.

**V. 8.** Moisés tuvo que legislar para aquellos que estaban en desobediencia. Fue la dureza del corazón del hombre la que propició la normatividad del divorcio, pero el plan original de Dios establece la permanencia del matrimonio.

**V. 9.** Jesús enfatizó la importancia de que el matrimonio fuera estable, recalcando que éste debía ser así por ser una institución divina. Pero ante la debilidad humana, el divorcio podría darse únicamente por causa de fornicación. Estableciendo que aquel que se divorciara por cualquier motivo, y se casare con otra persona cometería adulterio.

--------- **Aplicaciones del estudio** ---------

**1. La humanidad y sencillez deben caracterizar nuestras relaciones.** La ambición, prestigio, fama, superioridad, orgullo y egoísmo, son aspectos que no tienen lugar en la vida cristiana.

**2. El cristiano debe olvidarse de sí mismo y prestar un servicio efectivo a los demás.** Las personas que se caracterizan por poseer la humildad propia de un niño, serán ciudadanas en el reino de los cielos. El cristiano verdadero se olvida de sí mismo, deja actuar plenamente a Cristo en su vida, y humildemente presta un servicio efectivo a su prójimo sin hacer acepción de personas.

**3. El cristiano debe cuidar su testimonio.** ¡Cuán condenable es enseñar a pecar y/o ser motivo de pecado para otros! Los ojos del mundo están sobre nuestras acciones, por lo que debemos ser responsables en nuestra forma de proceder.

**4. La práctica cualitativa del perdón enriquece el espíritu del cristiano.** Llevar consigo el recuerdo de alguna experiencia dañina, provocada por otra persona, afecta gravemente a los individuos. Con el tiempo esto se convierte en raíz de amargura provocando un entrañable odio y rencor. Esto, definitivamente afecta seriamente las relaciones interpersonales, incluso dentro del pueblo cristiano. Para evitarlo, es necesario practicar el perdón ilimitadamente. El cristiano debe mantener continuamente un espíritu de perdón, basado en el hecho de que él mismo ha sido perdonado por Dios.

**5. Es lamentable observar la situación declinante del matrimonio.** Según las estadísticas, cada día aumenta el porcentaje de divorcios. Las congregaciones deben asumir tres acciones para contribuir al rescate del matrimonio.

a. Promover la restauración de la unidad y el perdón de las parejas que están a punto del divorcio.

b. Enfatizar que los matrimonios cristianos proyecten buen testimonio en sus relaciones familiares, dignas de imitar.

c. Enseñar y orientar a los jóvenes a establecer matrimonios bajo la dirección de Dios.

## Prueba

1. ¿Qué actitud debemos tener para ser importantes en el reino de los cielos?
_____

2. ¿Qué significa la ilustración de Jesús de sacar el ojo y quitárselo?
_____
_____
_____

3. ¿Qué cualidades deben caracterizar al cristiano para relacionarse adecuadamente con los demás? _____
_____
_____

### Lecturas bíblicas para el siguiente estudio

**Lunes:** Mateo 19:16-26        **Jueves:** Mateo 20:17-19
**Martes:** Mateo 19:27-30       **Viernes:** Mateo 20:20-28
**Miércoles:** Mateo 20:1-16     **Sábado:** Mateo 20:29-34

**Unidad 4**

# El servicio en el reino

**Contexto:** Mateo 19:16 a 20:34
**Texto básico:** Mateo 19:16-23; 20:13-16, 25-28
**Versículos clave:** Mateo 20:26, 27
**Verdad central:** Las enseñanzas de Jesús acerca de las prioridades muestran el peligro de hacer un dios de las cosas materiales y la importancia de ministrar a otros.
**Metas de enseñanza-aprendizaje:** Que el alumno demuestre su conocimiento de las advertencias de Jesús respecto al peligro de acumular cosas materiales y su efecto en la prioridad de servicio, y su actitud frente a maneras en que puede usar sus recursos materiales para el adelanto del reino de Dios.

## —————— Estudio panorámico del contexto ——————

1. Jesús y el joven rico, Mateo 19:16-22
2. El peligro de las riquezas, Mateo 19:23-26
3. Recompensa para los discípulos, Mateo 19:27-30
4. Obreros y salarios en el reino, Mateo 20:1-16
5. La cruz y el reino, Mateo 20:17-19
6. La grandeza en el reino, Mateo 20:25-28

Según el diccionario de la Lengua Española, el concepto de prioridad es la "Precedencia o anterioridad de una cosa a otra que depende o procede de ella."

Prioridad es dar preferencia o primacía a una acción. Cuando un individuo se considera con grandeza, refleja una magnitud y superioridad procedente del poder. El ser humano por su naturaleza pecaminosa, tiende a ser egoísta, vanidoso y orgulloso. Si tiene oportunidad de obtener riquezas y poder, su reacción es sentirse grande, único y superior a los demás. En sus acciones da a conocer sus aspectos materiales dejando a un lado su vida espiritual. Esto, por consiguiente afecta su relación con Dios y con las demás personas.

En la actualidad, el aspecto de grandeza individual satisface intereses de poder y lleva a que la persona se considere absoluta. Este mal ha proliferado en todos los niveles, afectando gravemente las relaciones interpersonales de la sociedad y principalmente el alejamiento de las personas de Dios.

Las posesiones no son malas, el peligro radica en que éstas controlen al hombre, hasta el punto que éste no reconozca la necesidad de Dios en su vida.

Jesús resalta la necesidad de renunciar a todo y compartir con los demás para entonces poder seguirle a él. Subraya la importancia de poner las cosas espirituales antes que las materiales.

Jesús enfatizó que no es a través del cumplimiento legalista de normas y reglas como se participa en el reino, sino que es a través de una actitud de servicio a los demás. Jesús enseñó que los que se creen primeros en este mundo, serán los últimos en el cielo.

Las normas celestiales y terrenales son completamente diferentes. Los cristianos más humildes en esta tierra tendrán los lugares más altos en el cielo y muchos grandes, si es que llegan allá, se verán inferiores a los que aquí les servían.

## Estudio del texto básico

**Lea su Biblia y responda**

1. Lea Mateo 19:16-22 y complete los siguientes ejercicios:
   a. ¿Qué razón fue la que entristeció al joven rico?

   _____

   b. ¿En qué cita se encuentra el pasaje anterior?

   _____

2. Lea Mateo 20:1-6 y complete los siguientes ejercicios:
   a. ¿Con qué comparó Jesús el reino de los cielos?

   _____

   b. ¿Cuál es la enseñanza principal de este pasaje?

   _____

   _____

**Lea su Biblia y piense**

# 1 El servicio y las riquezas, Mateo 19:16-23.

**Vv. 16, 17.** Un joven rico, cumplidor de las normas legalistas, se acercó a Jesús para preguntarle lo que debía hacer para alcanzar la vida eterna. Jesús conocía que dentro del corazón del muchacho había prioridad por las riquezas. Antes de responder, Jesús le señala enfáticamente que sólo Dios es bueno. En seguida le indica que si desea obtener la vida eterna, necesita guardar los mandamientos.

**Vv. 18, 19.** El joven no satisfecho con las palabras del Señor le pregunta: ¿Cuáles?, esto indica que para él algunos mandamientos eran más importantes que otros. Jesús le cita los cinco mandamientos que se relacionan con las acciones hacia los demás.

**V. 20.** El joven aduce que esos mandamientos ya los ha cumplido. Insiste en solicitar al Señor que le indique si aún le falta cumplir algo para lograr la vida eterna.

**V. 21.** Jesús le hace probar su amor al prójimo, y le invita a compartir con los pobres su dinero y a entregarse totalmente a su señorío.

186

**V. 22.** Esta demanda fue motivo de frustración y tristeza para el joven; posiblemente él esperaba una felicitación por parte de Jesús por guardar la ley. Pero nunca se imaginó que para alcanzar la vida eterna se requería renunciar a sus riquezas y compartirlas con los necesitados.

**V. 23.** Jesús aprovechó este acontecimiento para enseñar a sus discípulos sobre el peligro de dar prioridad a las riquezas. El Señor no está en contra de los bienes materiales, sino del hecho de poner la mirada en ellos y depender absolutamente de los mismos.

## 2 El servicio y los salarios en el reino, Mateo 20:13-16.

**V. 13.** Jesús presenta la parábola de los obreros de la viña para dar a conocer que en el reino, los hombres reciben lo que necesitan, esto es, la vida eterna. En el reino, los pagos son regidos por aspectos completamente distintos de los establecidos aquí en la tierra.

**Vv. 14, 15.** El dueño, que en este caso se refiere a Dios, tiene el derecho de hacer lo que mejor le parezca, pues la generosidad va unida a la justicia. Las personas orgullosas de su propia rectitud, que ocupaban posiciones destacadas en Israel, estaban turbadas porque la bondad y el amor de Dios habían sido ofrecidos a otros. Ellos querían ser los únicos en recibir la bendición de Dios y sentían envidia cuando el Señor bendecía a otros.

**V. 16.** Para completar la enseñanza, Jesús les señala que los últimos serán primeros y los primeros serán los últimos. Podría ocurrir que por estar entretenidos en murmuraciones contra el dueño, perdieran su pago. Mientras que los que llegaron al último serían los primeros.

## 3 El espíritu de servicio en el reino, Mateo 20:25-28.

**V. 25.** La madre de Jacobo y Juan, solicita a Jesús un lugar especial para sus hijos en el reino. Esto molesta a los otros discípulos. Jesús les señala que en la mayoría de las sociedades humanas el poder es buscado para satisfacer intereses personales.

**Vv. 26, 27.** Enfáticamente les señala que en el reino de Dios no es así, sino completamente diferente. En el reino, la grandeza se demuestra con actos de servicio. El que desea ser grande en el reino de los cielos tiene que ser humilde servidor en la obra.

**V. 28.** Las nobles palabras del Señor eran evidenciadas en su mismo ejemplo. El expone que no ha venido para recibir servicio sino para servir. Tal fue su amor que dio su vida para rescatarnos de la eterna condenación. Aquí se conjugan la humildad de Jesús el siervo sufriente y su grandeza en ser capaz de sacrificarse a sí mismo para proveer a todos el medio de liberación de pecados.

# Aplicaciones del estudio

**1. No es malo tener riquezas.** El peligro radica en poner las posesiones materiales en primer lugar. Esto provoca que se ambicione tener cada día más y se actúe egoístamente. Cuando esto sucede, el corazón y la vida del individuo que las posee están apegados completamente a ellas, dependiendo exclusivamente de las mismas.

**2. Debemos compartir con los demás los bienes que Dios nos da.** Lo correcto es que si tenemos la bendición de poseer bienes materiales, debemos administrarlos correctamente y compartirlos con los demás.

**3. Dios prometió proveer para las necesidades básicas de sus hijos.** El cristiano no debe afanarse por obtener riquezas, sino de que Dios le proveerá para satisfacer sus necesidades básicas.

**4. En el reino recibimos lo que Dios quiera darnos.** La bondad divina es ilimitada y es más grande que los salarios por contrato humano. Jesús se dio a sí mismo, sin medir el costo material o físico. Por lo tanto el cristiano no debe tratar de negociar para fijar el costo del discipulado.

**5. Es necesario que sigamos el ejemplo de Jesús.** No esperemos ser servidos sino sirvamos con amor y alegría.

# Prueba

1. De acuerdo con el estudio de hoy

a) Escriba tres advertencias que Jesús hace respecto a los peligros que se enfrentan en el servicio del reino.

_____

_____

_____

b) Escriba tres actitudes correctas de los participantes del reino.

_____

_____

_____

2. Haga una lista de cinco acciones en que usted participará adecuadamente en el servicio del reino de Dios.

_____

_____

_____

### Lecturas bíblicas para el siguiente estudio

**Lunet:** Mateo 21:1-3
**Martes:** Mateo 21:4-11
**Miércoles:** Mateo 21:12, 13

**Jueves:** Mateo 21:14, 15
**Viernes:** Mateo 21:16, 17
**Sábado:** Mateo 21:18-22

**Unidad 5**

# Jesús es declarado Rey

**Contexto:** Mateo 21:1-22
**Texto básico:** Mateo 21:1-9, 12, 13, 19-22
**Versículo clave:** Mateo 21:9
**Verdad central:** Las acciones de Jesús en Jerusalén proclaman formalmente que él es el Rey del reino de los cielos.
**Metas de enseñanza-aprendizaje:** Que el alumno demuestre su conocimiento de la importancia de las acciones de Jesús en Jerusalén y su actitud de evitar la práctica de una religión vacía.

## ──────── Estudio panorámico del contexto ────────

1. La entrada triunfal en Jerusalén Mateo 21:1-11
2. Purificación del templo, Mateo 21:12-17
3. Maldición de la higuera estéril, Mateo 21:18-22

La entrada triunfal de Jesús en Jerusalén se desarrolló el domingo anterior a su muerte. Esta entrada dramatizada simbolizó la misión de Jesús a "las ovejas perdidas de Israel". El pueblo de Dios ya había olvidado su llamamiento a ser una nación santa. Su visión se tornó en una concepción política del Mesías. Por otro lado, Jesús sabía que su muerte había sido planificada y estaba preparado para ello, pues el tiempo señalado había llegado. En una magna manifestación pública, como última advertencia a la "Ciudad Santa", entró en medio de los aleluyas y hosannas de la multitud. El pueblo estaba jubiloso pues creía que había venido la hora de su liberación política y social.

Las aclamaciones al *Hijo de David* tenían un sentido eminentemente religioso y profético, por el hecho de que eran tomadas del Salmo 118:25, 26. Dicho Salmo era entonado en la fiesta de los tabernáculos y se había convertido generalmente en un canto de alegría para todas las ocasiones felices y solemnes.

El lunes Jesús llegó al templo donde encontró a los cambistas, cambiando las monedas extranjeras por las del país, es decir, por dracmas, con las que debía pagarse el tributo del templo. Las enormes ganancias de los puestos de mercado dentro del área del templo, a lo largo del Pórtico de Salomón, enriquecían a la familia del sumo sacerdote.

El monte de los Olivos era el lugar donde los judíos esperaban que apareciera el Mesías prometido. Betfagé quería decir "la casa de higos". Betania era una aldea que se encontraba a quince estadios o tres cuartos de kilómetro al sudeste de Jerusalén, sobre la pendiente oriental del monte de los Olivos.

Mateo enfatiza la entrada triunfal de Jesús en Jerusalén, donde es declarado Rey. Asimismo, subraya la evidencia de la autoridad profética de Cristo, manifestada en ese momento a través de la purificación del templo y más tarde en la maldición de la higuera estéril.

Jesús señaló la importancia de que el discípulo dé buen fruto.

───────── **Estudio del texto básico** ─────────

### Lea su Biblia y responda

1. Lea detenidamente Mateo 21:1-13, busque las referencias proféticas que allí se encuentran, compárelas y escriba las citas del Nuevo y Antiguo Testamentos.

| NUEVO TESTAMENTO | ANTIGUO TESTAMENTO |
|---|---|
| a. _____ | _____ |
| b. _____ | _____ |
| c. _____ | _____ |

2. ¿Qué advertencia hace Jesús en Mateo 21:18-21?

### Lea su Biblia y piense

# 1 La entrada triunfal a Jerusalén, Mateo 21:1-9.

**Vv. 1-3.** En Betfagé, cerca del monte de los Olivos, Jesús ordena a dos de sus discípulos, traer un asna y un borriquillo. Podría ser que él ya había convenido de antemano con el dueño de los animales para este efecto. Les advierte que si les argumentan algo, ellos debían expresar que era una necesidad del Señor. El Señor tuvo el debido cuidado de impedir que los sacerdotes, ayudados por los romanos estorbaran la solemne celebración.

**Vv. 4, 5.** Este acontecimiento que experimentó Jesús era necesario. De esta forma se cumplían las palabras del profeta Zacarías. El propósito divino de la salvación, anunciado por los profetas, se estaba cumpliendo paso a paso. No queda ninguna duda que la entrada de Jesús en Jerusalén fue una manifestación de servicio, no una conquista en búsqueda de recompensas.

**Vv. 6, 7.** Los discípulos cumplieron a cabalidad la orden emanada de Jesús. Trajeron a los animales y les colocaron sus mantos. Jesús se sentó encima de ellos, de los mantos que colocaron en el asna.

**Vv. 8, 9.** Como era época de la fiesta de la Pascua, el lugar estaba saturado de personas. Estas tendían sus mantos y levantaban ramas en el camino, resaltando la entrada triunfal de Jesús en Jerusalén. Expresaban frases jubilosas, gritando que Jesús era el Hijo de David, glorificando y bendiciendo a Jesucristo con entusiasmo y alegría. De esta forma atribuyeron a Jesús dos títulos mesiánicos: "Hijo de David" y "el que viene en el nombre del Señor". No obstante reconocer que Jesús era el Mesías prometido, las falsas esperanzas en un líder de carácter político y de mentalidad nacionalista, permanecían en la mente y el corazón de sus seguidores.

## 2 La purificación del templo, Mateo 21:12, 13.

**V. 12.** La reverencia y santidad del templo de Jerusalén habían sido quebrantadas. A su alrededor había negocios corruptos; los cambistas explotaban a las personas haciendo transacciones incorrectas. El concepto bíblico de la ofrenda había sido violado. Ahora los animales ofrendados obligatoriamente debían comprarse en las tiendas del templo. Había una moneda específica para entregar el tributo al templo: dos dracmas; que tenía que pagar cada varón mayor de veinte años (Exo. 30:11-15). Allí estaban los cambistas para fijar la paridad de la moneda local en relación con las extranjeras. Es lógico que ellos aplicaran esa máxima que dice: "Todo servicio causa honorarios." El problema es que esos honorarios llegaron a ser tales que convirtieron el lugar en un mercado. Tanta alteración y desorden molestó enormemente al Señor quien reaccionó con coraje tirando las mesas y sillas de los negociantes.

**V. 13.** Jesús les exhortó duramente enfatizando el verdadero propósito del templo. Asimismo les señaló la falta que habían cometido, convirtiendo el templo en *cueva de ladrones*.

## 3 La maldición de la higuera estéril, Mateo 21:19-22.

**Vv. 19, 20.** Al volver a la ciudad, Jesús sintió hambre y halló una higuera en el camino. Se acercó a ella, con el fin de obtener fruto, pero no encontró más que hojas. Por la esterilidad de la higuera, Jesús la condenó y ésta instantáneamente se secó. La higuera estéril representaba a Israel y su falta de fruto espiritual. Posiblemente el hecho de que se secara la higuera simbolizaba el inminente juicio sobre un Israel infiel. Los discípulos se maravillaron de lo que habían observado. Lo que es evidente es que Jesús estaba enseñando a sus discípulos acerca de la inminente destrucción de Jerusalén.

**Vv. 21, 22.** Estos acontecimientos tenían como propósito resaltar la importancia de practicar una fe verdadera. Jesús prometió a sus discípulos que si oraban pidiendo con fe verdadera, Dios proveería los recursos necesarios, para realizar una obra fructífera.

## ——————— Aplicaciones del estudio ———————

**1. La iglesia cristiana debe ser triunfante y victoriosa.** Para ello debe seguir paso a paso el ejemplo de Jesucristo. Esto se logrará únicamente a través de la disponibilidad de cada miembro, para entregarse plenamente al Señor.

**2. Necesitamos desarrollar una vida fructífera.** La oración, el estudio bíblico y la comunión con otros hermanos de la fe, contribuirán a que el cristiano desarrolle un crecimiento espiritual efectivo. De esta forma podrá prepararse para dar fruto en beneficio del reino en la tierra.

**3. Es importante cuidar nuestro cuerpo.** Es necesario cuidar nuestras vidas, tanto en el aspecto espiritual como en el aspecto físico, recordando que es el templo del Espíritu Santo. Continuamente debemos arrepentirnos y confesar nuestros pecados al Padre celestial para proyectar una vida transparente en Cristo. Nuestras vidas deben evidenciar que Jesús es Rey de reyes y Señor de señores.

**4. La fe verdadera es una demanda que el Señor hace a todo cristiano.** Esta fe no debe ser utilizada para solicitar al Padre satisfacciones de interés personal, sino que debe practicarse para pedir los recursos necesarios para el engrandecimiento de la obra del Señor.

**5. El cristiano debe ser un agente activo en el servicio a los demás.** El cristiano verdadero no debe ser un agente pasivo receptor de bendiciones, sino que debe asumir una actitud práctica de servicio al Señor.

**6. No debemos convertir los templos en mercados.** A menudo pensamos que las finanzas de la iglesia deben incrementarse con actividades que dejen "ganancias". Olvidamos que si cada miembro de la iglesia cumple con su responsabilidad, entregando sus diezmos y ofrendas, no hará falta hacer ventas, ni otro tipo de actividades que desvirtúan el propósito original del templo.

## Prueba

1. De acuerdo con el estudio de hoy, detalle con sus palabras el porqué de las acciones de Jesús en el templo.

_____

_____

_____

2. Explique dos formas en que se podría evitar la práctica de una religión vacía.
1) _____
2) _____

3. Analice su condición espiritual y escriba una meta para dar a conocer que Jesús es el Rey de su vida.

_____

_____

_____

### Lecturas bíblicas para el siguiente estudio

**Lunes:** Mateo 21:23-32       **Jueves:** Mateo 22:15-22
**Martes:** Mateo 21:33-46      **Viernes:** Mateo 22:23-33
**Miércoles:** Mateo 22:1-14    **Sábado:** Mateo 22:34-46

**Unidad 5**

# Jesús confronta a sus enemigos

**Contexto:** Mateo 21:23 a 22:46
**Texto básico:** Mateo 21:23, 28-32; 22:17-21, 36-40
**Versículos clave:** Mateo 22:37-39
**Verdad central:** El diálogo de Jesús con sus enemigos muestra el peligro de rechazar su autoridad y a la vez la bendición de vivir bajo su señorío.
**Metas de enseñanza-aprendizaje:** Que el alumno demuestre su conocimiento de la autoridad de Jesús y el peligro de rechazarla y su actitud de vivir bajo la autoridad de Jesús.

─────── **Estudio panorámico del contexto** ───────

1. Desafío a la autoridad de Jesús, Mateo 21:23-27
2. Parábola de los dos hijos, Mateo 21:28-32
3. Parábola de los labradores malvados, Mateo 21:33-46
4. Parábola del banquete de bodas, Mateo 22:1-14
5. Pregunta sobre el tributo al César, Mateo 22:15-22
6. Pregunta acerca de la resurrección, Mateo 22:23-33
7. El gran mandamiento, Mateo 22:34-40
8. El Hijo y Señor de David, Mateo 22:41-46

Los herodianos eran personas que formaban un partido político judío conservador. Apoyaban todas las acciones de Herodes. Su función era vigilar cualquier intento de subversión en contra de Roma o sus gobernantes. Luchaban por la soberanía nacional.

Los herodianos dependían y se sometían de buena voluntad al poder romano, sostenían que era correcto pagar tributo a los emperadores. Esto era rechazado por los fariseos. Pero ambos grupos anhelaban la continuación de la religión judía y se unieron para oponerse a Jesucristo.

El Sanedrín era el consejo supremo de los judíos, que poseía la más alta autoridad en materia civil y religiosa. El Sanedrín estaba formado por los principales sacerdotes y ancianos. Estos cuestionaron a Jesús, respecto al origen de la autoridad con que él actuaba. Ellos consideraban ser los únicos con potestad para autorizar a Jesús en su trabajo. César era el gobernante supremo y absoluto del imperio romano. Por su posición tenía derechos sobre los ciudadanos, dado que representaba el gobierno humano legal.

Cuando se realizaba una boda, las invitaciones se hacían con anticipación. Luego, cuando llegaba la hora del banquete, los anfitriones enviaban a los sirvientes a avisar a los invitados que ya había llegado el tiempo de la fiesta y todo estaba preparado.

Jesús enfatiza la situación errónea de los dirigentes religiosos de los judíos e incluso el pueblo que había sido escogido por Dios. El Sanedrín, los fariseos y los saduceos rechazaban al Señor y querían afectarle, porque él no dependía de la autoridad de ellos. El hecho de que le habían despreciado, no significaba que allí terminaba todo, ya que el reino había sido extendido a los gentiles quienes sí lo habían aceptado.

Asimismo, el Señor presenta el gran mandamiento, en el que él demanda amor sobre todas las cosas, aun más que la propia vida.

--------- **Estudio del texto básico** ---------

### Lea su Biblia y responda

De acuerdo con el contenido de Mateo 21:28-32, 42-46 y 22:35-40, escriba falso o verdadero en las siguientes oraciones, según corresponda.

1. _____ El primer hijo no hizo la voluntad de su padre.
2. _____ Los publicanos y las prostitutas entrarán en el reino de Dios, porque se arrepintieron de sus pecados.
3. _____ Mateo 21:43 se refiere a que los gentiles serían incluidos n el reino.
4. _____ Los principales sacerdotes y fariseos amaban tanto al Señor que querían protegerle.
5. _____ Jesús les dijo que el primer mandamiento era amarse a ellos mismos sobre todas las cosas.

### Lea su Biblia y piense

## 1 Desafío a la autoridad de Jesús, Mateo 21:23.

Los principales sacerdotes y los ancianos deseaban mantener su propia autoridad sobre el templo y el pueblo. Jesús nunca trató de desafiar el deber que ellos tenían de vigilar la administración del culto y la celebración de los ritos y ceremoniales; esa era su tarea. Allí no era donde estaba el problema. Ellos sí pusieron en tela de duda la autoridad de Jesús. En esta oportunidad, como siempre, con el fin de atacar a Jesús, le cuestionan respecto a la autoriddad con que él actuaba. La expresión "Estas cosas" posiblemente se refería a la purificación del templo y los sucesos respectivos, pero también a las enseñanzas de Jesús.

Jesús les enfrentó con otra pregunta que los puso en un dilema. Si afirmaban que el ministerio de Juan venía de Dios, reconocían inevitablemente que Jesús era el Mesías que esperaba Israel, pero si negaban que el ministerio de Juan venía de Dios, enfrentarían el enojo del pueblo, pues las personas sabían que Juan era un profeta.

Los acusadores del Señor evadieron cobardemente la respuesta correcta, contestando "no sabemos".

## 2 Parábola de los dos hijos, Mateo 21:28-32.

**Vv. 28-30.** Jesús utilizó esta parábola tan clara para enfatizar la importancia de tener disposición para obedecer y actuar con lealtad. El planteó dos casos, en los que los hijos recibieron la misma orden. Uno de ellos respondió negativamente, pero después se arrepintió y obedeció, mientras que el otro prometió cumplir, pero no lo hizo.

**V. 31.** El primer hijo hizo la voluntad de su padre porque aunque previamente evidenció rechazo, recapacitó y se arrepintió. Así se ilustra la actitud de los pecadores que se arrepintieron de la condición corrupta en que se encontraban, para poder entrar el reino de Dios.

**V. 32.** Estos pecadores, creyeron y obedecieron al mensaje de Juan, mientras que los judíos lo rechazaron y despreciaron abiertamente.

## 3 Pregunta sobre el tributo al César, Mateo 22:17-21.

**V. 17.** Los fariseos prepararon un ataque estratégico contra Jesús. Le formularon un cuestionamiento de doble filo, con el fin de lograr que contradijera sus propias palabras, delante de la gente que le observaba. Si decía que era incorrecto pagar tributo, daba lugar a que le acusaran, e incluso arrestaran por estar en contra de las disposiciones legales, pero si lo aprobaba, muchas personas que le seguían perderían su confianza en él.

**V. 18.** Jesús identificó el propósito maléfico de ellos, por lo que les exhorta calificándoles de hipócritas.

**Vv. 19-21.** Jesús les pidió la moneda del tributo, ellos le entregaron un denario que llevaba impresa la efigie del emperador. El hecho de que tuvieran en su poder esa moneda indicaba que eran deudores al imperio romano. Con el objeto de que ellos mismos respondieran al cuestionamiento planteado, el Señor les pregunta de quién es la imagen y el nombre en la moneda. Ellos contestaron *del César*. En base a esa respuesta, Jesús les ordenó que dieran al César lo que era de él y a Dios lo que es de Dios. Les enseñó a ser ciudadanos responsables con sus obligaciones tanto con Roma como para con Dios. Jesús enfatizó la importancia de reconocer y cumplir las obligaciones del hombre con respecto a su patria. Asimismo, subrayó el deber de someterse a la voluntad del Padre celestial. Ambas cosas son compatibles cuando las autoridades terrenales no exigen la negación del deber espiritual de la persona.

## 4 El gran mandamiento, Mateo 22:36-40.

**V. 36.** Nuevamente, queriendo atacar a Jesús, los fariseos le plantean otra pregunta. Ellos tenían una serie de prohibiciones que clasificaban de mayor o menor valor, según su conveniencia. Para probar si Jesús coincidía con su opinión de la ley, le preguntaron cuál era el mandamiento más importante.

**Vv. 37, 38.** Jesús les cita Deuteronomio 6:5 indicándoles que el primer mandamiento consistía en brindar un amor total a Dios, sobre todas las cosas. Este amor debía ser verdadero, en un acto de discernimiento y raciocinio. Al abrirse en fe, el creyente experimentará por primera vez que Dios es amor y la actitud de gratitud y dependencia. Asimismo, sentirá el deseo de obedecer todos los mandamientos de él.

**V. 39.** Además de darles el primer mandamiento, Jesús les cita el segundo. Este consiste en amar al prójimo como a uno mismo. El amor a Dios debe manifestarse en amor hacia las personas.

**V. 40.** Jesús enlaza los dos mandamientos con el fin de establecer que de ellos dependen las relaciones entre Dios y los hombres. Sólo a través del amor a Dios podemos amar a las personas, no importando quiénes sean.

## Aplicaciones del estudio

**1. Muchas veces el hombre se entrega totalmente a sí mismo, y deja a un lado la intervención divina.** El cristiano no solamente debe reconocer, sino también someterse plenamente a la autoridad de Dios.

**2. Es lamentable observar que algunos que suelen llamarse "fieles cristianos", se comprometen públicamente a participar en actividades de la obra del Señor.** Ofrecen una dedicación trascendental, prometiendo un servicio efectivo pero en realidad no cumplen. Las palabras se quedan en el aire y su participación es nula. Dios no espera de nosotros promesas, sino acciones que conlleven una obediencia verdadera y práctica.

**3. Es necesario que el cristiano asuma cada día una actitud de obediencia y acción efectiva en el servicio del Señor.** La relación íntima con él provocará que nuestra relación con los demás sea satisfactoria. Debemos dar prioridad al Señor, amándole sobre todas las cosas. Asimismo, amar a nuestros prójimos como a nosotros mismos.

**4. Si damos el primer lugar a Dios, el nos guiará a amar a los demás, aunque algunos no sean de nuestro agrado.** El amor no es una expresión verbal solamente, sino una entrega plena a servir a Dios y a los demás.

## Prueba

De acuerdo con el estudio de hoy haga los siguientes ejercicios.

1. Escriba el por qué de la importancia de la autoridad divina.

_____

_____

2. Defina el peligro de rechazar la autoridad divina.

_____

_____

3. Describa dos acciones que evidencien que usted vive bajo la autoridad divina.

a) _____

b) _____

### Lecturas bíblicas para el siguiente estudio

**Lunes:** Mateo 23:1-7          **Jueves:** Mateo 23:23-28
**Martes:** Mateo 23:8-12         **Viernes:** Mateo 23:29-36
**Miércoles:** Mateo 23:13-22     **Sábado:** Mateo 23:37-39

196

**Unidad 5**

# Jesús denuncia la hipocresía

**Contexto:** Mateo 23:1-39
**Texto básico:** Mateo 23:1-7, 13, 15, 23-26, 29-32
**Versículo clave:** Mateo 23:28
**Verdad central:** La condenación de Jesús a los líderes religiosos judíos y su lamento sobre Jerusalén advierten de la seriedad de la hipocresía.
**Metas de enseñanza-aprendizaje:** Que el alumno demuestre su conocimiento de las pretensiones religiosas de los escribas y fariseos y su actitud de asegurar que su relación con Cristo y sus expresiones son genuinas.

## Estudio panorámico del contexto

1. La hipocresía denunciada, Mateo 23:1-12
2. La hipocresía expuesta, Mateo 23:13-36
3. El lamento de Jesús sobre Jerusalén, Mateo 23:37-39

Los fariseos constituían la más numerosa, poderosa e influyente de las sectas religiosas judías. Eran estrictos, legalistas y tradicionalistas. Entre ellos había algunos hombres buenos, pero como grupo eran conocidos como avaros, orgullosos, vanidosos, egoístas e hipócritas.

Fue durante sus últimos días de enseñar en el templo que Jesús hizo su denuncia pública de la falsedad de los escribas y fariseos. Su denuncia fue clara y contundente, no anduvo con rodeos.

Los escribas eran copistas de las Escrituras y conocían minuciosamente la ley. Los fariseos y los escribas eran los dirigentes religiosos de la nación.

Las cargas pesadas y difíciles, se referían a las meticulosas reglas de purificación, de comidas, de observancia del día de reposo, de los diezmos y muchas cosas más. La religión judía había establecido una variedad de reglas que la habían convertido en una carga insoportable. Los fariseos no permitían ni una sola falta a la ley. Su fin era "construir un cerco alrededor de la ley".

Las filacterias eran pequeños estuches de cuero que contenían la ley escrita. Los judíos los llevaban en la frente o en sus brazos.

Jesús denunció enfáticamente la hipocresía religiosa de los escribas y los fariseos y condenó la simulación religiosa.

Mateo subraya las denuncias y severas exhortaciones que Jesús hizo por la hipocresía de los líderes religiosos.

**Lea su Biblia y responda**

1. Lea Mateo 23:13-15 y escriba el significado del adjetivo que se repite en las palabras de Jesús contra los escribas y fariseos.

_____   _____

2. Escriba las citas de cinco versículos donde Jesús compara a los escribas y fariseos con guías ciegos. _____   _____

**Lea su Biblia y piense**

# 1 La hipocresía denunciada, Mateo 23:1-7.

**Vv. 1-3.** Los escribas y fariseos se sentían con autoridad suprema ocupando la silla de Moisés. Uno de sus objetivos era lograr que la gente les reconociera como superiores por su conocimiento de la ley. Guardaban la ley, pero a su manera. Su obediencia era externa y aparente. Jesús puso en evidencia frente a la multitud la falsedad de los líderes religiosos y les indicó que no actuaran como ellos. Cada escriba buscaba ser reconocido como el mejor intérprete de la ley, y cada fariseo el más obediente a los preceptos y normas de esa ley. Otra vez, el problema no radicaba en su docto conocimiento de la ley, ni de posición frente a la sociedad religiosa de su tiempo. El problema es que hablaban y sabían una cosa y hacían otra muy diferente. Jesús busca en el corazón los motivos de las acciones externas.

**V. 4.** Por componerse de tantas reglas y normas, la religión se había convertido en una carga difícil de llevar, por eso Jesús les reprende severamente, llamándoles "serpientes" y "generación de viboras". Lo más interesante era que ni ellos mismos que fueron los que instituyeron tantas reglas, eran capaces de cumplirlas. El Señor no sólo señaló la hipocresía, sino que también subrayó las consecuencias de la misma. Había prohibiciones sobre cierta comida, aplicaciones múltiples de los diezmos y observancias extremas que hacían una carga, en vez de bendición en la práctica de la religión.

**Vv. 5-7.** El egoísmo y la vanidad caracterizaban a los escribas y fariseos. Les gustaba exhibirse frente a las personas, presumiendo un cumplimiento aparente de la ley. Procuraban ocupar siempre los primeros lugares. Imponían el respeto de los demás hacia ellos. Buscaban ser ensalzados y les satisfacía que les brindaran pleitesía. Tal vez la mayor denuncia consistía en hacerles ver que su fin último al hacer las cosas, era ser vistos de los hombres. Lógicamente, todo esto les llevó al extremo de "enaltecerse" y de codiciar los títulos divinos que sólo le pertenecen a la divinidad.

# 2 La hipocresía expuesta, Mateo 23:13, 15, 23-26, 29-32.

**V. 13.** No entrar en el reino era malo, pero era peor impedir a otros entrar. Eso era lo que hacían los fariseos, por eso Jesús les condena severamente llamándoles hipócritas. El colmo de todo es que a pesar de su actitud, los escribas y fariseos se presentaban como modelo a seguir en cuestión de materia religiosa. No había experiencia más halagadora para ellos que alguien reconociera su profunda "espiritualidad".

**V. 15.** Los prosélitos eran gentiles que se habían sometido al rito de la circuncisión para pertenecer a la religión judía. Los fariseos y escribas proclamaban y exigían esas reglas, para los que, siendo gentiles, querían pertenecer al judaísmo. Ese era el comienzo de una ruta que llevaba a tales personas a una religión externa y legalista. Esas acciones también son señaladas por el Señor cuando les acusa de ser hipócritas. El maestro a veces se olvida de que sus discípulos a veces llegan a superarlo. Los prosélitos aprendían la lección y hacían su propia versión, concibiendo siempre la religión como solamente ritos.

**Vv. 23, 24.** Los líderes religiosos establecieron diversidad de reglas. Era difícil para las personas cumplirlas a cabalidad. Esto provocaba que en cuestiones de religión no se pudiera actuar honestamente. Por dar énfasis a lo externo y superficial se habían olvidado de lo más importante que Dios manda, justicia, misericordia y acercarse a él en fe. Al estar pendientes del qué dirán y la búsqueda del reconocimiento de los hombres se olvida lo más importante que es la relación interna con Dios.

**Vv. 25, 26.** Otra vez, el Señor subraya la hipocresía de ellos. La ilustración del vaso o plato que se limpia por fuera ponía de relieve el desenfreno moral y espiritual que por dentro llevaban los escribas y fariseos. El que trata de guiar a otros sin una base de autoridad moral es como un ciego que intenta guiar a otros ciegos. Esto es puro engaño y las consecuencias serán desastrosas. Una de las peores tragedias en la vida del hombre es cuando éste llega a ser ciego de su propia hipocresía. La limpieza interior es el requisito indispensable para poder aspirar a un puesto de liderazgo en el reino.

**Vv. 29, 30.** El Señor condena el hecho de que ellos se entretenían en edificar y cuidar los sepulcros de los profetas. Su hipocresía se evidenciaba en que se dedicaban a edificar sepulcros ostentosos para los profetas muertos, pero se negaban a escuchar al profeta vivo. Incluso en ese momento estaban tratando de hacer caer a Jesús en una trampa, para después condenarlo a muerte. El Profeta de Dios estaba siendo acorralado para después darle muerte y tal vez, después, en un acto de pura vanidad arreglar su sepulcro para impresionar a los que les estaban mirando.

**Vv. 31, 32.** Era fácil condenar el rechazo de sus padres en el pasado del mensaje profético, pero les era difícil aceptar en el presente el mensaje de Jesús. Ellos testificaban contra sí mismos, de que eran hijos físicos de los asesinos de los profetas. Iban a seguir el ejemplo de sus padres participando en el asesinato de Jesús.

# Aplicaciones del estudio

**1. Debemos cumplir nuestra tarea con sinceridad.** Algunas congregaciones se preocupan por desarrollar programas atractivos con el fin de destacar y recibir alabanzas de los demás. Dichas acciones no agradan al Señor, ya que en su mayoría sólo son apariencias. Fingir espiritualidad es prácticamente actuar con hipocresía. Cuando se hace alarde de los "éxitos" alcanzados por determinada congregación, y se busca el reconocimiento por medio de pergaminos y placas, entonces se pone en evidencia la palabra de Cristo quien recomendó discreción y sinceridad en las acciones de servicio.

**2. La hipocresía es una actitud condenada por el Señor.** Cuán importante es tener actitudes honestas que broten de un corazón limpio y sincero. Antes de actuar debemos revisar nuestro interior y participar tal como somos, desechando todo síntoma de apariencia y fingimiento. Cuántas veces hemos hablado de pecados que condena el Señor. Hablamos del adulterio, del robo y del homicidio, pero nos olvidamos de que el mismo Señor condenó abiertamente las actitudes de fingimiento.

**3. La actitud de una persona afecta el testimonio de toda la iglesia.** Cuidemos nuestro testimonio y actuemos sinceramente. Dejemos que el Señor nos guíe plenamente para poder ser de bendición a otros. No vale el pretexto de que actuamos de tal o cual manera por culpa de otros. Cada uno debe ser honesto consigo mismo y reconocer cuando su testimonio es negativo y afecta a los demás.

## Prueba

1. De acuerdo con el estudio de hoy, describa cinco características de los escribas y fariseos._____

_____

_____

2. Escriba una forma en que usted da a conocer a los demás su dependencia genuina del Señor.

_____

_____

### Lecturas bíblicas para el siguiente estudio

**Lunes:** Mateo 24:1-3
**Martes:** Mateo 24:4-14
**Miércoles:** Mateo 24:15-22

**Jueves:** Mateo 24:23-28
**Viernes:** Mateo 24:29-31
**Sábado:** Mateo 24:32-35

**Unidad 5**

# Jesús habla del futuro

**Contexto:** Mateo 24:1-35
**Texto básico:** Mateo 24:4-14, 29-35
**Versículo clave:** Mateo 24:14
**Verdad central:** La certeza de la venida de Cristo debe inspirar a los cristianos a ser vigilantes y fieles en el servicio al Señor.
**Metas de enseñanza-aprendizaje:** Que el alumno demuestre su conocimiento de las actitudes y acciones que Jesús demanda de sus seguidores a la luz de su segunda venida y su disposición de adoptar las actitudes y acciones que Jesús demanda de sus seguidores en el día de hoy.

―――――― **Estudio panorámico del contexto** ――――――

1. Jesús profetiza la inminente destrucción del templo, su segunda venida y el fin del mundo, Mateo 24:1-3
2. Señales que anticipan el fin, Mateo 24:4-14
3. La abominación desoladora, Mateo 24:15-22
4. Falsos cristos y falsos profetas, Mateo 24:23-28
5. La venida del Hijo del Hombre, Mateo 24:29-31
6. Parábola de la higuera, Mateo 24:32-35

Los falsos profetas anunciaron equivocadas esperanzas de un reino judío de características sociales y políticas. En los siglos I y II aparecieron individuos que decían ser el Mesías. Estos actuaban en el círculo de los que tenían como fin derrocar al imperio romano. Un anhelo profundo den pueblo judío era independizarse de la opresión del yugo romano, de allí sus expectativas equivocadas acerca del Mesías.

Algunas personas argumentaron ser inspiradas por Dios para cumplir esta misión redentora y engañaron al pueblo, llevando a algunos de ellos al desierto, indicándoles que Dios les daba señales de libertad. El libro de Hechos da a conocer algunos de ellos, un tal Teudas y un Judas de Galilea (Hech. 21:38), un judío-egipcio (Hech. 21:38), y algunos más.

Josefo, el historiador, cuenta que un falso profeta egipcio condujo al desierto a treinta mil hombres, los que fueron casi todos aniquilados por Félix.

Jesús predijo la destrucción del templo ocurrida el nueve de agosto del año 70 d. de J.C. Esta predicción se cumplió exactamente. Según Josefo, "César dio órdenes de que se demoliera toda la ciudad y el templo, excepto las tres torres Phaselus, Hippicus y Mariamne y una parte de la muralla oriental, las cuales no fueron tocadas".

Jesús predice la inminente destrucción del templo, su segunda venida y el fin del mundo, subrayando que estos acontecimientos debían suceder, ya que el juicio de Dios era necesario por la desobediencia humana y esto estaba contemplado en el plan divino.

# Estudio del texto básico

**Lea su Biblia y responda**

Lea Mateo 24:4-14, 29-35 y complete estos ejercicios:

1. Escriba las señales que mostrarán que el fin está cerca.

_____

_____

_____

2. Describa cómo vendrá el Señor en su segunda venida.

_____

_____

_____

**Lea su Biblia y piense**

## 1 Señales que anticipan el fin, Mateo 24:4-14.

**V. 4.** Jesús inicia su discurso del fin, advirtiendo a los apóstoles acerca del engaño que en el futuro sufrirían de parte de gente inescrupulosa dentro de la iglesia. Esta advertencia resaltó el peligro de estar tan ocupados por los acontecimientos futuros que se olvidaran de su misión en el presente. Al hacer especulaciones acerca de eventos en el futuro, se abren las puertas a errores de interpretación.

**V. 5.** ¿De quién tendrían que cuidarse los apóstoles?, de hombres que proclamarían ser el Mesías. Serían tan convincentes que engañarían a muchos. En los días de Cristo hubo muchos hombres que reclamaban ser los enviados de Dios para la liberación política de Israel. Cuando hay un vacío de autoridad y un ambiente de esperanza, no faltará quien levante una bandera prometiendo la solución a toda necesidad humana. Sólo hay uno que puede llenar la aspiración suprema del hombre: Jesucristo.

**V. 6.** También se tenían que guardar de guerras y rumores de guerras. Los judíos estaban acostumbrados a este tipo de situaciones, su historia nos relata que fueron conquistados por muchos y su anhelo era que apareciera el Mesías prometido para librarlos de tal condición. Esta historia se repetiría pero todavía no sería el fin. Los anhelos nacionalistas de los judíos hacían que constantemente se corrieran rumores de conflictos bélicos y Jesús supo percibir con claridad tal situación. Los discípulos del Señor no estaban al margen de esta influencia y podían desviar sus intereses del reino de servicio, convirtiéndolo en un movimiento político. Es claro desde el principio que el reino de Jesucrito no será implantado por medio de guerras y destrucción. La lucha será contra el pecado, las tinieblas y el error. Lucha que por cierto debe llevarse a cabo bajo la dirección del Espíritu de Dios.

**V. 7.** Jesús está prediciendo catástrofes mundiales. La tierra misma se vería involucrada en la desesperación por el aparecimiento del Mesías, y esto se evidenciaría a través de hambres y terremotos. Pero todavía no será el fin. Cada determinado tiempo siguen dándose a conocer las profecías del fin del mundo. Es una práctica constante que debe alertar al pueblo de Dios a ocuparse del servicio en lugar de las especulaciones.

**V. 8.** Mateo deja por escrito en este pasaje el ejemplo de una mujer a punto de dar a luz. Sufriría dolor, angustia y ansiedad, pero sólo sería por un momento. Luego vendría el niño, y el panorama cambiaría. El dolor se olvidaría por el gozo del nacimiento y el amor y la paz que esto ocasionaría. Igualmente sería la venida de Cristo, ya que antes de su venida habrá mucho dolor, pero después vendrá el gozo eterno.

**V. 9.** Jesús está profetizando cómo serían tratados sus seguidores en el futuro. Nunca pretendió decir que su evangelio sería cosa fácil. Por el contrario, en este pasaje señala que sus seguidores serían avergonzados, maltratados y aun muertos por causa del ministerio de Cristo. Años más tarde esto se volvió realidad durante la persecución de la iglesia.

**V. 10.** Debido a la tremenda persecución y a la mala situación que se vivirá, habrá traición aun dentro de la misma iglesia y odio entre los mismos seguidores de Jesús, pero todo ocurrirá antes de la plenitud del gozo.

**V. 11.** Jesús continúa advirtiendo a los suyos para que nadie los engañe, porque muchos falsos profetas se van a levantar y en su búsqueda de fama y fortuna ofrecerán libertad y paz.

**V. 12.** Jesús hace un llamado a que se mantenga el amor y la confianza, pero está consciente de que la maldad será tan grande que estas dos cualidades se enfriarán.

**V. 13.** El consejo de Jesús es que se mantenga la paciencia y la perseverancia en todas estas situaciones. El que perseverare en la fe de Cristo será capaz de mantener el poder de Dios y la paz interior.

**V. 14.** Una evidencia antes de la venida del Señor es que el mundo oirá su palabra. Es necesario que el evangelio sea predicado en todo el mundo. Ese es el encargo que más adelante dará Jesús a sus seguidores: que se predique su evangelio "hasta lo último de la tierra". Se trata de una era misionera sin precedentes en donde el esfuerzo de la iglesia se concentrará en llevar el mensaje por cada rincón de la tierra. Hasta que todo esto acontezca vendrá el fin. Es bajo esta perspectiva que deben llevarse a cabo los esfuerzos evangelizadores y misioneros. El obrero que trabaja, puede decir con seguridad que está haciendo su parte para que el reino sea establecido en la tierra.

## 2 La venida del Hijo del Hombre, Mateo 24:29-31.

**V. 29.** Las figuras que menciona el Señor Jesús son de gran significado. El está tratando de explicar con palabras humanas las cosas que no pueden ser descritas. El asunto importante aquí no es averiguar si las señales deben interpretarse literalmente, sino subrayar la realidad de la venida de Cristo que es cierta e inevitable.

**Vv. 30, 31.** Jesús nos llama a mantener un corazón alentado, aunque el mal pareciera ir en aumento cada día. La vista magnífica de la venida del Señor que viene con poder y gran gloria será un aliciente sin par para mantener viva la llama de la fe. El Señor vendrá triunfante a rescatar a los redimidos de su pueblo. Ya no viene a sufrir, ni a someterse al vituperio de los hombres; viene como soberano a juzgar a cada uno según sus obras.

## 3 Parábola de la higuera, Mateo 24:32-35.

**Vv. 32, 33.** La profecía de Jesús se refería a la destrucción de Israel como consecuencia de su desobediencia. Jesús utiliza la analogía de la higuera para recordar que habrá señales muy evidentes del avance del plan divino. Cuando se empiecen a notar esas señales es que el fin se acerca.

**Vv. 34, 35.** Jesús profetiza la inminencia del juicio divino sobre el templo y Jerusalén. Esta predicción se cumplió unas décadas más tarde (70 d. de J.C.) durante la misma generación de los doce discípulos.

Lo que queda es que el pueblo de Dios esté vigilante y fiel en el servicio al Señor, sin estar tan preocupados, como los discípulos con preguntas acerca de los tiempos de su segunda venida.

## ——— Aplicaciones del estudio ———

**1. No debemos establecer fechas para la segunda venida de Cristo.** Como cristianos tenemos la plena seguridad de la segunda venida del Señor y del fin del mundo. Pero no debemos entretenernos en tratar de establecer el tiempo de las señales, ni hacer predicciones inminentes ni futuras. Esa fecha sólo Dios la sabe.

**2. Es mejor prepararse para la segunda venida de Cristo.** Muchas personas llegan al extremo de alterar su sistema nervioso por la ansiedad que les causa pensar que los últimos acontecimientos están a la puerta. Es mejor que el cristiano se prepare sirviendo al Señor con alegría, dedicación y satisfacción.

**3. Una de nuestras metas prioritarias debe ser cumplir a cabalidad con las demandas que él nos hace.** Dedicarnos a cumplirlas fielmente es difícil, pero no es imposible, por lo tanto debemos trabajar siempre.

**4. Predicar el evangelio a todas las personas es un mandato que debemos cumplir.** Nuestro trabajo evangelizador debe ser realizado con una actitud de agrado y obediencia a él.

## ——— Prueba ———

1. Haga una lista de cinco actitudes que Jesús desea ver en la vida de sus seguidores:

_____

_____

_____

2. Escriba una acción específica que pueda hacer el día de hoy poniendo en práctica las demandas de Dios.

_____

_____

### Lecturas bíblicas para el siguiente estudio

**Lunes:** Mateo 24:36-44
**Martes:** Mateo 24:45-51
**Miércoles:** Mateo 25:1-13

**Jueves:** Mateo 25:14-30
**Viernes:** Mateo 25:31-40
**Sábado:** Mateo 25:41-46

**Unidad 5**

# Jesús y el juicio final

**Contexto:** Mateo 24:36 a 25:46
**Texto básico:** Mateo 24:36-42; 25:31-40
**Versículo clave:** Mateo 24:36
**Verdad central:** Las enseñanzas de Jesús acerca del juicio final declaran la urgencia de ser vigilantes de su segunda venida, y mientras tanto ministrar las necesidades básicas de las personas como una evidencia de nuestra relación con él.
**Metas de enseñanza-aprendizaje:** Que el alumno demuestre su conocimiento de las cualidades del carácter que Jesús reconocerá en el día del juicio y su actitud para responder a las necesidades humanas en sus alrededores como Jesús espera de sus discípulos.

## ——— Estudio panorámico del contexto ———

1. Un llamado a estar preparados y vigilantes, Mateo 24:36-44
2. Parábola de los mayordomos, Mateo 24:45-51
3. Parábola de las diez vírgenes, Mateo 25;1-13
4. Parábola de los talentos, Mateo 25:14-30
5. El juicio de las naciones, Mateo 25:31-46

Las bodas en Palestina se prolongaban tanto que aun las noches se ocupaban para los festejos. Estas fiestas duraban varios días y el final trascendental sucedía cuando el novio y sus amigos se trasladaban por la tarde bajo el resplandor de las antorchas, a la casa de su novia. Allí la tomaba como esposa y la conducía a su nueva casa. Los amigos de la pareja que rodeaban a la novia salían al encuentro del novio a su llegada, y participaban en la ceremonia y banquete del casamiento. El retraso del esposo era natural y aceptable, ya que estaba departiendo por última vez como un soltero con sus amigos.

El talento de plata equivale a 26,600 gramos de plata. Su valor era asignado según los países que lo usaran. Al talento de oro se le asignaba desde diez hasta dieciséis veces más.

Jesús pone énfasis en la importancia de estar preparado y vigilante para cuando suceda el aparecimiento del Señor en su segunda venida.

# Estudio del texto básico

**Lea su Biblia y responda**

a) ¿Con qué otro evento comparó Jesús la venida del Hijo de Dios?

b) En el versículo 42 Jesús nos mandó velar. ¿Por qué?

c) ¿Dónde se sentará el Hijo del Hombre cuando venga?

d) Según Mateo 24:35-40, las acciones hechas a los más necesitados, ¿realmente a quién se están haciendo?

**Lea su Biblia y piense**

# 1 Un llamado a estar preparados y vigilantes, Mateo 24:36-42.

**V. 36.** Este versículo nos habla más directamente sobre la segunda venida de Cristo. Lo importante de entender es que el conocimiento de la hora y el día de ese evento sólo es privilegio de Dios. Cualquier hombre que especule sobre el tema es blasfemo y digno de ser repudiado puesto que se estará tomando atribuciones que le corresponden sólo a Dios. Este retorno es la consumación del plan redentor de Dios y por ende nadie más sabe cuándo será. Ya hay suficientes especulaciones y cálculos equivocados como para intentar hacer alguna aportación en este sentido.

**V. 37.** Jesús está citando los *días de Noé,* cuando la intervención de Dios fue repentina y directa. Asimismo, en el tiempo del fin, cuando parezca que Dios tarda, aparecerá la señal y el Hijo del Hombre vendrá en las nubes. Durante los días de Noé nadie creía que realmente sucedería lo que se había anunciado. Cada quien se dedicó a la satisfacción de sus necesidades, haciendo a un lado su relación espiritual con Dios.

**V. 38.** La maldad en los días del diluvio creció desproporcionadamente. Parece que la humanidad en lugar de haber aprendido la lección continúa acrecentando la maldad, pero Dios tiene control de la situación y como lo hizo en aquellos días, llamará a los suyos para que entren en el arca de la salvación.

**V. 39.** La venida del Señor será repentina. La humanidad estará sumida en asuntos materiales, en los placeres y en los negocios terrenales. Jesús advierte que nadie estará esperándole, pero repentinamente él vendrá y terminará toda oportunidad para tratar de enmendar los errores. Por la aparente tardanza de su retorno causa la impaciencia del hombre quien concluye pensando que nunca se llevará a efecto tal regreso del Señor.

**Vv. 40, 41.** El juicio de Dios se dejará sentir. Será un momento de separación, los justos entrarán en el gozo de Dios y los impíos también recibirán su paga. Jesús advierte que todos los que se han opuesto a su iglesia, a él mismo y al ministerio serán quebrantados y dejados para sufrir la condena eterna. El criterio para ejecutar el juicio en el reino serán totalmente distintos de la forma humana. En la tierra cabe el riesgo del cohecho, la corrupción y la mentira, en el reino de los cielos se aplica la justicia en su exacta dimensión.

**V. 42.** Puesto que nadie conoce la hora ni el día de la segunda venida del Señor, él espera que los suyos se mantengan en una actitud de servicio activo para que cuando él venga presenten evidencia de su lealtad a las demandas del reino. Es notorio que no se trata aquí solamente del arrepentimiento y la fe, sino de una disposición constante a la práctica del servicio amoroso.

## 2 El juicio de las naciones, Mateo 25:31-40.

**V. 31.** Jesús inicia esta sección demostrando que volverá con todo su poder y gloria y se sentará en su trono, lo que significa que lo hará con toda autoridad para emitir juicio. Esta declaración hizo saber a sus oyentes que vendrá dispuesto a juzgar a todos, de acuerdo con las obras de justicia o injusticia que hayan realizado.

**Vv. 32, 33.** La primera actitud de Jesús será reunir a todas las naciones para identificar a los suyos. Jesús se denominó a sí mismo como el gran pastor que conoce a sus ovejas. Este conocimiento le permitirá distinguir entre sus ovejas y las que no son de él. Unos recibirán vida eterna y otros condenación eterna. Aquí se nota la universalidad del juicio. Nadie podrá evitar esta "entrevista" final. Así como los antiguos pastores se daban a la tarea de separar las ovejas de las cabras porque éstas necesitan más protección del frío que aquéllas, Jesús identificará a cada persona en el juicio final.

**V. 34.** La recompensa gloriosa de heredar el reino, prometida por el Rey se describe en este pasaje. Esta afirmación es mucho más significativa que sólo entrar en el reino pero sin recibirlo en herencia. Todos aquellos que han entrado por fe al reino, esperarán también la recompensa bendita de su Rey. Al recibir la herencia bendita, cada heredero reconocerá que no fueron sus méritos los que lograron esa bendición, sino el sacrificio de Cristo en la cruz del Calvario. La obediencia fue la clave de todo.

**Vv. 35, 36.** Esta lista de actitudes que los ciudadanos del reino han tenido, dejará a todos sin excusa delante de él. En otras palabras, hace la pregunta: ¿Qué hiciste en favor de los sedientos, los hambrientos y los encarcelados? ¿Cómo ayudaste a los que estaban desnudos y a los enfermos? Los que practicaron el amor, demostrado en obras de misericordia podrán responder con gozo que sí actuaron como lo hizo Cristo. La actividad cristiana en favor de los necesitados Jesús la describe como un acto que se gesta en el ser interno y luego se expresa externamente.

**Vv. 37-39.** Estas preguntas de los justos revelan que estuvieron ocupados en servir por amor. No hubo discriminación en su servicio, la base de sus obras fue la necesidad del prójimo. Fue un servicio resultante de su salvación. Al brindar apoyo y ayuda a otros estaban manifestando su gratitud al Mesías-siervo que dio su vida por ellos. Nunca se pusieron a pensar en que su servicio estaba dedicado a Jesús; sirvieron porque esa es su naturaleza, su estilo de vida. Su motivo para el servicio no fue la búsqueda de un premio, ni siquiera de agradar a Dios. Fue el amor, la misericordia, la expresión de un sentimiento interior.

**V. 40.** Jesús confirma que el servicio a la humanidad es un servicio que se le hace a él mismo. En el reino de los cielos no existirán súbditos más pequeños que otros. Jesús está hablando de las prácticas piadosas de los suyos en esta tierra a los necesitados. Los fieles que hayan cumplido con las normas cristianas son los herederos del reino. Pero a todos aquellos que no hacen estas obras de amor y que se encuentren a su mano izquierda, Jesús les dirá malditos y los condenará al fuego eterno.

## Aplicaciones del estudio

**1. Es importante estar siempre preparados para la venida del Señor.** Recordemos que nadie sabe la hora, el día ni el año en que él vendrá. Su aparición será como ladrón en la noche cuando nadie sabe que llegará.

**2. La fidelidad es una evidencia de estar preparado.** Para estar listos, hay que ser fieles a él. Debemos perseverar con gozo en el ministerio que nos ha encomendado. Realizando cada actividad con disponibilidad, amor y entrega total a él.

**3. El servicio activo es una forma de prepararse.** Algunas personas desfallecen en su servicio, argumentando estar cansadas o aburridas. Asumen una actitud pasiva que conlleva un estado desprevenido. Qué triste sería que en ese momento viniera el Señor. Les ocurriría lo mismo que les sucedió a las vírgenes que no estaban preparadas para cuando llegó el esposo.

**4. Debemos perseverar en la espera de nuestro Señor.** Como cristianos no debemos claudicar, sino actuar con perseverancia y esmero en la obra del Señor. Estar listos a cada instante es nuestro deber, para cuando llegue el glorioso momento de la aparición de Jesucristo.

## Prueba

1. ¿Cuáles son las características de un verdadero discípulo?

_____

_____

_____

2. Identifique tres personas de su iglesia o comunidad, que tienen una determinada necesidad que usted o su iglesia podrían ayudar a satisfacer. Escriba cómo se podría ayudar.

_____

_____

_____

### Lecturas bíblicas para el siguiente estudio

**Lunes:** Mateo 26:1-5
**Martes:** Mateo 26:6-13
**Miércoles:** Mateo 26:14-16

**Jueves:** Mateo 26:17-19
**Viernes:** Mateo 26:20-25
**Sábado:** Mateo 26:26-30

Unidad 6

# Preparativos para la última cena

**Contexto:** Mateo 26:1-30
**Texto básico:** Mateo 26:1, 2, 6-13, 17-19, 26-30
**Versículo clave:** Mateo 26:29
**Verdad central:** La cena del Señor nos hace recordar el sacrificio de Jesucristo por los pecados del mundo y nos invita a participar de ella conscientes de nuestro propio perdón.
**Metas de enseñanza-aprendizaje:** Que el alumno demuestre su conocimiento del significado de la cena del Señor y su actitud de participar de ella de una manera más significativa.

―――――――― **Estudio panorámico del contexto** ――――――――

1. Jesús prepara a sus discípulos, Mateo 26:1, 2
2. Acuerdo para matar a Jesús, Mateo 26:3-5
3. Jesús es ungido en Betania, Mateo 26:6-13
4. Judas ofrece traicionar a Jesús, Mateo 26:14-16
5. Preparativos para la pascua, Mateo 26:17-19
6. Jesús anuncia la oración de Judas, Mateo 26:20-25
7. La cena del Señor, Mateo 26:26-30

El hecho de que los últimos acontecimientos del ministerio terrenal de Jesús, hayan sucedido durante la Pascua, les da un significado particular, como cumplimiento de todo lo que había sido prefigurado a través del éxodo en el Antiguo Testamento.

La Pascua (en hebreo Pesach, en arameo Pasecha), era un recordatorio del paso del ángel exterminador que no hirió a los primogénitos israelitas en las casas donde encontró la señal convenida (Ex. 12:14). Esta era la fiesta más solemne de los judíos. La celebraban anualmente en recuerdo de su liberación de la cautividad en Egipto.

Esta fiesta duraba siete días. Iniciaba el catorce del mes de Nisán después de la puesta del sol y terminaba hasta el veintiuno del mismo mes. En nuestro calendario esta fecha se ubica entre los meses de marzo y abril. Los judíos celebraban la Pascua, cumpliendo las prescripciones que había dado Moisés al instituirla.

Al principio la fiesta de los panes sin levadura era diferente de la pascua, pero con el tiempo se unieron, celebrándose como una fiesta que duraba ocho días.

Mateo pone énfasis en la preparación que Jesús hizo en favor de sus discípulos, ante su padecimiento y muerte.

En la última cena, Jesús se presentó como el sacrificio vivo inaugurando así el nuevo pacto. Este invalidaba el pacto antiguo, que había caído en superficialidad y tradicionalismo.

# Estudio del texto básico

1. Lea Mateo 26:6-9 y conteste estas preguntas:

   a. ¿Cuál fue la reacción de los discípulos ante la acción de la mujer?

   _____

   b. ¿Qué dijeron los discípulos que habrían hecho ellos con el perfume?

   _____
   _____

2. Escriba con sus palabras el pasaje de Mateo 26:26-30.

   _____
   _____
   _____
   _____

## Lea su Biblia y piense

## 1 Jesús prepara a sus discípulos, Mateo 26:1, 2.

**V. 1.** Mateo se refiere al discurso que Jesús inició desde el capítulo 23. Ya les había advertido sobre el trágico desenlace de la historia humana en el futuro.

**V. 2.** Faltaban dos días para celebrar la Pascua, fiesta que recordaba la liberación del pueblo de Dios de la esclavitud en Egipto. En ese mismo entorno, pero con un significado universal, se entregaría el "Cordero de Dios" en sacrificio para la liberación de la esclavitud del pecado. Jesús comparó el cordero pascual con su propia muerte, tratando de preparar a sus discípulos para enfrentar el evento de la cruz, aunque ellos no captaron el significado todavía.

## 2 Jesús es ungido en Betania, Mateo 26:6-13.

**V. 6.** Jesús no estuvo en Jerusalén durante la semana de su pasión. Mateo nos relata que vivió en Betania, ciudad que se ubicaba en las colinas del monte de los Olivos. Según Mateo, Jesús se encontró con Simón el leproso durante un festejo. Posiblemente hizo amistad con Jesús porque éste le sanó de su terrible enfermedad.

**V. 7.** Mateo continúa narrando un evento muy impresionante de una mujer especial. El perfume que derramó sobre Jesús era uno de los más caros en aquel tiempo, sin embargo, la mujer tomó lo que consideró más precioso de todo lo que tenía para dárselo a Jesús. Mateo deja constancia de este acontecimiento para ilustrar el amor sobreabundante que una discípula tuvo para con su Señor.

**V. 8.** Mateo nos relata que fueron sus discípulos quienes se indignaron. Sin embargo, Juan nos cuenta que fue Judas, el traidor, quien levantó comentarios por la actuación de la mujer. Para Judas y los demás discípulos, la generosidad sin límites de aquella mujer les parecía una locura. Para Jesús era la demostración palpable de la gratitud de una persona que encontró el camino de la salvación.

**V. 9.** El registro de este evento no es para subrayar el aparente interés de Judas por los pobres del mundo. Lo que resalta en este pasaje es la diferencia entre la actitud de los discípulos más cercanos de Jesús y la de una mujer humilde que dio lo mejor que tenía en señal de gratitud.

**V. 10.** Inmediatamente Jesús asume la defensa de la mujer. Es cierto que hay mucha pobreza en el mundo, pero también es cierto que hay mucha apatía en reconocer el señorío de Cristo Jesús. Aquella mujer hizo una buena obra con Jesús. Los otros escritores que relatan este evento nos dicen que se trata de María Magdalena. Por tal razón Jesús defiende el amor y el alto reconocimiento de gratitud en la mujer.

**V. 11.** Jesús nos dice que los pobres estarán siempre entre nosotros. Esto no es porque él no se preocupe por la necesidad humana, sino más bien porque espera que su pueblo demuestre su gratitud a Dios sirviendo a los hombres. Jesús declara que falta muy poco tiempo para la consumación de su ministerio, pero los apóstoles tienen toda una vida por delante para el servicio a los pobres por los cuales ahora abogan.

**V. 12.** Este evento es aprovechado por Jesús para anunciarles nuevamente que él iba a morir. Los apóstoles no habían comprendido en toda su magnitud la naturaleza del ministerio de Jesús y obviamente no esperaban que el Maestro los dejara solos, y menos aún, que muriera en forma tan denigrante.

**V. 13.** La recompensa más hermosa que recibiría aquella mujer sería la inclusión de su ejemplo de amor en el registro sagrado. Aunque Mateo no nos dice quién era esta mujer, su relato nos hace reflexionar en las distintas actitudes que las personas tienen frente a la persona y obra que realizó el Señor. Jesús le prometió que sería inmortalizada en cuanto a sus hechos y que siempre, en donde se predicara el evangelio, esta historia sería relatada. Hasta hoy esta promesa de Jesús ha sido cumplida.

## 3 Preparativos para la Pascua, Mateo 26:17-19.

**V. 17.** Todos los judíos debían conmemorar la pascua. Al celebrar esta fiesta recordaban la salida de Israel de la esclavitud en Egipto. Jesús, como buen judío también debía celebrarla y envió a sus discípulos para preparar la cena para tal acontecimiento.

**V. 18.** Parece que Jesús tenía preparado todo para la celebración de las fiestas y un amigo suyo, que no sabemos quién era, se había puesto de acuerdo con él para prepararle el lugar. Los apóstoles que no lo sabían, aparentemente, van en nombre de Jesús con una contraseña que ya el Señor había dispuesto con su amigo.

**V. 19.** Jesús requiere que sus discípulos sean obedientes aun en las cosas más insignificantes. Aunque ellos desconocían completamente el arreglo de Jesús para la celebración de la pascua fueron sin titubear a donde el Señor les había mandado.

## 4 La Cena del Señor, Mateo 26:26-30.

**V. 26.** Este pasaje ha sido mal interpretado, se ha estructurado un dogma, violando las normas elementales de la interpretación bíblica. Jesús utilizó muchas veces símbolos para dar claridad a sus enseñanzas y esta ocasión no es una excepción. Cuando él dijo: *Esto es mi cuerpo,* estaba usando una metáfora, no estaba instituyendo un sacramento que otorgaría gracia salvadora. Tampoco significaba que el pan se convertiría literalmente en su cuerpo.

**Vv. 27, 29.** En el caso de su sangre, sucedió exactamente lo mismo. Sabemos que los sacrificios judíos exigían el derramamiento de sangre para recordar el pacto entre Dios y los hombres, además de ser una forma establecida para cubrir sus propios pecados. El derramamiento de la sangre de Cristo está iniciando un nuevo pacto que dejaría de ser superficial como los judíos tenían el antiguo pacto. La sangre de Cristo sería el sello de esta nueva relación en la cual se logra el perdón de todos los pecados del hombre.

**V. 30.** No sabemos cuál era el himno que entonaron al salir de esta reunión, lo cierto es que Jesús no confrontó la cruz como una derrota; sólo era un paso en su camino hacia el trono y la corona del reino de los cielos.

## Aplicaciones del estudio

**1. La cena del Señor no es un sacramento.** Es una conmemoración de su sacrificio y su gloriosa resurrección. Nunca se debe considerar como un sacramento que imparte gracia o salvación a quienes participan en él.

**2. La cena del Señor es una ordenanza.** Para nosotros, la cena del Señor es un acto simbólico que debe ser practicado por todo cristiano fiel en un anhelo de cumplir con las ordenanzas del Señor y proclamar su pronto advenimiento.

**3. El amor ilimitado al Señor conlleva una recompensa honrosa.** Para la iglesia de hoy, esto consiste en la esperanza y seguridad de ser herederos del reino glorioso del Señor.

## Prueba

1. Exprese en sus palabras el verdadero significado de la cena del Señor.

_____

_____

2. Describa cómo podrá participar de la cena del Señor de una manera más significativa.

_____

_____

### Lecturas bíblicas para el siguiente estudio

**Lunes:** Mateo 26:31-35  
**Martes:** Mateo 26:36-39  
**Miércoles:** Mateo 26:40-46  

**Jueves:** Mateo 26:47-56  
**Viernes:** Mateo 26:57-68  
**Sábado:** Mateo 26:69-75

**Unidad 6**

# La agonía de Jesús

**Contexto:** Mateo 26:31-75
**Texto básico:** Mateo 26:33-35, 40-42, 49-54, 59-65
**Versículo clave:** Mateo 26:42
**Verdad central:** La sumisión de Jesús a la voluntad del Padre nos inspira a ser fieles a él sin importar el costo.
**Metas de enseñanza-aprendizaje:** Que el alumno demuestre su conocimiento de la naturaleza del sufrimiento de Jesús durante su arresto y juicio y su actitud de pedir fortaleza del Señor para obtener una victoria sobre la injusticia en el mundo sin importar el costo.

## Estudio panorámico del contexto

1. Jesús predice la negación de Pedro, Mateo 26:31-35
2. Angustia de Jesús en Getsemaní, Mateo 26:36-46
3. Jesús es arrestado, Mateo 26:47-56
4. Jesús ante el Sanedrín, Mateo 26:57-68
5. Pedro niega a Jesús, Mateo 26:69-75

Mateo, Marcos, Lucas y Juan se unen llevando a Jesús y sus discípulos por el valle de Cedrón, al norte del monte de los Olivos, a un lugar llamado Getsemaní. Lucas y Juan exponen que éste era un sitio al que el Señor llegaba frecuentemente. Mientras que Juan lo presenta como un huerto cercado.

La palabra "Getsemaní" probablemente corresponde al hebreo Gat- schemen que significa "lagar para aceite". Esto indica que posiblemente allí había un olivar y la prensa para sacar el aceite. Getsemaní estaba ubicado al pie del monte de los Olivos, más allá del Cedrón y del valle de Josafat, al fondo del cual corría este torrente, a muy poca distancia de Jerusalén.

Mateo subraya el cumplimiento de las predicciones hechas por Jesús. La negación de Pedro, así como su padecimiento habían sido anunciados por él. En su pasión Jesús demostró su humanidad, obediencia y sumisión al Padre.

## Estudio del texto básico

**Lea su Biblia y responda**
Lea el texto básico para completar los siguientes ejercicios:

1. ¿Quién expresó?: "Aunque todos se escandalicen de ti, yo nunca me escandalizaré." _____

2. En Mateo 26:39, ¿qué pidió Jesús? _____

3. ¿Qué le dijo Jesús a Judas cuando le besó en la mejilla?

---

**Lea su Biblia y piense**

# 1 Jesús predice la negación de Pedro, Mateo 26:33-35.

**V. 33.** Un problema que Mateo resalta una y otra vez es la incomprensión de los discípulos de la seriedad del mensaje y misión de Cristo. Pedro mantenía una desmedida confianza en sí mismo. En esta ocasión se jacta de su fuerza personal prometiendo a Jesús nunca escandalizarse de él. Es mucho más fácil hacer promesas que cumplirlas. Pedro, acostumbrado a sobresalir de los demás, no tuvo empacho en hacer sus proposiciones. El dependió de su poder personal.

**V. 34.** Jesús conocía la debilidad de Pedro y compasivamente trató de prepararlo para enfrentar la realidad de su propia negación. Jesús le hace ver que aunque se sienta muy seguro, esa misma noche le negará tres veces. Una muestra muy evidente de la falta de comprensión de la naturaleza y significado del reino. Jesús podía oír a Pedro decir: "Yo no conozco a ese hombre" y aun maldecir como los gentiles para confundirse con uno de ellos. Estaba muy lejos de conocerse a sí mismo y las limitaciones propias de la naturaleza humana.

**V. 35.** Pedro no sabía que estaba profetizando su propio destino. No sería en esta oportunidad cuando sufriría la muerte a consecuencia del evangelio. Más tarde, en la historia de la iglesia, vemos que esto se cumplió trágicamente para él. Como un coro, los demás discípulos dijeron lo mismo que Pedro había prometido. Es fácil hablar al calor de las emociones.

# 2 Angustia de Jesús en Getsemaní, Mateo 26:40-42.

**V. 40.** Jesús necesitaba la ayuda y la fortaleza de humanos como él. Obviamente los hombres le fallaron en el momento de mayor necesidad y aungustia. Jesús estaba sufriendo ya su agonía y cuando sus amigos le fallaron decidió buscar a Dios.

**V. 41.** Jesús hace ver a sus discípulos la necesidad de mantenerse en constante comunicación con el Padre. Es necesario estar atentos y orar para que la tentación no los venza y puedan combatir los deseos de la carne.

**V. 42.** Jesús era una persona, era humano y estaba enfrentándose en ese momento a la verdad de su muerte. Le ruega al Padre tres veces para que si es posible pase esa copa de dolor. Pero una nota importante es que por sobre todas las cosas busca la voluntad del Padre. La victoria de Jesús consistió en vencer la tentación de desobediencia librándose de la muerte. Aceptó el destino trazado por el Padre como muestra de amor a la humanidad.

# 3 Jesús es arrestado, Mateo 26:49-54.

**V. 49.** Jesús estaba enfrentándose ahora a su trágico destino; el traidor había llegado y con hipocresía se acerca al Señor a besarle en la mejilla. Aunque Judas le saluda como se saluda a alguien para reconocer su grandeza, Jesús sabe que sólo es una expresión externa. La palabra utilizada en los manuscritos para describir el beso, significa que Judas se acercó a Jesús con alegría y expresión tierna, pero ese beso, fuera cual fuese la intención, entregó a Jesús en manos de pecadores.

**V. 50.** Humanamente, Jesús responde a Judas con un reproche que a la vez puede ser una oportunidad para el arrepentimiento. Jesús está herido por la traición del hombre que había compartido con él sus milagros, comida, techo y que jamás le reconoció como Mesías.

**V. 51.** Mateo no nos dice quién fue el que sacó la espada para golpear al siervo del sacerdote, pero Juan (18:10) nos dice que fue Pedro quien con su carácter indómito y su falta de reconocimiento en el reino de los cielos, utilizó la espada para tratar de defender a Jesús.

**V. 52.** Jesús no se prestó para utilizar la violencia como método para instaurar su reino. El reino de Cristo se instauraría en base al amor y servicio de sus súbditos. Jesús pronuncia una verdad universal: *los que toman espada, a espada perecerán*. En el reino de Dios las armas serán totalmente distintas y su forma de conquista será entregando la vida, no quitándola. El mundo no puede entender este concepto de batalla y por eso se opone radicalmente a comprometerse con los principios del reino. Nuestra cultura nos dice que el que quiere conquistar un reino, sea en lo político, económico o social, tiene la alternativa de lograrlo en base a la aplicación de la fuerza y las acciones arbitrarias que le son tan comunes a los humanos.

**V. 53.** Jesús no estaba indefenso como se pudiera pensar. Tenía toda la ayuda del Padre y en cualquier momento podía echar mano de ella. Recordemos que en el Antiguo Testamento un solo ángel fue capaz de destruir un jército completo que intentó conquistar al pueblo de Israel. ¿Qué no harían entonces doce legiones que son aproximadamente setenta y dos mil ángeles contra un puñado de gente? Sin embargo, esa es la verdadera libertad, que el reino y sus principios no se establecen con criterios de imposición.

**V. 54.** Jesús tenía que enfrentarse a la situación que se presentaba. Las Escrituras y la voluntad de Dios debían cumplirse. Era un plan trazado para beneficio de quienes estaban dando pasos insensatos para poner al Hijo del amor de Dios en una cruz. Es aquí cuando brilla con toda su intensidad la luz del amor de Dios para los hombres. Ellos están buscando la muerte del Hijo de Dios, y él, Cristo, está ofreciendo su vida en sacrificio por sus enemigos. ¡Qué ironía, el Hijo de Dios sometiéndose a la injusticia del hombre! Para que se cumpliese la Escritura era necesario que se diera este contraste. El amor vertical del Padre puesto en oposición por la vergüenza de la horizontalidad del criterio humano.

## 4 Jesús ante el Sanedrín, Mateo 26:59-65.

**V. 59.** El juicio que el Sanedrín inició contra Jesús era completamente ilegal. Desde su arresto, la ilegalidad del proceso fue puesta en evidencia. La ley judía reclamaba que para llevar a cabo un proceso legal que mereciera pena de muerte, no podía detenerse a la persona durante la noche. Además, durante las fiestas de la Pascua no se podía tener un juicio como tal. Sobre todo, cuando un reo era condenado por unanimidad era puesto en libertad porque se deducía que había habido malicia en el proceso. Con Jesús se violaron esas normas legales y más aún, se buscaron falsos testimonios para tratar de validar la acusación.

**Vv. 60, 61.** Aun cuando buscaron testigos falsos no hallaron culpabilidad en Jesús. La acusación que usaron en su contra estaba basada en una interpretación equivocada de las palabras de Cristo cuando pronunció la caída del templo.

**Vv. 62, 63.** La actitud silenciosa de Jesús sorprendió al Sanedrín, puesto que no decía nada. Caifás llegó al extremo de poner el templo al mismo nivel de Dios. Además, puso a Jesús bajo juramento obligándolo a hablar.

**V. 64.** Las palabras de Jesús fueron más que una simple respuesta a la pregunta que le hicieron. Cuando él volviera con poder y gran gloria no vendría para acatar órdenes de los hombres ni se dejaría juzgar por ellos. En su retorno, el Sanedrín tendría que dar cuenta de los actos que estaban ejecutando y ser ellos los reos dignos de muerte. Cristo será visto por todos sentado a la diestra del Padre y luego viniendo a la tierra en las nubes del cielo.

**V. 65.** El Sanedrín se sintió ofendido ante esta declaración. Era más de lo que Caifás podía soportar y la gota que derramó el vaso. Para el sacerdote y los acusadores las palabras de Jesús eran una blasfemia.

## Aplicaciones del estudio

**1. Necesitamos apoyarnos en nuestros hermanos cuando tenemos pruebas.** Como humanos, reaccionamos negativamente ante los problemas y sufrimientos que se nos presentan. Cuando vivimos a solas esas situaciones difíciles, nuestra vida se llena de aflicción y angustia. Nos sentimos desmayar, y si somos débiles podemos fracasar.

**2. En el orden de lo espiritual, tenemos a Cristo nuestro mejor amigo.** Jesucristo padeció aflicción y dolor y es capaz de comprender la agonía humana frente al dolor.

**3. Cristo es nuestro ejemplo supremo de obediencia.** Jesús obedeció al Padre aun en los momentos de agonía. Este ejemplo debemos seguir los cristianos, sometiéndonos plenamente a él y obedeciendo continuamente.

## Prueba

1. Describa la naturaleza del sufrimiento de Jesús, durante su arresto y juicio.

_____

_____

2. Escriba dos experiencias en las que pediría fortaleza al Señor para salir victorioso.

a) _____

b) _____

### Lecturas bíblicas para el siguiente estudio

**Lunes:** Mateo 27:1, 2          **Jueves:** Mateo 27:27-30
**Martes:** Mateo 27:3-10          **Viernes:** Mateo 27:31-44
**Miércoles:** Mateo 27:11-26          **Sábado:** Mateo 27:45-56

**Unidad 6**

# El juicio de Jesús

**Contexto:** Mateo 27:1-56
**Texto básico:** Mateo 27:3-7, 22-25, 37-44
**Versículo clave:** Mateo 27:54
**Verdad central:** Siendo condenado injustamente, Jesús nos advierte contra la negación de su señorío a causa de nuestro orgullo o el temor a comprometernos.
**Metas de enseñanza-aprendizaje:** Que el alumno demuestre su conocimiento de las expresiones de injusticia durante el juicio contra Jesús y su actitud frente a los factores que causan que él niegue el señorío de Jesús en su vida.

--- **Estudio panorámico del contexto** ---

1. Jesús es llevado ante Pilato, Mateo 27:1, 2
2. La muerte de Judas, Mateo 27:3-10
3. Pilato interroga a Jesús, Mateo 27:11-26
4. Los soldados se burlan de Jesús, Mateo 27:27-30
5. La crucifixión de Jesús, Mateo 27:31-44
6. La muerte de Jesús, Mateo 27:45-56

En el juicio de Jesús, se efectuaron dos procesos, uno ante el Sanedrín y el otro ante Pilato el gobernador romano. En cada proceso se dieron tres etapas que hacen un total de seis. Se dio una confrontación entre los líderes religiosos y el Mesías, que no fue reconocido sino rechazado, él confiesa su mesianismo con el único resultado de encontrarse con la sentencia de muerte en la corte y la negación por su más destacado discípulo.

Según la costumbre judía, lavarse las manos significaba eliminar toda culpa.

El pretorio era la residencia oficial del gobernador, cuando estaba en Jerusalén.

Era contrario a todas las normas, proceder contra la vida de una persona durante la noche, esto debía hacerse por la mañana a plena luz del día.

El Sanedrín estaba formado por líderes religiosos judíos. Dentro de ellos se encontraban escribas, fariseos, saduceos y ancianos del pueblo. La corte suprema de los judíos era el Sanedrín.

Mateo pone énfasis en las experiencias vergonzosas y crueles que vivió el Señor Jesús, recalcando que a través de esos sacrificios estaba cumpliendo el plan redentor de Dios. A pesar del sufrimiento, mantuvo una actitud de obediencia y fidelidad al Padre celestial.

# Estudio del texto básico

**Lea su Biblia y responda**

1. Según Mateo 27:3-7, 22-25, 37-44
   a. ¿Qué hizo Judas con las treinta monedas de plata?

   b. ¿Qué hicieron con el dinero que se les devolvió a los sacerdotes?:

2. ¿Qué hizo Pilato cuando se dio cuenta de que no podía evitar condenar a Jesús?

3. ¿Qué escribieron como una burla sobre la cabeza de Jesús? _____

**Lea su Biblia y piense**

# 1 La muerte de Judas, Mateo 27:3-7.

**V. 3.** A pesar de que Judas había tenido la experiencia de pertenecer al grupo de los discípulos comete una acción incorrecta y desleal. Al ser acusado por su traición experimenta en su interior un remordimiento que le conduce a devolver el dinero que había recibido por su traición. No sabemos exactamente cuáles fueron en sí los motivos que orillaron a Judas al suicidio. Sin duda se frustró porque el Mesías que él esperaba no correspondía con las características del Rey-siervo de Jesús. También sintió remordimiento por haber entregado a su Maestro. Lo cierto es que, al final de cuentas, el pecado conduce a la muerte.

**V. 4.** Judas reconoció su traición e intentó resolver su falta devolviendo el dinero a sus cómplices. Pero en los sacerdotes y ancianos no sucedió igual, parecía que ellos no tenían ni un poco de humanidad, mucho menos de moralidad. Su propósito era deshacerse de Jesús y de paso también de Judas. La acción de Judas de ninguna manera podría justificar su fechoría.

**V. 5.** Cargado de remordimiento por su traición, Judas se enoja al darse cuenta de que había sido usado por los sacerdotes, por lo que despectivamente les arroja las piezas de plata.

**Vv. 6, 7.** Los principales sacerdotes y ancianos eran hipócritas y falsos, recibieron el dinero y como sabían que era precio de sangre, no lo ofrendaron sino que lo usaron para adquirir un terreno. Esa acción legalista de los líderes religiosos puso de manifiesto su incapacidad moral para cumplir su función adecuadamente. Estaban tramando la muerte de Jesús y sin embargo, tuvieron escrúpulos para recibir el dinero para devolverlo de donde fue tomado. Fue más fácil presionar a Judas hasta el suicidio mismo que quebrantar una norma estrictamente humana.

# 2 Pilato interroga a Jesús, Mateo 27:22-25.

**V. 22.** Posiblemente Jesús había impresionado a Pilato; por esa razón él no quería condenar al Señor. Manejó la situación con el fin de encontrar una estrategia para evitar una condena y así quitarse el peso de culpabilidad. La presión existente a su alrededor no se lo permitió. Al preguntar qué hacer con Jesús, la multitud arrastrada por el odio de sus líderes, exclamaba: *¡Sea crucificado!* Lógicamente la

218

función del gobernante era aplicar la ley en aras de la justicia. Su responsabilidad era proteger la vida de un inocente. Sin embargo, pudo más la presión del qué dirán, del temor a causar una revuelta si se negaba a cumplir las exigencias de la turba.

**V. 23.** Consciente de que no había ninguna razón para condenarlo, les preguntó: *¿Qué mal ha hecho?* Nuevamente la multitud grita: *¡Sea crucificado!*

**V. 24.** Pilato renunció al intento de evitar la condenación de Jesús, y ante el alboroto que se agudizaba se lavó las manos, como símbolo de quitar su culpabilidad. Tal actitud del gobernante puso de relieve sus temores y sin embargo, de ninguna manera podría limpiar su culpa. En realidad, fue una renuncia a su autoridad y responsabilidad frente a Dios y a los hombres.

**V. 25** La gente hizo un escandaloso alboroto, aceptando las consecuencias de la muerte de Jesús, que se cumplieron más tarde con la destrucción de Jerusalén en el año 70 d. de J.C. Ese fue el dolor más grande de Jesús. Más que los clavos de la cruz y el escarnio de las burlas le causó sufrimiento escuchar las voces de los que habían gritado: "¡Bendito el que viene en el nombre del Señor!" Ahora estaban gritando: *¡Sea crucificado!* La traición causa verdadero dolor.

## 3 La crucifixión de Jesús, Mateo 27:37-44.

**Vv. 37, 38.** Al crucificar a Jesús, sus enemigos expresaron burlas y señalamientos en su contra. A pesar de que ellos lamentablemente no comprendían que él era el Mesías, anunciaron la verdadera identidad del Señor como Rey, ya que pusieron un rótulo donde le declaraban *Rey de los Judíos.* Crucificarle entre dos ladrones era denigrante, pero de esta forma Jesús, aun en el umbral mismo de la muerte, estaba reflejando su preocupación por los pecadores. Su sacrificio fue en beneficio de toda la humanidad. Ese es el verdadero contraste; lo que para la turba era el final del ministerio de Cristo, para el Señor era la victoria más sublime.

**Vv. 39, 40.** No satisfechos con la crucifixión, la gente le insultaba retándole a que probara su poder divino, bajándose por sí solo de la cruz. Ni al pie de la cruz la gente pudo comprender la naturaleza y objetivos del reino que se estaba estableciendo. Estaba muy lejos de la comprensión de la gente ver con claridad que el reino de Cristo sería alcanzado por el sacrificio de su fundador. Los reinos terrenales se alcanzan sacrificando vidas ajenas, quitándolas.

**Vv. 41-43.** Los escribas, sacerdotes y ancianos habían logrado el propósito de eliminar, según ellos, a Jesús. Su odio y rencor contra él les motivaba a burlarse, exclamando frases llenas de sarcasmo que al final de cuentas resultarían en su contra. Su extremo fue tal que le solicitaban que comprobara su divinidad. No tuvieron empacho en incluir en sus burlas al Padre celestial, diciendo: *Que lo libre ahora si le quiere.* El hombre necio no se imagina la magnitud del poder de Dios. ¿Qué pasaría si el Señor respondiera a las expectaciones burdas de aquellos burladores?

**V. 44.** El desorden e injurias, eran tan exagerados que contagiaron a los dos ladrones que estaban en las otras cruces a los lados de Jesús. Estos se unieron a los burlones y también exclamaron palabras ofensivas contra él. En Mateo no se menciona que uno de los ladrones se arrepintió. El intento del escritor es resaltar el sufrimiento del Hijo de Dios.

## Aplicaciones del estudio

**1. Hoy en día también somos tentados a negar a Jesús.** En nuestras relaciones interpersonales, en ambientes no cristianos, encontramos algunas situaciones peligrosas. Los no creyentes siempre tienden a provocar a los cristianos para hacerles caer o probar su grado de espiritualidad. Cuando el cristiano es firme, consciente y dependiente del Señor, no desmaya ni imita lo que hacen sus compañeros. Esto algunas veces provoca que ellos se burlen, señalen, e incluso le excluyan del grupo. Tenemos que decidir si queremos ser amigos de Jesús o del mundo.

**2. No todo el que parece religioso es fiel al reino.** Judas era el tesorero del grupo de los doce y sin embargo, vendió a Jesús por treinta miserables piezas de plata.

**3. El amor a los demás a veces exige sacrificio.** Recordemos que el Señor también sufrió duramente, por el amor a la humanidad. Este debe ser nuestro ejemplo y nuestra meta cuando se nos presenten experiencias difíciles.

**4. Solos no podemos enfrentar el sufrimiento y el dolor.** Si buscamos la ayuda del Señor encontraremos en él el bálsamo y fuente de salud. Cuando estemos afligidos, adoloridos, y confundidos, contémosle al Señor nuestra aflicción y solicitemos su pronto auxilio.

## Prueba

1. Describa las acciones de injusticia que se cometieron en el juicio contra Jesús.

_____

_____


2. Identifique por lo menos dos factores que alguna vez han provocado que usted niegue el señorío de Cristo en su vida. Escríbalos a continuación.

1) _____
2) _____


### Lecturas bíblicas para el siguiente estudio

**Lunes:** Mateo 27:57-61
**Martes:** Mateo 27:62-66
**Miércoles:** Mateo 28:1-7

**Jueves:** Mateo 28:8-10
**Viernes:** Mateo 28:11-15
**Sábado:** Mateo 28:16-20

**Unidad 6**

# La resurrección de Jesús

**Contexto:** Mateo 27:57 a 28:20
**Texto básico:** Mateo 28:1-10, 16-20
**Versículos clave:** Mateo 28:5, 6a
**Verdad central:** La resurrección de Jesús provee la seguridad de la salvación, y su comisión llama a los creyentes a compartir este evangelio en todo el mundo.
**Metas de enseñanza-aprendizaje:** Que el alumno demuestre su conocimiento de las evidencias o pruebas de la resurrección de Jesús y el propósito de la comisión de él a sus seguidores y su actitud frente a un proyecto misionero de su iglesia en el que pueda participar.

## Estudio panorámico del contexto

1. Jesús es sepultado, Mateo 27:57-61
2. La guardia puesta ante el sepulcro, Mateo 27:62-66
3. La resurrección de Jesús, Mateo 28:1-10
4. El soborno de la guardia, Mateo 28:11-15
5. La gran comisión, Mateo 28:16-20

El historiador romano Tácito, expone la muerte de Jesús en términos muy notables: "Nerón sometía a los que comúnmente eran conocidos con el nombre de cristianos a las torturas más refinadas. El autor de este nombre fue Cristo, condenado a la pena capital en el reinado de Tiberio, por Poncio Pilato el procurador."

Cuando a un criminal lo condenaban a crucifixión, lo conducían en medio de cuatro soldados romanos. La persona era crucificada casi sin ropa y su vestuario se convertía en herencia de los soldados como paga.

Romper los vestidos era entre los judíos una señal de tristeza o de viva indignación.

Pilato gobernaba en Judea, con el título de gobernador. Fue el quinto procurador de Judea y sucedió a Valerio Graco en el año veintiséis d. de J.C.

Los procuradores residían en Cesarea, capital política del país. Pilato había ido a Jerusalén, posiblemente para vigilar esa ciudad durante la fiesta de la Pascua, cuando cabía la posibilidad de que hubiera algún tumulto a causa de las inmensas multitudes que asistían a ella.

Conforme a la usanza hebrea, las fracciones del día que comienzan o terminan un período, se cuentan como días.

La burla, el sufrimiento y el rechazo de Jesús alcanzan su clímax en el momento de su crucifixión como criminal y en la separación de su Padre. Pero esto que a los ojos humanos es una escena trágica en realidad es la puerta de vida, fe, esperanza y amor. Mateo resalta la realidad de la muerte de Jesús contra la negación judía de la resurrección.

En este hermoso estudio se evidencia el cumplimiento fiel del plan divino de salvación. Cristo se constituyó en sacrificio vivo por los pecados de toda la humanidad. El murió, pero resucitó al tercer día, como dijo, y vive y permanece para siempre.

―――――――― **Estudio del texto básico** ――――――――

### Lea su Biblia y responda

1. Ponga un número a las oraciones, según el orden cronológico de los acontecimientos.

a) _____ Jesús saluda a las mujeres.
b) _____ Hubo un gran terremoto.
c) _____ Llegaron las mujeres al sepulcro.
d) _____ Los guardias temblaron.
e) _____ Las mujeres adoraron a Jesús.
f) _____ El ángel descendió del cielo.

2. La gran comisión nos manda ID, pero nos da una promesa, ¿cuál es?

――――――――――――――――――――――――――――――――――

### Lea su Biblia y piense

## 1 La resurrección de Jesús, Mateo 28:1-10.

**V. 1.** El primer día de la semana, las mujeres van al sepulcro para terminar con el ungimiento del cuerpo de Jesús. Mateo nos relata quiénes son las mujeres que van al sepulcro y las incluye en esta narración, como testigos de la gloriosa resurrección del Señor. Nos ubicamos así frente al hecho central de la fe cristiana: El Cristo vivo. La victoria sobre la muerte fue la culminación de lo que para muchos era la derrota más aplastante contra la fe en Jesucristo. Se pensaba que la cruz y la tumba eran suficientes para detener la pujante marcha del nuevo pueblo de Dios. ¡El hombre piensa muy diferente de Dios!

**V. 2.** El hecho del terremoto y que el ángel haya removido la piedra no nos dicen cómo fue que salió Jesús del sepulcro. Más bien, Mateo quiere dejar establecida la gran verdad de que Jesús ha resucitado. No pasa desapercibido, sin embargo, el hecho de que los mismos elementos naturales son usados por Dios para llevar a cabo su plan redentor. Los terremotos, las tinieblas, el resplandor de su luz pura, todo ello es instrumento elocuente en las manos de Dios para dar realce a sus portentos.

**V. 3.** Los ángeles que menciona Mateo son testigos divinos de la resurrección. Así como el anunciamiento del nacimiento de Cristo se hizo por medio de agentes celestiales, también la resurrección es atestiguada por ángeles enviados por el Padre.

**V. 4.** Es comprensible el temor de los guardias. Aunque el Sanedrín había puesto para cuidar que el cuerpo de Jesús no fuera robado, el plan divino los incluyó como testigos del Hijo de Dios.

**Vv. 5-7.** Esta es otra evidencia de la recompensa del amor de las mujeres hacia Dios. Ellas fueron las primeras en recibir el mandato de ir y predicar el evangelio. Cuando Jesús habló con la mujer samaritana dignificó a las mujeres y les dio su lugar en la sociedad. Ahora, aparte de todo esto son las primeras comisionadas para que vayan y lleven las buenas nuevas de salvación. Las palabras de consuelo del ángel son también una reiteración de las profecías de Jesús acerca su victoria sobre la muerte. *Ha resucitado, así como dijo.*

**V. 8.** Las mujeres posiblemente llevaban alguna duda, pero creyeron el mensaje del ángel. Su corazón estaba tan henchido de alegría que lo único que deseaban era llegar donde sus hermanos para narrarles lo sucedido. La certeza de la resurrección causa gran regocijo y provoca un impulso irresistible de ir a decir las buenas nuevas de la victoria sobre la muerte y el pecado.

**V. 9.** Jesús quiere confirmar el mensaje del ángel, por eso sale al encuentro de ellas. Las mujeres sorprendidas dejan a un lado cualquier rasgo de duda que pudieran tener. El Maestro está allí frente a ellas, no es una ilusión, no es una visión. ¡Jesús ha resucitado! El mensaje debía llegar hasta los discípulos de Cristo y las mujeres no debían tener la menor duda de la realidad del Cristo resucitado.

**V. 10.** Jesús había iniciado su ministerio en Galilea. Como un corolario también quería terminarlo allí. Jesús deseaba dar las últimas instrucciones a los suyos y además, que no quede ningún rasgo de duda en ellos. Por tal razón, era necesario que todos lo vieran antes de que regresara donde su Padre.

# 2 La gran comisión, Mateo 28:16-20.

**V. 16.** Los discípulos dan muestra de obediencia al mandato de Jesús. No sabemos en dónde fue esta reunión con el Señor, los evangelistas sólo nos relatan que fue en Galilea.

**V. 17.** Parece ser que algunos de sus discípulos no creyeron en el testimonio de las mujeres. Otros escritores nos relatan que el único que dudó fue Tomás, pero Mateo nos dice que fueron varios. Obviamente los apóstoles habían olvidado la promesa del Señor, de que él resucitaría. Pero otros aceptaron el testimonio de las mujeres e inmediatamente que lo vieron le adoraron.

**V. 18.** Ahora se aclara la razón del sacrificio de Cristo. Debido a la obediencia y a la tenacidad con que enfrentó su ministerio, le fue dada toda autoridad en las cosas celestiales, así como en las terrenales.

**V. 19.** Aquí inicia Jesús su mandato de ir y predicar el evangelio a todas partes del mundo. El ir a todas las naciones está basado en la autoridad que le fue dada al Señor por el Padre. Pero no se trataría solamente de predicar y alcanzar a otros con el mensaje, sino de guiarlos a cumplir el mandato del Señor de dar evidencia de su salvación a través del bautismo. Aquí está invitando a los once y a todos sus seguidores a participar en el extendimiento del reino.

**V. 20.** Jesús requiere que todos sus seguidores sean fieles. Esta fidelidad deben demostrarla guardando todas las cosas que él ha enseñado. El respaldo de ir a predicar este evangelio es la promesa bendita del Señor de que estará con sus siervos hasta la consumación de los tiempos.

## Aplicaciones del estudio

**1. Nuestra fe está puesta en un Cristo vivo.** La resurrección de Cristo es el hecho central en la culminación de su ministerio terrenal. La llamada ciencia puede poner obstáculos al hecho milagroso de la resurrección de Cristo, pero el cristiano que ha abierto su corazón al Señor ha recibido una confirmación personal de que efectivamente, Cristo vive.

**2. El mensaje de la resurrección es una buena oportunidad para evangelizar.** En la mayoría de nuestros países los días en que se celebra el evento de la resurrección la gente está de vacaciones, se hacen carnavales, fiestas que dejan en entredicho el hecho central de la historia. Para el cristianismo es una oportunidad incomparable para proclamar al Cristo vivo.

**3. Cada cristiano está llamado a compartir el mensaje de salvación.** Jesús mismo ordenó cumplir con esa comisión, la cual nosotros debemos obedecer y realizar correctamente.

**4. La acción misionero-evangelística debe ser constante.** Nuestros calendarios de actividades incluyen de dos a tres campañas anuales para tratar de alcanzar al mundo para Cristo. Es necesario que cambiemos nuestra mentalidad, hasta que tengamos como norma vivir siempre proclamando el mensaje, hasta que Cristo venga otra vez.

## Prueba

1. Explique con sus palabras el propósito de la gran comisión dada a todo discípulo de Cristo.

_____

_____

_____

2. Describa un proyecto misionero de su iglesia en el cual usted podría participar activamente. Indique en qué consistiría esa participación.

_____

_____

_____

### Lecturas bíblicas para el siguiente estudio

Pregunte a su maestro (a) cuáles serán las lecturas bíblicas del siguiente estudio y anótelas en los espacios que siguen.

**Lunes:** _____

**Martes:** _____

**Miércoles:** _____

**Jueves:** _____

**Viernes:** _____

**Sábado:** _____